LA FAUTE À MALLARMÉ

L'aventure de la théorie littéraire

Du même auteur

L'Équivoque épistolaire,
Minuit, 1990

Poétique des groupes littéraires,
PUF, 1997

Guy Debord. La révolution au service de la poésie,
Fayard, 2001

Ménage à trois. Littérature, médecine, religion,
Septentrion, 2007

VINCENT KAUFMANN

LA FAUTE
À MALLARMÉ

L'aventure de la théorie littéraire

ÉDITIONS DU SEUIL
25, bd Romain-Rolland, Paris XIVe

Ce livre est publié dans la collection
« La couleur des idées »

ISBN 978-2-02-103567-4

www.seuil.com

Introduction

Le déclin de la littérature est à l'ordre du jour. Elle en a l'habitude. Aux nombreux responsables incriminés au cours des dernières années s'est ajoutée la réflexion théorique sur la littérature, en vogue des années 1960 aux années 1980, ainsi que les œuvres auxquelles celle-ci s'est intéressée. On ne lit plus ? Il n'y a plus de grandes œuvres ? Ce serait la faute à Mallarmé ou, du moins, au structuralisme.

Le diagnostic est suggéré en particulier par Tzvetan Todorov, dans un essai intitulé *La Littérature en péril* publié en 2007. Il pourrait étonner de la part d'un des principaux acteurs de l'aventure théorique, qui a été au cœur du structuralisme littéraire, qui a fait connaître les formalistes russes en France et qui a fondé, avec Gérard Genette, la revue *Poétique* et la collection éponyme. T. Todorov donne cependant une portée précise et limitée à sa critique : c'est surtout dans le domaine de l'enseignement de la littérature que le discours théorique ferait des dégâts, parce qu'il y serait une fin en soi plutôt qu'un moyen ou une simple méthode. De quoi souffre la littérature telle qu'elle s'enseigne aujourd'hui en France ? D'être réduite à ses paramètres formels et linguistiques, ou encore à un « objet langagier clos, autosuffisant, absolu[1] » et d'être coupée du monde de l'expérience. L'actuelle hégémonie de l'approche théorique dans les lycées priverait en somme la littérature de son humanité. Elle aurait également

---

1. T. Todorov, *La Littérature en péril*, Paris, Flammarion, 2007.

préparé le terrain pour le nihilisme qui caractérise le champ littéraire contemporain. Faut-il penser ici à Michel Houellebecq ? À Frédéric Beigbeder ? En tout cas, c'est encore la faute à Mallarmé et à ses héritiers structuralistes.

On pourrait sans doute donner raison à T. Todorov si le débat ne concernait que l'enseignement de la littérature dans les lycées. Mais le propos de *La Littérature en péril* n'est-il pas d'une autre portée ? Si cet essai retrace une généalogie au demeurant très éclairante de la conception réflexive de la littérature, est-ce seulement pour rappeler à la raison des professeurs de lycée égarés dans la théorie, ou leurs supérieurs hiérarchiques au ministère ? Il y a bien chez T. Todorov une volonté de défendre de manière plus générale une idée de la littérature qui accentue des distances prises par lui depuis de nombreuses années avec la mouvance structuraliste des années 1960 et 1970[1].

De fait, il rejoint sur un certain nombre de points les hypothèses développées par William Marx deux ans plus tôt dans un essai intitulé *L'Adieu à la littérature*[2], qui ne se situe plus du tout dans le champ restreint de l'enseignement de la littérature. C'est bien ici toute l'histoire de la littérature moderne qui est présentée comme celle d'une *dévalorisation*, imputable à sa constitution délibérée en un champ autonome. C'est toujours la faute à Mallarmé mais aussi, avant lui, celle à Baudelaire et à Flaubert. Tous sont coupables d'avoir choisi l'« art pour l'art » et l'irresponsabilité sociale, épinglée en somme à juste titre par l'inoubliable procureur Pinard au moment des procès intentés à Baudelaire et Flaubert. Les fossoyeurs de la littérature sont ceux qui en ont fait leur exclusive passion. Ils l'ont aimée, mais trop jalousement. Pour lui éviter toute forme d'instrumentalisation, ils l'ont interdite de vie sociale, ils lui ont imposé la « grève devant la société »,

---

1. Notamment avec son livre *Critique de la critique*, Paris, Seuil, 1984.
2. William Marx, *L'Adieu à la littérature*, Paris, Minuit, 2005.

selon l'expression de Mallarmé[1]. Ils l'ont repliée sur elle-même, ils l'ont contrainte à la réflexivité et à un interminable et dévastateur tête-à-tête dont elle ne se serait jamais remise.

La théorie littéraire et ses auteurs « fétiches » ont-ils véritablement réduit le texte littéraire à un objet langagier clos et coupé de la réalité ? Ne lui ont-ils prêté aucun sens, aucune fonction sociale ou même politique ? Toute la question est là, qui justifie ce livre, dont la première raison est ainsi celle d'un rappel, dans un contexte où l'hégémonie des approches théoriques-formelles n'est pas frappante, c'est le moins qu'on puisse dire. Ignorée depuis très longtemps par la plupart des éditeurs et encore plus obstinément par les médias, la mouvance théorique, qui a d'ailleurs toujours été minoritaire dans les universités françaises, même en ses plus beaux jours structuralistes[2], a largement disparu de l'agenda des études littéraires universitaires, et ceci depuis pas mal de temps. On peut se demander comment, dans ces conditions, elle pourrait peser durablement sur le destin de la culture littéraire, au-delà de son éventuelle survivance dans les lycées. On n'a pas non plus constaté que Maurice Blanchot, Claude Simon, Raymond Roussel, Antonin Artaud ou encore Lautréamont, pour prendre des écrivains qui ont été chacun à leur manière emblématiques de la période incriminée, ont été très souvent au programme des baccalauréats ou des agrégations. Quant à la responsabilité de la théorie littéraire dans l'avènement d'une littérature nihiliste, elle reste floue. Comment passe-t-on d'une constellation qui a incontestablement *cru* à l'efficacité de la littérature et qui a multiplié autour d'elle les justifications progressistes, voire révolutionnaires, au nihilisme ? Il faudrait

1. Stéphane Mallarmé, « Réponse à l'enquête de Jules Huret sur l'évolution littéraire », *Œuvres complètes*, Paris, Gallimard, « Bibliothèque de la Pléiade », 1945, p. 870.
2. Gérard Genette l'affirmait il y a un quart de siècle déjà. Voir « Comment parler de la littérature ? : Marc Fumaroli et Gérard Genette : un échange », *Le Débat*, n° 29, mars 1984.

pour le moins imaginer un certain nombre de relais à une telle évolution, ou alors, plus simplement, d'autres causes.

Ce qui frappe plus généralement dans ces débats comme dans d'autres, c'est la recherche de responsables, voire de boucs émissaires pour expliquer un « déclin » ou une « crise » de la littérature. Tout se passe comme s'il aurait suffi que Mallarmé et quelques autres – quand même assez nombreux – n'aient jamais existé pour que tout continue de bien aller, pour que la littérature continue d'être ce qu'elle était du temps de Lamartine et de Victor Hugo : prestigieuse, populaire, éducative et humaniste. C'est toute son histoire moderne qui aurait pu être écrite autrement s'il ne s'était pas trouvé quelques saboteurs plus ou moins inconscients pour la faire dérailler et prendre la mauvaise direction. Mais fait-on de la bonne histoire littéraire avec des « si seulement... » ?

Il faudrait notamment mesurer à cet égard la part de la concurrence entre les discours littéraires et d'autres discours, d'autres savoirs, d'autres figures de l'autorité et d'autres médias[1]. Qu'est-ce que la situation actuelle de la littérature doit à la montée en puissance de l'autorité de la science ou plus récemment à celle de l'économie ou de la technologie ? Ou à la perte d'autorité des institutions en charge de l'éducation, à la dévalorisation de leur fonction de transmission[2] ? Ou

1. Comme le suggère Antoine Compagnon dans un article consacré à *L'Adieu à la littérature* de W. Marx : voir « Adieu à la littérature, ou au revoir ? », *Critique*, 707, avril 2006.
2. Voir par exemple Richard Millet sur ce point, en bonne compagnie pour mettre le même déclin sur le compte, entre autres, de la faillite du système père-autorité-transmission (*Le Désenchantement de la littérature*, Paris, Gallimard, 2007). C'est au plus tard au moment où un certain nombre d'institutions (éducatives) ne remplissent plus, ou plus aussi bien, leur fonction de transmission d'un héritage culturel qu'on semble s'apercevoir que la littérature n'existe pas en soi, qu'elle est déterminée de part en part par les institutions qui ont les moyens de s'en charger : cours et salons autrefois, écoles républicaines il y a peu, médias audiovisuels et numériques aujourd'hui.

encore, et dès la seconde partie du XIXᵉ siècle, à l'avènement d'une culture dite « de masse » ? Ou enfin, et cela me paraît essentiel, à la concurrence de nouveaux médias, au passage de la graphosphère à la vidéosphère, et plus récemment au basculement dans l'hypersphère, pour reprendre ici des termes popularisés par Régis Debray[1] ? Et si tout cela était moins la faute à Mallarmé qu'aux Smartphones et à Internet, dont les jeunes générations, aujourd'hui les plus assidues en matière de grève de la lecture littéraire, privilégient les charmes interactifs aux dépens de ceux de nos classiques ? Le basculement de la graphosphère dans la vidéosphère puis dans le monde du numérique mériterait en tout cas de figurer en bonne place parmi les causes d'un éventuel déclin de la littérature, fût-ce au prix de la révision de la responsabilité de la mouvance structuraliste. On se penchera sur cette question dans le dernier chapitre de ce livre.

Un des objectifs de cet ouvrage est de montrer que la théorie littéraire n'a pas été l'agent d'un irréversible déclin de la littérature, fatalement engagé par d'illustres prédécesseurs, mais au contraire un moment de *résistance* à l'avènement d'une société « spectaculaire »[2] dans laquelle le sens, la fonction et la place de la littérature ont été considérablement modifiés et pour le coup dévalorisés. Elle peut être considérée comme une réaction à une perte d'autorité générale de l'écrit, quelque chose comme le *chant du cygne* d'une culture littéraire qui a ainsi brillé, une dernière fois peut-être, de tous ses feux – et ils furent particulièrement brillants – tout en se sachant mortelle, proche d'une fin, du moins dans l'esprit des plus lucides des acteurs de l'aventure théorique. Peut-on en douter lorsqu'on lit par exemple ceci, sous la plume de

1. *Cours de médiologie générale*, Paris, Gallimard, 1991.
2. Usage facile et superficiel du concept proposé par Guy Debord, dira-t-on. Rappelons tout de même que la montée en puissance de la théorie littéraire est contemporaine de l'invention du concept de « société du spectacle », et que c'est tout sauf un hasard s'il en est ainsi.

Roland Barthes, conscient de sa position de mandarin dans une culture bourgeoise en voie d'exténuation : « C'est le propre de notre contradiction (historique) que la signifiance (la jouissance) est tout entière réfugiée dans une alternative excessive : ou bien dans une pratique mandarinale (issue d'une *exténuation* de la culture bourgeoise), ou bien dans une idée utopique (celle d'une culture à venir, surgie d'une révolution *radicale, inouïe, imprévisible*, dont celui qui écrit aujourd'hui ne sait qu'une chose : c'est que, tel Moïse, il n'y entrera pas)[1]. »

Michel Foucault, qui fut en compagnie de Barthes un des principaux promoteurs de la « mort de l'auteur », semble être conscient de la même fin. Après s'être enthousiasmé pour la théorisation de la littérature, il prend ses distances avec une mouvance qu'il est un des premiers à identifier, dès 1977 et en des termes très sévères, comme un chant du cygne : « Toute la théorisation exaspérée de l'écriture à laquelle on a assisté dans la décennie 1960 n'était sans doute que le chant du cygne : l'écrivain s'y débattait pour le maintien de son privilège politique ; mais qu'il se soit agi justement d'une "théorie", qu'il lui ait fallu des cautions scientifiques, appuyées sur la linguistique, la sémiologie, la psychanalyse, que cette théorie ait eu ses références du côté de Saussure ou de Chomsky, etc., qu'elle ait donné lieu à des œuvres littéraires si médiocres, tout cela prouve que l'activité de l'écrivain n'était plus le foyer actif[2]. » Pendant une vingtaine d'années, et dans l'imminence d'une chute, la mouvance théorique aurait ainsi valorisé, voire fétichisé le « travail de l'écriture », la « production du sens », ou plus généralement l'autonomie de la

---

1. *Le Plaisir du texte,* Paris, Seuil, 1973, p. 63.
2. « Vérité et pouvoir », *L'Arc*, « La crise dans la tête », 70, 1977, p. 23. Le sentiment de « chant du cygne » est également celui de François Dosse, comme le suggère le titre du second volume de son incontournable *Histoire du structuralisme*, Paris, La Découverte, 1992 (vol. 1. *Le Champ du signe, 1945-1966 ;* vol. 2. *Le Chant du cygne, 1967 à nos jours*).

littérature. Elle aurait en somme tenté de sauver l'auteur, de lui conserver son prestige et ses privilèges, quitte à le sacraliser en décrétant sa disparition. Mais elle a aussi été – c'est tout le paradoxe – le dernier moment où l'on s'est passionné pour la littérature ; pour sa compréhension théorique, mais aussi pour des grandes œuvres et des maîtres à penser.

On aura donc compris que je ne suis pas sûr que tout cela soit la faute à Mallarmé, ni même qu'il y ait eu faute d'ailleurs. Il y a eu une aventure, celle de la théorie littéraire, qui a été vécue par un certain nombre d'acteurs, et qui ne se répétera pas. Je n'éprouve pas de nostalgie particulière pour cette période qui a été pour moi comme pour beaucoup d'autres celle de mes années de formation. Mais j'avoue une certaine tendresse pour elle et je trouve qu'il est dommage qu'elle ne soit évoquée que pour être incriminée ou pour qu'on en répète l'incertain acte de décès, comme si on la craignait encore, comme si elle représentait encore aujourd'hui une menace qu'il fallait conjurer, à l'instar du spectre de Mai 68 auquel il lui arrive d'être associée.

Les fantômes ont la vie dure, mais ce n'est pas une raison pour les traiter aussi mal. C'est pourquoi il est temps de raconter à nouveau l'aventure de la théorie littéraire, notamment à tous ceux qui ne l'ont pas connue. À tous ceux-là, je voudrais montrer qu'il y a peu de temps encore, la littérature (se) pensait autrement et n'avait pas grand-chose à voir avec ce qu'elle est devenue, non pas pour les rappeler à un ordre qui appartient certainement au passé, mais pour leur permettre éventuellement d'en saisir les véritables enjeux, ainsi que la complexité et la richesse.

L'aventure de la théorie littéraire – que je décrirai plus souvent dans les pages qui suivent comme une *mouvance théorique-réflexive* dans laquelle les limites entre disciplines, mais aussi entre théorie et pratique, n'ont cessé d'être remises en question – commence au milieu du siècle dernier. Entre 1950 et 1990, la théorie littéraire, qu'on définira minimalement comme le projet de décrire, mais aussi de défendre la littérature dans son autonomie ou dans sa spécificité, a joué un rôle essentiel dans l'actualité littéraire comme dans les études littéraires. En France notamment, mais aussi en Amérique du Nord, elle s'est imposée, et ceci aux dépens des traditions philologiques et des formes classiques d'histoire littéraire. Sa rapide disparition, qui s'amorce vers 1980, n'en est que plus remarquable. Dans quels contextes culturels la théorie littéraire a-t-elle pu se constituer ? Quelles stratégies intellectuelles ou littéraires a-t-elle mises en œuvre ? Qu'attendait-on d'elle ? Qu'est-elle devenue, pourquoi a-t-elle disparu de l'horizon des études littéraires ? Pourquoi avons-nous eu besoin du théorique, et pourquoi nous en passons-nous apparemment aujourd'hui ?

Telles sont quelques-unes des questions que je voudrais examiner ici et rassembler à l'enseigne d'une *politique* de la théorie littéraire. En effet, seule la prise en compte de cette dimension, c'est-à-dire son implicite ou explicite mise au service d'un projet critique, voire de subversion idéologique ou de révolution, donne à un ensemble de recherches et de prises de position souvent très hétérogènes une cohérence ou du moins un air de famille (c'est pourquoi je privilégie le terme de « mouvance »). Et surtout, c'est cette même dimension politique qui constitue, me semble-t-il, la clé de l'indéniable succès de la théorie littéraire au cours de la période envisagée. Le présent ouvrage ne vise donc pas la constitution d'une histoire de la théorie littéraire, si on entend par là sa généalogie (l'évolution des concepts les plus importants, les emprunts, les influences, etc.). Une telle histoire, ou plus exactement de telles histoires existent et il n'y a pas lieu de les refaire. Il se présente comme une tentative d'*évaluation* du discours théorique tel qu'il s'est tenu, avec ses variantes significatives, principalement entre 1950 et 1980. Quelle efficacité et quelle portée la théorie littéraire a-t-elle eues ? Quels écosystèmes culturels en ont favorisé (ou non) le développement ?

Centrée sur le contexte français, déterminant au cours des années 1950 et 1960, mon enquête sur le théorique comporte également une dimension comparative qui doit en permettre l'approfondissement. La théorie littéraire a en effet été un phénomène international. Elle a donné lieu à un très réjouissant cosmopolitisme des études littéraires, à une internationale du signifiant ou de la structure[1] dont on peut d'autant plus regretter la disparition qu'elle ne semble avoir été remplacée que par un retour aux monuments nationaux et à leur entretien. Cependant, au-delà d'un certain nombre de concepts ou de mots d'ordre apparemment communs, et malgré les traductions, ni les généalogies, ni les effets, ni même les contenus n'ont été exactement les mêmes en France, en Italie, aux États-Unis ou en Allemagne. La place du structuralisme ou de la déconstruction derridienne n'est pas la même en France, où ces courants de pensée se sont développés dans un rapport de tension et de conflit avec, par exemple, la tradition sartrienne de l'intellectuel engagé, et aux États-Unis, qui n'ont jamais connu une telle tradition. En d'autres termes, si c'est la faute à Mallarmé en France, il reste à examiner ce qu'il en est de la mouvance théorique-réflexive dans des traditions littéraires qui attendent encore leur Mallarmé. Mon propos est ici plus limité, mais la convocation de plus d'un contexte culturel national devrait au moins contribuer à la mise en évidence de certains enjeux spécifiques de la configuration française.

Faire le bilan d'un chapitre sans doute clos de l'histoire de la critique littéraire : cela ne revient pas à plaider pour un retour aux années fastes de la théorie où des ouvrages publiés dans ce domaine faisaient la une de l'actualité, ni de proposer aux chercheurs en littérature un nouveau programme (si

1. On s'en fera la meilleure idée possible avec le célèbre roman *A Small World* (trad. fr. *Un tout petit monde*, Paris, Payot, 1992) de David Lodge. Le « small world », celui des théoriciens ou des sémioticiens, est un monde de voyageurs, de cosmopolites.

possible commun). Mais les évolutions récentes de la culture littéraire nous obligent à nous reposer la question de savoir comment nous lisons aujourd'hui, quelle place nous donnons – réellement et idéalement – à la littérature. Pour y répondre, je crains fort qu'aucun retour en arrière – que ce soit à la théorie, à l'histoire littéraire ou à une tradition humaniste – ne fasse l'affaire. À vrai dire, je ne sais même pas s'il existe une bonne réponse à de telles questions. En revanche, on peut faire l'hypothèse que si elle existe, elle passe par un examen critique des raisons que nous avons eues de nous passionner pour le théorique il y a encore peu de temps. Commençons donc par là.

L'objet le plus général de la théorie littéraire est l'étude (souvent présentée comme scientifique) du texte littéraire considéré dans sa spécificité, par opposition principalement à l'histoire littéraire, mais aussi à la sociologie de la littérature, ou encore à ses interprétations philosophiques, psychanalytiques ou psychologiques. Elle est définie la plupart du temps, et notamment par Antoine Compagnon, auteur du livre le plus important sur le sujet[1], de façon plutôt restrictive et identifiée à une série de recherches théoriques de type académique issues principalement du *linguistic turn* que le structuralisme a induit dans les sciences humaines vers la fin des années 1950. Dans cette perspective, il faut évoquer en particulier les travaux de Roman Jakobson, passeur également de l'héritage des formalistes russes qui jouent le rôle de mythiques ancêtres, ainsi que ceux de Claude Lévi-Strauss, qui fait la connaissance de Jakobson au cours de son exil new-yorkais. En relèvent, dans ce sens, les travaux qui s'appuient explicitement sur les modélisations du discours et du langage proposés par la linguistique structurale : ceux de la période sémiologique de Roland Barthes par exemple, ou ceux d'Algirdas Julien Greimas, fondateur de l'École sémiotique de Paris,

1. *Le Démon de la théorie*, Paris, Seuil, 1998.

dont l'influence fut importante pendant un certain temps dans de nombreux départements de littérature européens ou nord-américains.

La linguistique est au centre de cette configuration, non seulement grâce aux auteurs tutélaires (Ferdinand de Saussure, Roman Jakobson, etc.), mais également avec les travaux de continuateurs comme Émile Benveniste, Oswald Ducrot ou Nicolas Ruwet, à tel point que l'appartenance de nombreux travaux à la linguistique ou aux études littéraires reste souvent indécidable. La sémiotique, par définition, englobe d'ailleurs la volatilité des « systèmes signifiants » (le langage, la littérature, etc.), pour autant que ceux-ci se laissent décrire comme des ensembles de structures relationnelles hiérarchisées. On inclura aussi dans ce « premier cercle » des années 1960 des chercheurs comme Gérard Genette et Tzvetan Todorov, qui font notamment partie du « Groupe de recherche sémio-linguistique » (GRSL) fondé par Greimas au sein du laboratoire d'anthropologie sociale de L'École pratique des hautes études et du Collège de France[1]. Ils prendront progressivement leurs distances avec des modèles purement linguistiques pour se lancer, en 1970, dans l'aventure de *Poétique*. Entrent enfin dans cette catégorie les recherches sémiotiques développées par Julia Kristeva, ou encore, mais de façon plus marginale, certains travaux de Pierre Macherey venu de l'orbite théorique althussérienne[2] et, un peu plus tard, le noyau linguistique des recherches développées autour de la revue *Change*, fondée par Jean-Pierre Faye au moment de sa rupture avec Tel Quel (en 1968), dont un des enjeux principaux est de remplacer le paramètre structuraliste par celui de la linguistique chomskyenne (la grammaire générative). Notons encore qu'au cours de la même période, d'autres modèles

1. Participent également au GRSL Roland Barthes, Jean-Claude Coquet, Julia Kristeva, Christian Metz.
2. Pierre Macherey est l'auteur de *Pour une théorie de la production littéraire*, Paris, Maspero, 1966.

théoriques sont également élaborés, notamment dans le monde anglo-saxon, à partir de courants linguistiques ou sémiologiques différents (Charles Pierce, Louis Hjelmslev, etc.) : très vite, une sémiotique pourra en cacher une autre, et même plusieurs autres. Signalons enfin que les structuralistes français lisent et parfois traduisent un certain nombre de prédécesseurs et de « compagnons de route » qui, sans être structuralistes, partagent leurs préoccupations : on pense aux Russes Wladimir Propp et Iouri Lotman, à l'Allemand André Jolles, ou encore, du côté du *New Criticism* anglo-saxon, à René Welleck et Austin Warren, qui seront tous (enfin) traduits en français au cours des années 1960.

Cette première délimitation, qui restreint le théorique à la sphère d'influence de la linguistique (ou des linguistiques), a l'inconvénient de ne pas rendre compte des évolutions très rapides intervenues dans le champ de la théorie littéraire en peu d'années seulement, dont le parcours de Roland Barthes est emblématique. Une définition moins restrictive, qui s'impose dans le cadre du présent ouvrage, conduit en effet à inclure dans le domaine de la théorie littéraire ce qu'on a parfois regroupé – de façon sans doute abusive compte tenu des distances très importantes prises par les uns et les autres avec le structuralisme – sous le nom de *poststructuralisme* (ou d'« ultra-structuralisme », selon François Dosse[1]), soit un ensemble de courants de pensée qui, tout en continuant de mettre la question du langage au premier plan, prennent leurs distances avec le scientisme de la linguistique au profit de modèles philosophiques ou psychanalytiques sur lesquels pèsent non seulement l'influence de Freud, mais aussi celle de Nietzsche et de Heidegger. On pense ici en particulier aux travaux de Jacques Derrida, Jacques Lacan, Michel Foucault, Gilles Deleuze, Jean-François Lyotard, etc., qui, sans être eux-mêmes des théoriciens de la littérature, ont exercé à partir de la fin des années 1960 une influence très importante dans

---

1. *Histoire du structuralisme, op. cit.*, vol. 2, p. 29.

ce domaine, notamment aux États-Unis où ils ont commencé par être lus dans des départements de littérature française avant de migrer vers les disciplines les plus variées. On sait que l'influence de Jacques Derrida en particulier a été tellement forte aux États-Unis que la déconstruction dont il passe pour être l'initiateur a été quasiment « nationalisée » par sa reprise américaine par l'École de Yale (regroupée autour de Paul de Man). De manière plus générale, c'est sous l'ombre tutélaire des penseurs qu'on vient de mentionner que la théorie littéraire a brillé de ses feux les plus puissants. Il faut par conséquent s'efforcer de rendre justice à une telle mouvance.

Il y a cependant à la même époque, et même plus tôt, du « théorique » dans de nombreuses recherches qui n'ont pas nécessairement une visée théorique explicite, mais qui s'attachent également à la mise en évidence de la spécificité du discours littéraire. Le *New Criticism* anglo-américain (dont Austin Warren et René Welleck seront avec leur *Theory of Literature* parue en 1949 les représentants les plus connus en France), la *Rezeptionsästhetik* allemande (Hans-Robert Jauss, Wolfgang Iser[1]) ou l'École de Genève (Jean Starobinski, Jean Rousset, etc.) sans parler d'individualités indépendantes (Jean-Pierre Richard, Serge Doubrovski, etc.), ont joué un rôle important dans la mise en cause de la philologie et de l'histoire littéraire traditionnelles, et c'est à juste titre que ces différentes écoles ou individualités ont parfois été considérées par les théoriciens qui sont venus un peu plus tard comme des prédécesseurs et des alliés. Les frontières entre théorie littéraire et démarche herméneutique – ou entre la théorie et son application dans l'interprétation – sont floues ou du moins poreuses.

---

1. Point commun au *New Criticism* et à la *Rezeptionsästhetik* : l'influence du phénoménologue polonais Roman Ingarden, élève de Husserl. Les travaux des chercheurs réunis autour de Jauss et d'Iser paraîtront régulièrement dans une revue dont le titre est emblématique de la synthèse ainsi opérée : *Poetik und Hermeneutik* (1963-1994 ; 17 volumes parus, Wilhelm Fink Verlag, Munich).

La difficulté de les identifier suggère que si la théorie a déterminé des approches spécifiques des textes littéraires, elle s'est tout autant constituée à partir de pratiques d'interprétation qui l'ont accompagnée et parfois précédée. Il existe en somme une continuité entre de nombreuses approches interprétatives et le théorique, ou du moins des points de passage, comme en témoigne encore le dialogue engagé par Paul Ricœur avec Lévi-Strauss au moment de la parution de *La Pensée sauvage*[1]. Rappelons également que beaucoup de ceux qui ont été considérés comme des théoriciens ont à leur actif quelques-unes des lectures les plus abouties et les plus marquantes de grands textes de la littérature française ou mondiale[2].

Structuralisme, poststructuralisme, herméneutique : à ces trois régions de la réflexion théorique sur la littérature, il faut en ajouter une quatrième, incontournable dans le cadre du présent ouvrage : la théorie littéraire comme continuation de la *pratique* littéraire, et inversement. C'est même un des traits les plus caractéristiques mais aussi les moins souvent évoqués de la théorie littéraire : elle n'est pas réductible à un ensemble de démarches académiques. Elle consiste aussi en une série de réflexions qui accompagnent des pratiques d'écrivains et qui explicitent leurs engagements esthétiques, qui sont aussi politiques. Les formalistes russes ont été pour certains d'entre eux des poètes (Ossip Brik, Viktor Chklovski, Iouri Tynianov), venus d'un horizon qui est celui de l'avant-garde futuriste russe. C'est aussi le cas dans la France des années 1960 et 1970, au cours desquelles de nombreux écrivains se profilent comme des théoriciens : Alain Robbe-Grillet ou Jean Ricardou dans le cadre du Nouveau Roman, Philippe Sollers

---

1. La réponse de Ricœur à Lévi-Strauss a paru dans *Esprit*, novembre 1963.

2. Pour mémoire, mais ce n'est qu'un tout petit échantillon : la lecture du *Sarrasine* de Balzac par Roland Barthes, celle de Raymond Roussel par Michel Foucault, celles de Rousseau, Mallarmé ou Artaud par Jacques Derrida, de Proust et de Kafka par Gilles Deleuze et Félix Guattari, celles de Proust encore et de tant d'autres par Gérard Genette, etc.

et d'autres avec la revue *Tel Quel*, Jean-Pierre Faye et Jacques Roubaud avec la revue *Change*, ou encore Maurice Blanchot, dont le prestige en tant que penseur de la littérature est plus important que sa notoriété d'auteur de récits. Inversement, des théoriciens marqués par le structuralisme comme Roland Barthes ou Umberto Eco seront de plus en plus identifiés au fil des ans comme des écrivains.

On ne saisit pas la théorie littéraire dans ce qu'elle a eu de plus *vivant* et dans sa dimension précisément politique si on en limite la définition à ses versions académiques, ou si on ne tient pas compte des multiples échanges entre écrivains, essayistes et enseignants, sans lesquels elle n'aurait jamais été le phénomène qu'elle est devenue. Dans cette perspective, on relèvera qu'une des clés de son succès est sans doute à chercher dans le fait qu'elle a permis à ceux qui en furent les acteurs principaux de rompre non seulement avec la philologie ou l'histoire littéraire, carburants de la conservatrice Sorbonne, mais également avec une certaine posture ou position intellectuelle, et plus précisément avec la figure de Jean-Paul Sartre, prototype de l'écrivain « engagé » auquel les théoriciens, tous bords confondus, reprocheront souvent sa conception instrumentale du langage littéraire : passage de la « révolution rêvée » des années 1945-1956[1], avec intellectuels se mettant au service de la politique, à une révolution mise au service de l'« écriture », internalisée, que certains critiques (notamment marxistes) associeront à un temps de désenchantement politique. De manière plus générale, il faut relever que l'évaluation et l'interprétation du discours théorique sont inséparables d'une histoire des avant-gardes, et donc d'un imaginaire spécifique du « sens de l'histoire » et de la révolution.

1. Selon le titre de l'important ouvrage de Michel Surya, *La Révolution rêvée*, Paris, Fayard, 2004. La « coupure » de 1956 renvoie à la fois à l'invasion soviétique de la Hongrie et à la montée en puissance d'une extrême gauche dans le dos du Parti communiste français pendant la guerre d'Algérie.

Entre 1950 et 1990, la théorie littéraire, ou plus exactement ce que j'ai déjà commencé à décrire sous le nom de *théorique-réflexif* et que je continuerai la plupart du temps de désigner ainsi, a donc (au moins) quatre visages : un visage scientiste par lequel elle lie son destin à celui de la linguistique, un visage poststructuraliste, un visage interprétatif-herméneutique, et enfin un visage essayiste lorsqu'elle est faite par les écrivains eux-mêmes. Ainsi se présente le théorique-réflexif à son extension *maximale* : un ensemble aux frontières incertaines et mouvantes dont l'identité est encore plus problématique lorsqu'on essaie d'en fixer les coordonnées historiques : certains remonteront à l'*Athenaeum* des premiers romantiques allemands (les frères Schlegel, Novalis, Schelling) ; d'autres et dans un contexte plus exclusivement français à Mallarmé et surtout à Valéry ; d'autres encore aux formalistes russes ; d'autres enfin au *New Criticism* anglo-saxon, etc.

Comment appréhender un champ aussi vaste, et comment surtout éviter les généralisations hâtives, les simplifications, la remise à plat de différences de position que les acteurs de cette aventure ont jugées assez importantes pour se fâcher parfois définitivement les uns avec les autres ? Il va de soi que je n'en vise aucune description exhaustive, qu'elle soit historique ou synchronique. Je m'intéresserai ici à un certain nombre de cas et de discours qui me semblent emblématiques, qui permettent de décrire des tendances, des penchants, des positions malgré tout communes lorsqu'on les considère avec le recul qu'il est possible d'avoir aujourd'hui. Mon but n'est pas de suivre des auteurs particuliers, mais plutôt des réseaux conceptuels et des cheminements par lesquels les théoriciens les plus célèbres mais aussi parfois les moins connus sont régulièrement passés[1]. Il est possible d'imaginer aujourd'hui

---

1. Dans cette perspective, ma démarche est analogue à celle adoptée par Antoine Compagnon dans *Le Démon de la théorie*, *op. cit.* Compagnon privilégie également un certain nombre de concepts « stratégiques »

la théorie littéraire comme une carte de géographie (ou un hypertexte, soyons résolument modernes) constituée d'une série de notions qui renvoient toutes les unes aux autres, comme un ensemble de parcours en réseau. Certaines voies ont été plus empruntées que d'autres, sans doute parce qu'elles comportent des étapes inévitables ou plus rentables. Ce sont de telles cristallisations auxquelles je m'attacherai en priorité, en tentant en somme d'en mesurer l'*opérativité*. De même que la preuve du pudding, c'est qu'il se mange, de même je partirai du principe que si certaines notions constitutives du champ de la théorie littéraire sont devenues de véritables mots d'ordre, c'est parce qu'elles ont permis de réaliser des opérations intellectuelles précises, parce que leur mise en réseau leur a conféré une efficacité particulière. La référence à une dimension politique de la théorie littéraire doit donc aussi s'entendre dans ce sens : la mouvance théorique est conçue ici comme une stratégie, comme une politique spécifique de légitimation ou de positionnement.

Ce livre propose concrètement quatre parcours. Le premier (« Pouvoir absolu », chapitre 1) examine les paramètres nécessaires à l'affirmation de l'*autonomie* de la littérature. Notions clés dans cette perspective : celle de *théorique* elle-même ainsi que celle d'*autoréflexivité*, qui permettent de soustraire le discours littéraire à son instrumentalisation par l'idéologie (c'est le modèle du réalisme socialiste ou de l'engagement sartrien), mais aussi par d'autres sciences (sociologie, psychologie, etc.), et enfin par l'histoire littéraire, constitutive d'un projet éducatif ; enfin, celle de la *mort de*

---

plutôt que des auteurs ou une histoire de la théorie. C'est sans doute plus qu'une coïncidence : il semble que c'est ainsi qu'il faut parler de la théorie, notamment à cause de l'ambiguïté de la façon dont se présente la « fonction-auteur » dans ce champ, constitué d'une part par des auteurs parfois célèbres, et d'autre part par de nombreux « non-auteurs » dont les contributions se sont souvent inscrites dans une logique plus ou moins anonyme et collective.

l'auteur, qui est une conséquence logique de l'affirmation de l'autonomie du discours littéraire.

Le deuxième parcours (« La théorie littéraire au service de la révolution », chapitre 2) décrit les services rendus par la notion de *production* pour relancer l'utopie avant-gardiste d'un communisme de l'écriture qui a régulièrement été inscrit au cahier des charges des avant-gardes du XXᵉ siècle. On peut dire encore dans cette perspective que la théorie littéraire, du moins dans certaines de ses versions, fut fascinée par une sorte de pure valeur d'usage de l'écriture, constamment opposée à une valeur d'échange érigée au rang de symbole d'une culture bourgeoise et capitaliste qu'il s'agissait de détruire.

Le troisième chapitre (« Esthétique de la subversion ») analyse les notions ou les opérateurs par lesquels la théorie littéraire se constitue en un programme de subversion de la « culture bourgeoise » et plus précisément de ses structures socio-symboliques. Deux axes de réflexion se dessinent ici : d'une part le paramètre psychanalytique (transfert de notions telles que la perversion ou la « subversion du sujet » dans le champ de la littérature), d'autre part celui de la critique de la représentation, qui fait de la théorie littéraire un projet « anti-spectaculaire », voire iconoclaste, au même titre que la trinité Marx-Freud-Nietzsche dont la théorie littéraire (au sens large du terme) s'est réclamée.

Un quatrième chapitre (« Conclusion : considérations médiologiques ») effectue un retour sur la question de l'éventuel déclin de la culture littéraire et tente de situer celle-ci dans le contexte d'un changement de médiasphère, ou d'un passage de la « galaxie Gutenberg » à la galaxie numérique, dont le résultat est non pas la disparition du livre, mais la remise en cause de son *autorité*. Mon hypothèse est que la mouvance théorique a pris acte d'un tel changement, qu'elle a représenté, comme je l'ai déjà évoqué, une stratégie de résistance par rapport à lui, mais qu'elle a aussi constitué, de façon plus ambiguë, un geste d'anticipation de toute une série de procédures que le passage au numérique nous a appris à considérer comme allant de soi. Au fond, cette ambiguïté est peut-être une des choses les plus intéressantes dans l'aventure de la théorie littéraire, et une bonne raison d'y revenir aujourd'hui.

En guise de conclusion encore, ou justement pour ne pas conclure, ce livre comporte une cinquième – et longue – partie composée d'entretiens avec certains de ceux qui ont compté, et parfois comptent toujours, dans des contextes souvent très différents, parmi les principaux acteurs de l'aventure de la théorie littéraire. Place donc, pour finir, à des témoignages de première main, variés, divers, divergents, qui ont pourtant pour la plupart d'entre eux quelque chose d'essentiel en commun : leur remarquable et lucide fidélité aux positions prises et aux travaux engagés il y a parfois plus de quatre décennies. Leurs auteurs se sont exprimés sans avoir pris connaissance de mes hypothèses et de mes propositions, et je n'ai pas modifié celles-ci après avoir effectué les entretiens. Il leur arrive de les confirmer, mais aussi de les nuancer, et parfois de les réfuter. Chacun peut ainsi prolonger le débat comme il l'entend. Pour leurs propos, leur générosité et leur temps, j'exprime ma profonde gratitude à Jonathan Culler, Ottmar Ette, Gérard Genette, Jean-Joseph Goux, Werner Hamacher, Julia Kristeva, Sylvère Lotringer, J. Hillis Miller, Michel Pierssens, Jean Ricardou, Avital Ronell, Élisabeth Roudinesco, Philippe Sollers, Karlheinz Stierle et Tzvetan Todorov.

CHAPITRE 1

Pouvoir absolu

Autonomie

Sans doute convient-il de parler des « théories littéraires »
plutôt que de la théorie littéraire : il y en a eu plus d'une, et
beaucoup d'entre elles n'ont pas grand-chose en commun, du
moins à première vue. Improbable coexistence, qui a pourtant
été bien réelle, de Roland Barthes passé de Brecht et du Nouveau Roman au structuralisme puis à Lacan avant de se tourner
vers des formes plus personnelles d'écriture, d'Algirdas Julien
Greimas, fondateur d'une *sémiotique* dérivée de la linguistique
structuraliste, qui continue d'avoir aujourd'hui ses adeptes et
ses congrès, de Gérard Genette réinventant la poétique, de Julia
Kristeva reconfigurant en termes politiques puis psychanalytiques une tout autre sémiotique, de Jean-Pierre Faye devenant
avec l'aventure de *Change* le frère ennemi du groupe Tel Quel
dont il a fait auparavant partie, ou encore de Paul de Man, à
l'origine de la déconstruction à l'américaine, et de tant d'autres.
Pourtant, au-delà des disputes et des rivalités, les solidarités et
les complicités ont été elles aussi réelles, et beaucoup de ceux
qui se sont passionnés pour la théorie ont considérablement cir-
culé entre ces différentes démarches. Le charme de la théorie
littéraire est incontestablement venu de ce qu'elle s'est conju-
guée au pluriel, entre rivalité et émulation.

C'est ce pluriel qui, à son tour, impose les guillemets, pour
autant qu'on associe au théorique une aura de scientificité,
comme beaucoup l'ont fait. Des guillemets qui ont alors la

valeur d'un soupçon : il y a eu trop de théories pour que celles-ci soient vraiment théoriques, ou scientifiques. Ou alors il faut convenir que les uns et les autres se sont fait une idée très différente de la science comme de la théorie. Entre ceux qui ont travaillé à une « science du texte » érigée en discipline universitaire susceptible d'en remplacer d'autres – l'histoire littéraire notamment – et ceux qui ont rêvé, avec Louis Althusser par exemple, d'une « pratique théorique » mise au service de la révolution, il n'est pas sûr qu'il y ait jamais eu de programmes communs, si ce n'est avec les malentendus habituels qui les caractérisent.

C'est pourquoi je fais ici l'hypothèse suivante. Si un « démon de la théorie » a existé, comme le suggère le titre du livre d'Antoine Compagnon[1], et si ce démon a bénéficié, des années 1960 aux années 1980, d'un incontestable prestige, c'est parce que le terme de théorie a permis de recouvrir un ensemble de phénomènes non seulement hétérogènes, mais souvent aussi peu théoriques. L'enjeu du théorique a été moins théorique qu'idéologique ou politique, ou encore éthique. Peu importe exactement pour l'instant le terme exact dès lors qu'il permet de préciser qu'avec le théorique, c'est chaque fois la question d'un statut *singulier* de la littérature qui est centrale, et avec lui celle de son *autonomie*. C'est là, au-delà de leurs différences et de leurs contradictions, qu'il faut chercher un dénominateur commun aux théories littéraires.

Toutes partent de l'hypothèse qu'il existe une spécificité du discours littéraire dont le corollaire est la nécessité d'une approche elle aussi spécifique – théorique justement. La légitimité du théorique, toutes catégories confondues, tient dans la prononciation d'une sorte de décret, renouvelé sous les formes les plus diverses, qui veut que la littérature mène une existence *à part* et qu'elle requiert du même coup un traitement particulier, échappant à toute juridiction autre que la sienne propre. De l'affirmation de l'être à part de la littérature, le théoricien attend

---

1. *Le Démon de la théorie, op. cit.*

un effet d'interdiction ou d'exclusion : en particulier des historiens (de la littérature), des philosophes (engagés ou non), des psychanalystes (du moins lorsqu'ils ne s'enthousiasment pas pour le signifiant), des psychologues ou encore des sociologues, qui se retrouvent tous assez rapidement accusés de se mêler de ce qui ne les regarde pas. À tous il oppose un *noli me tangere* dont il sera le porte-parole à la fois empressé et intéressé.

Le théorique procède ainsi d'un séparatisme en même temps que d'un essentialisme, d'une sorte de fondamentalisme. Son objet central est moins la littérature que la *littérarité*, pour reprendre ici le terme presque inaugural et en tout cas programmatique de Roman Jakobson[1] : quelque chose comme une essence de la littérature qui, dans une perspective théorique, sera souvent préférée à la diversité des œuvres elles-mêmes. Il arrivera donc à celles-ci d'avoir tort d'être ce qu'elles sont. Comme les histoires littéraires nationales, les théories ont leurs exclus et leurs enfers. Et tout théoricien se présentera plus ou moins comme le gardien de l'autonomie ou du temple, et même parfois comme le dernier. C'est le cas exemplaire de Maurice Blanchot, héritier de l'orphisme mallarméen, figure majeure de la mouvance théorique des années 1960 à 1980, dont l'aura doit beaucoup à cet essentialisme. *L'Espace littéraire*, sans doute son ouvrage le plus connu, est placé de part en part sous le signe d'une radicale *séparation* entre l'espace littéraire, associé à la mort de l'auteur ou du moins à sa « solitude essentielle », et le monde, la réalité, la société, etc.[2] La littérature est à part, exceptionnelle,

1. Roman Jakobson, « Qu'est-ce que la poésie ? », *in Essais de linguistique générale*, tome II, trad. de l'anglais (1933) par Nicolas Ruwet, Paris, Minuit, 1973, p. 15.
2. M. Blanchot, *L'Espace littéraire*, Paris, Gallimard, 1955. Dans un rapide préambule à cet essai, Blanchot écrit que tout livre, même fragmentaire, a un centre qui l'attire, et que dans ce cas précis, le centre est constitué par les pages intitulées *Le regard d'Orphée* (p. 5). Tout *l'espace littéraire* s'écrirait donc sous le signe d'Orphée dont le mythe est interprété comme celui de l'essentielle séparation et inaccessibilité de

selon l'expression de Mallarmé[1]. Sacrée, au sens étymologique du terme, elle est du même coup une pratique sacrificielle, elle va « vers sa propre disparition ». Blanchot l'affirme dans *Le Livre à venir*[2] et se retrouve ainsi dans cette position de dernier gardien de l'être-à-part de la littérature, de témoin d'une disparition destinée elle-même à ne jamais finir (après tout, personne n'est pressé). Sa centralité dans la configuration théorique qu'on se propose d'examiner ici est peut-être liée à cette capacité d'incarner le désir le plus profond du théoricien de la littérature, quelque chose comme le point de fuite de tout discours théorique : poser *une fois pour toutes* la littérature dans une différence absolue par rapport à tout, comme si sa force dépendait d'une pureté destinée à se perdre.

Une telle position – mais de nombreuses autres lui font écho – semble appartenir aujourd'hui à un autre monde. Il est en tout cas peu fréquent qu'on évoque encore la littérature dans ces termes, ce qui suggère que l'essentialisme littéraire des années 1960 à 1980 peut aussi se comprendre rétroactivement comme un article de foi ou une croyance. On y a cru, on n'y croit sans

---

la littérature. On pourrait suivre également le motif de la séparation dans ses essais plus récents, et plus particulièrement dans *L'Amitié* (Paris, Gallimard, 1971). Exactement au centre de ce recueil, on trouve une page consacrée à Mallarmé, intitulée « Par une division violente », avec laquelle c'est bien la traditionnelle distinction, au départ romantique, entre langage courant et langage poétique qui est surexposée et endossée par Blanchot – il vaut la peine d'en citer le début : « Par une division violente, Mallarmé a séparé le langage en deux formes presque sans rapport, l'une la langue brute, l'autre le langage essentiel » (p. 171). La « division violente », c'est la scène primitive de la théorie littéraire. Relevons encore qu'à la position du « dernier gardien » de l'essence de la littérature répond dans l'œuvre narrative de Blanchot une thématique insistante du *dernier homme* (c'est même le titre d'un de ses récits).

1. « Quelque chose comme les Lettres existe-t-il ? », demande Mallarmé, qui répond un peu plus loin : « Oui, que la littérature existe et, si l'on veut, seule, à l'exception de tout » (*La Musique et les Lettres, Œuvres complètes, op. cit.*, p. 645-646).

2. M. Blanchot, *Le Livre à venir*, Paris, Gallimard, 1959, p. 285 *sq.*

doute plus, ou en tout cas moins. Mais l'affaire n'est pas entendue pour autant. Il reste à expliquer pourquoi une telle position a connu il y a quelques décennies seulement un tel succès. Qu'en attendait-on ? Que promettait-elle ? Quelle en était l'opérativité ? Personne ne croit à quelque chose sans avoir intérêt à le faire. Mon hypothèse est que le séparatisme littéraire a été une opération de revalorisation des *pouvoirs* de la littérature. Celle-ci est à part, elle implique une irréductible littérarité, mais c'est justement cela qui lui confère un pouvoir spécifique, comme le laisse entendre le terme d'autonomie : à quoi pourrait servir l'autonomie si ce n'est à l'exercice d'un pouvoir ? Toutes versions confondues, la mouvance théorique aura toujours assumé qu'il existait un pouvoir spécifique, une efficacité symbolique singulière de la littérarité et, partant, de la littérature. Cette position sera maintenue même dans les variantes les plus critiques par rapport à l'essentialisme théorique, c'est-à-dire celles qui se sont efforcées, surtout dans le second temps de l'histoire de la théorie, de repenser les rapports entre littérature, idéologie et politique[1]. Dans la perspective du théorique, la principale caractéristique de ce pouvoir sera de venir de la littérature elle-même, de ne rien devoir à aucun agent ou à aucune institution extérieurs. Il est la condition de possibilité de l'autonomie de la littérature, et inversement. Il est donc non seulement spécifique, mais il peut également être qualifié d'*absolu*, non pas parce qu'il serait sans limites ou tyrannique,

---

1. On peut penser ici notamment aux théorisations rivales, à partir de 1968, du groupe Tel Quel d'une part (et plus particulièrement aux positions développées par Julia Kristeva), et du collectif Change d'autre part. Des deux côtés, le théorique cède le pas à une réflexion sur les rapports entre poésie, idéologie, politique, révolution, etc. Mais en même temps, on continue dans cette constellation à imaginer une révolution dans et par le langage poétique, ou une révolution impliquant de façon privilégiée le poétique. Ni avec Tel Quel, ni avec Change, la réouverture du poétique sur le politique n'implique l'abandon de la thèse de l'autonomie du langage poétique, ou de celle de son efficacité symbolique singulière.

31

mais parce qu'il implique justement une fondation autonome de la littérature[1].

Rappelons tout d'abord que cette autonomie a une histoire qui remonte au moins au XVIIIᵉ siècle. On la fait généralement coïncider avec l'invention de l'esthétique moderne, c'est-à-dire avec la sécularisation de l'absolu, auparavant confié aux bons soins de la religion. Dans l'esquisse de l'histoire de l'esthétique qu'il propose, Tzvetan Todorov remonte aux Anglais Shaftesbury et Hutcheson, puis à l'Allemand Alexander Baumgarten qui est l'inventeur du terme d'esthétique[2]. L'histoire de l'autonomie de la littérature (et plus généralement de l'art, qui forme un tout précisément à partir du moment de l'invention de l'esthétique) passe ensuite par plusieurs temps qui ont été abondamment commentés, notamment Vico, Lessing, Kant, les romantiques allemands et, plus tard, Baudelaire, Mallarmé ou Valéry en France. Ce n'est cependant pas une histoire linéaire : on observe plusieurs degrés dans l'autonomie, des oscillations, des allers-retours, tant au niveau théorique (ou philosophique) qu'au niveau des œuvres[3]. Il existe donc d'une part une autonomie générale dont procède toute œuvre d'art s'inscrivant dans le contexte moderne de l'esthétique. Le beau y est une fin en soi et n'exige *en principe* aucune justification morale, reli-

---

1. J'utilise le terme d'absolu en hommage et en référence à l'ouvrage de Philippe Lacoue-Labarthe et de Jean-Luc Nancy *L'Absolu littéraire. Théorie de la littérature du romantisme allemand* (Paris, Seuil, 1978, coll. « Poétique »), un des classiques de la mouvance théorique-réflexive, consacré précisément aux origines, romantiques et allemandes (Iéna), de la constitution de la littérature en un champ autonome.

2. *La Littérature en péril*, *op. cit.*, p. 42 *sq.*

3. Outre *L'Absolu littéraire* déjà mentionné, on consultera sur ce point un ouvrage plus ancien de Tzvetan Todorov : *Théories du symbole*, Paris, Seuil, 1977, coll. « Poétique », notamment pour prendre la mesure du rôle joué par le déclin de la rhétorique classique dans l'émergence d'un champ littéraire autonome ; sur l'apport spécifique du romantisme, voir aussi Jean-Marie Schaeffer, *La Naissance de la littérature. La théorie esthétique du romantisme allemand*, Paris, Presse de l'École normale supérieure, 1983.

gieuse ou idéologique. Mais cette définition très large de l'autonomie n'a jamais empêché la littérature d'assumer une fonction
classique de représentation, ni de se donner, selon un système
de fins multiples, des objectifs moraux ou idéologiques. Il faut
cependant envisager, d'autre part, une autonomie plus radicale
qui implique périodiquement une remise en cause de la fonction de représentation de la littérature – ou de ce que la mouvance théorique appellera sa « dimension référentielle ». Une
des conséquences de la thèse de l'autonomie radicale, ce sera
dans cette perspective l'affirmation, reprise sous de multiples
formes, que la littérature ne parle que d'elle-même, qu'elle est
sans rapport avec la réalité, fleur absente de tout bouquet selon
Mallarmé[1]. Et c'est justement en tendant vers cette autonomie
radicale que la littérature se pense – se théorise – comme un
pouvoir absolu.

Nous avons donc derrière nous au moins deux siècles de
réflexions, de controverses et même de polémiques sur le degré
souhaitable ou tolérable d'autonomie de la littérature, sans que
le débat n'ait jamais été définitivement tranché, ni qu'on voie
d'ailleurs très bien pourquoi et comment il le serait. De l'histoire de ces oscillations, qui n'est pas à refaire, on tirera la
conclusion suivante : elle constitue bien la preuve que l'autonomie de la littérature est en dernière instance une affaire
d'imaginaire ou de croyance, pour le dire ici comme Pierre
Bourdieu[2]. On peut être pour ou contre l'autonomie, on peut la
justifier ou la réfuter, cela ne l'empêchera ni d'exister pour les

---

1. *Crise de vers, Œuvres complètes, op. cit.*, p. 368.
2. *Les Règles de l'art,* Paris, Seuil, 1992. Le terme d'« autonomie » a
pris une autre signification depuis les propositions de Pierre Bourdieu,
qui rangerait sans doute l'autonomie imaginée ou imaginaire évoquée ci-
dessus dans la catégorie des croyances. L'autonomie de la littérature
impliquée par la posture théorique ne recoupe pas exactement celle par
laquelle la littérature se constitue, selon la terminologie de Bourdieu, en
un *champ.* Celui-ci n'est que relativement autonome et en tout cas observable dans une perspective sociologique (contrairement par exemple à
l'« espace littéraire » tel que le décrit Blanchot). D'une autonomie l'autre,

uns, ni d'être parfaitement invisible ou nocive pour les autres. Un tel constat n'a rien d'une disqualification : l'imaginaire de l'autonomie a une efficacité qui lui est propre, il peut susciter, en tant que tel, les positionnements les plus créatifs. Ni vrai, ni faux, on le qualifiera simplement d'*opératoire*. Il permet – ou du moins il a permis – dans le champ littéraire l'effectuation d'un certain nombre d'opérations qui se doivent non seulement d'être compatibles avec cet imaginaire mais qui viennent également le valider. La question à laquelle je voudrais répondre ici peut donc encore se formuler de la façon suivante : quelles sont les conditions et les opérations nécessaires à l'émergence de l'imaginaire d'une autonomie radicale de l'œuvre littéraire ?

De l'autonomie à la théorie

Autonomie radicale : cela signifie tout d'abord résistance à toute forme d'*instrumentalisation* de la littérature. Historiquement, on vient de le relever, cette résistance commence avec l'émancipation de la « littérature » – qui jusqu'à ce moment n'existe d'ailleurs pas comme telle – par rapport à la rhétorique. À partir de la fin du XVIIIe siècle, puis surtout avec l'avènement du romantisme, la littérature récuse la juridiction de la rhétorique, elle n'est plus un discours comme les autres, qu'il serait possible d'appréhender selon les mêmes critères. Elle se conçoit comme un discours ou une parole spécifique – ce que Mallarmé appellera précisément une « parole essentielle » opposée à la « parole brute »[1]. Mais l'émancipation est un combat toujours recommencé. La littérature ne semble se

---

donc : la distinction s'impose d'ailleurs de façon évidente à cause des différences de *timing* de l'une et de l'autre. L'autonomie esthétique est posée dès le XVIIIe siècle, celle du champ littéraire se constitue, selon Bourdieu, dans la seconde moitié du XIXe siècle.

1. *Crise de vers*, in *Œuvres complètes, op. cit.*, p. 368.

débarrasser de l'autorité de la rhétorique que pour se précipiter dans les bras des historiens de la littérature, commis à la production de cultures et de monuments nationaux. Pour s'en sortir à nouveau, les moyens du romantisme ne suffiront plus, il faudra les remplacer par ceux de l'avant-garde, dont la montée en puissance à partir du dernier quart du XIXe siècle est inséparable de son opposition aux institutions commises à la transmission de la culture nationale. Dès les années Baudelaire ou Mallarmé, aucune avant-garde n'a fait bon ménage avec les institutions, aucune avant-garde n'a été nationaliste. Beaucoup ont été cosmopolites et toutes se sont intéressées à des cultures ou auteurs étrangers. Ce sera encore le cas de façon systématique avec la mouvance théorique des années 1960.

Une part du combat pour l'autonomie de la littérature et pour sa formalisation théorique a donc été menée contre l'histoire littéraire la plus officielle, dont la vocation est historiquement nationaliste[1]. Ce combat revient au premier plan au cours des années 1960 et plus particulièrement avec Mai 68. C'est bien sûr une des clés du succès de la théorie au cours de ces années : le fait qu'on ne cesse aujourd'hui d'en discuter ou d'en critiquer l'héritage ne devrait pas nous faire oublier complètement que Mai 68 fut avant tout un moment de refus intense et violent de tout héritage culturel et plus particulièrement des valeurs nationales établies. Racine et Voltaire revus et corrigés par Lanson ou Lagarde et Michard avaient tout pour déplaire, à l'inverse de l'ensemble des affirmations allant dans le sens d'une autonomie de la littérature. La théorie permettait de concevoir celle-ci comme quelque chose qui pouvait être réinventé *ex nihilo*, en dehors de tout impératif de transmission ou de tradition ; ou même comme le lieu par excellence d'une réinvention révolutionnaire de la culture.

L'idée de l'autonomie de la littérature est d'autant plus populaire au cours des années 1960 qu'elle représente depuis la

---

1. Voir Anne-Marie Thiesse, *La Création des cultures nationales*, Paris, Seuil, 1999.

fin du XIXe siècle un combat mené non seulement contre l'Éducation nationale républicaine, mais également contre l'ennemi capitaliste, cet infatigable promoteur d'une culture de masse et de l'asservissement de la littérature par l'argent. D'un côté, les marchands, de l'autre, les instituteurs : les voies de l'autonomie sont étroites, fragiles, surtout dès lors que d'autres fronts ne tardent pas à s'ouvrir, avec les médecins, les psychanalystes, les psychologues et, un peu plus tard, les sociologues. Eux aussi multiplient les tentatives de récupération et d'instrumentalisation de la littérature, la plupart du temps sans les égards dus à sa littérarité.

Ce qui déclenchera cependant surtout la réaction théorique, c'est, dès l'entre-deux-guerres puis à partir de 1945, l'instrumentalisation *politique* de la littérature. On ne saurait trop insister dans cette perspective sur le rôle joué par l'impératif sartrien d'un « engagement de l'écrivain », développé comme une grande nouveauté au sortir de la Seconde Guerre mondiale, et d'autant plus hégémonique pendant une quinzaine d'années qu'il a toujours été en phase, même si c'est de façon assez approximative, avec l'agenda communiste d'un réalisme vaguement socialiste[1]. Sartre et ceux dont il s'est longtemps fait le compagnon de route ont joué dans le contexte français un rôle décisif de repoussoir sur lequel la mouvance théorique s'est très souvent appuyée. La notion d'engagement de l'écrivain et, parmi ses nombreux corollaires, la neutralisation de la poésie qu'elle implique, c'est-à-dire l'exclusion du champ de l'action de tous ceux qui considèrent « les mots comme des choses et non comme des signes[2] » (aux yeux de Sartre, des

---

1. Précisons : contrairement à ce que peut faire croire son succès sur cette question, Sartre n'est pas l'inventeur de la notion d'engagement de l'écrivain, qui hante déjà de nombreux débats littéraires de l'entre-deux-guerres. Il n'a jamais non plus défendu le réalisme socialiste, et beaucoup d'écrivains, à commencer par Louis Aragon, pas vraiment non plus, du moins lorsqu'il s'agit de ses propres options esthétiques.

2. Jean-Paul Sartre, *Qu'est-ce que la littérature ?*, *Situations II*, Paris, Gallimard, 1948, p. 64.

auteurs comme Francis Ponge, Michel Leiris, etc.) sont, au moment où la théorie littéraire monte en puissance, l'emblème par excellence de la soumission ou de la souveraineté sacrifiée de la littérature. C'est principalement sur ce terrain-là que l'autonomie de la littérature est à reconquérir, qu'elle doit (re)devenir un (contre-)pouvoir.

Ce contexte permet également de comprendre pourquoi l'histoire de la mouvance théorique, pourtant cosmopolite à de nombreux égards, a été aussi différente d'un pays à l'autre. Pour qu'on se passionne pour elle comme on l'a fait en France, pour qu'elle soit l'objet de nombreuses polémiques et controverses au cours des années 1960, il fallait une tradition de l'engagement politique de l'écrivain à laquelle l'opposer. Celle-ci était faible dans les pays où le communisme n'avait joué qu'un rôle marginal (la Grande-Bretagne, les États-Unis, dont la configuration décentralisée rendait plus difficile la posture de l'intellectuel universel sartrien), et elle a été interrompue dans ceux qui ont connu le fascisme (Allemagne, Italie). Et il fallait également, en réaction à la tradition de l'engagement, la persistance de mouvements d'avant-garde, historiquement les frères ennemis des « écrivains engagés »[1]. Là où il n'y eut ni parti communiste influent, ni surréalisme, ni existentialisme,

1. Autre condition nécessaire – et c'est encore un domaine où il existe d'importantes différences entre les cultures nationales concernées –, la concurrence typiquement française entre la légitimité académique de l'intellectuel et sa légitimité éditoriale, entre la Sorbonne et Gallimard, pour aller vite. Il n'est pas sûr que la mouvance théorique eût pu se développer en France comme elle l'a fait si l'Université y avait disposé, comme c'est (plus) le cas ailleurs, d'un monopole en matière d'autorité intellectuelle. Plus que dans d'autres pays, l'histoire de la théorie a été en France une histoire d'auteurs et de noms propres. C'est aussi cela qui lui donne sa dimension polémique et même politique. Les universitaires allemands ou américains ne sont pas des auteurs au même titre qu'un Roland Barthes, un Michel Foucault, qui sont pourtant aussi des universitaires, ou *a fortiori* un Philippe Sollers. Du même coup, la question de l'engagement politique, indissociable en France des paramètres imposés par Sartre, se pose pour eux dans des termes très différents.

ni Nouveau Roman, la théorie littéraire est restée une affaire avant tout académique[1].

Le théorique naît en conjuguant la littérature avec elle-même, et seulement avec elle-même : littérature et littérature. Il est un combat livré contre ses multiples appropriations ou instrumentalisations : par des institutions, par la politique, par l'argent, par d'autres disciplines. Il se constitue comme un pouvoir de résistance à toutes les formes de compromission de la « chose littéraire » (pour reprendre ici une expression en vogue au cours de cette période, popularisée notamment par Jacques Derrida). Mais inversement, on peut dire que conjuguer la littérature avec elle-même pour en affirmer l'autonomie absolue, ce sera toujours y introduire un dédoublement ou un redoublement : celui de la pratique par le théorique précisément. Dans la perspective d'une autonomie radicale de la littérature, le théorique se définit comme la littérature disant elle-même ce qu'elle est, comme le nécessaire accompagnement ou redoublement de la littérature par elle-même. Le problème est, en somme, le suivant : la littérature ne peut pas être elle-même sans se dire ou sans le dire. Le théorique, c'est alors ce nécessaire supplément qui permet à la littérature de ne pas être confrontée à l'affirmation aporétique de son autonomie[2].

1. L'exception qui confirme la règle serait celle du destin américain de la *French Theory*, certes massivement présente dans les universités, mais également dans certains milieux culturels d'avant-garde. On précisera cependant que là où cette jonction s'est faite, c'était beaucoup plus au nom de Deleuze, Baudrillard ou du dernier Foucault plutôt qu'au nom de Barthes, de Derrida et des subtilités de l'analyse textuelle. Dans sa dimension proprement littéraire, le théorique est resté relativement peu concerné par un tel transfert. Je renvoie sur ce point à l'indispensable *French Theory* de François Cusset, Paris, La Découverte, 2003.
2. Philippe Lacoue-Labarthe et Jean-Luc Nancy évoquent dans cette perspective une « impossibilité native » du romantisme. Voir *L'Absolu littéraire, op. cit.*, p. 266.

C'est dire si les théories littéraires ne tombent pas du ciel, et encore moins de celui de Mai 68, même si ce beau printemps leur a été assez favorable. Elles sont l'effet d'un imaginaire de l'autonomie de la littérature, et elles montent en puissance avec le renforcement ou la radicalisation de cette autonomie un siècle plus tôt déjà. Chez Flaubert, la théorie est encore « privée », elle s'élabore principalement dans sa correspondance[1]. Chez Baudelaire, elle passe notamment par le détour de la critique d'art. Il faut attendre l'anti-référentialisme radical de Mallarmé pour en voir apparaître en France une première version explicite, dont la qualité générique reste d'ailleurs ambiguë. Ce seront les *Divagations*, qu'il arrive à leur auteur de qualifier de « poëmes critiques ». Analysés par Barbara Johnson en termes de défiguration et de mise en crise de l'identité du poétique[2], les *Divagations* constituent également, dans leur ambiguïté, un moment essentiel de configuration du discours, ou plus exactement de l'écriture théorique qui sera au cœur de la mouvance (post)structuraliste. Car Barthes, Derrida, beaucoup d'autres, ont bien sûr inventé des concepts théoriques, mais aussi des écritures, des styles, revendiqués comme tels et avec lesquels se perpétue une tradition du « poëme critique » dont Mallarmé représente une des étapes les plus significatives, du moins en France. Car, en Allemagne, il y eut bien avant lui les romantiques allemands (Novalis, les frères Schlegel, Schelling) qui tentèrent, notamment avec l'écriture fragmentaire, de réinventer les rapports entre philosophie et littérature sur le mode d'une sorte de contamination réciproque dont Nietzsche saura également se souvenir[3].

---

1. En témoigne l'anthologie publiée dans une collection de critique littéraire des années 1960-1970, relativement théorique, sous le titre de *Extraits de la correspondance ou Préface à la vie d'écrivain*, présentation et choix de Geneviève Bollème, Paris, Seuil, « Pierres-Vives », 1963.
2. *Défigurations du langage poétique*, Paris, Flammarion, 1979.
3. Philippe Lacoue-Labarthe et Jean-Luc Nancy, *L'Absolu littéraire*, *op. cit.* ; voir également Ph. Lacoue-Labarthe, « L'imprésentable », *Poétique*, 21 (« Littérature et philosophie mêlées »).

Dès le début du XXᵉ siècle, Valéry, l'héritier autoproclamé de Mallarmé, redissocie brutalement ce que le « poëme critique » s'efforce de faire tenir ensemble. Chez lui, il y a la poésie d'une part, conçue comme un jeu de pures formes, comme la démonstration d'un *savoir-faire*, et l'invention de la *poïétique* d'autre part, ancêtre français de la poétique structuraliste des années 1960. Une telle dissociation aura été la condition de possibilité de la première entrée du théorique au Collège de France. Ce ne sera pas la dernière, on le sait. Pendant ce temps, le virus théorique se répand également en Russie, à la jonction du futurisme et du formalisme, c'est-à-dire dans le passage d'une pratique poétique radicalement anti-référentielle, en avance à certains égards sur les trouvailles encore à venir du dadaïsme, à une réflexion sur la littérarité qui, pour la première fois, se voudra scientifique. Le parcours le plus exemplaire dans cette perspective est sans doute celui du jeune Victor Chklovski marqué par le futurisme, spéculant sur une autonomie ou une matérialité du mot antérieure à toute signification avant de devenir un des principaux théoriciens formalistes[1].

Ce sont là quelques-uns des ancêtres les plus directs des écrivains-théoriciens français des années 1960 ou 1970 : ceux réunis autour du Nouveau Roman (Michel Butor, Alain Robbe-Grillet, Jean Ricardou), puis de Tel Quel (Philippe Sollers, Marcelin Pleynet, Denis Roche, etc.) et de ses dissidences (notamment celle du collectif Change animé par Jean-Pierre Faye et Jacques Roubaud), sans oublier Blanchot, ou la discrète présence de Ponge, qui fut longtemps le bienveillant compagnon de route de Tel Quel. Tous s'inscrivent sinon dans la tradition du « poëme critique » mallarméen, du moins dans celle du redoublement théorique de la littérature par elle-même. Mon

---

1. Sur le futurisme russe et ses prolongements, voir Felix Ph. Ingold, *Der Grosse Bruch, Russland im Epochenjahr 1913*, Munich, C.-H. Beck, 2000 ; sur Chklovski, voir aussi Jean-Philippe Jaccard, « Du futurisme au formalisme. Chklovski en 1913 : la résurrection du mot », *Europe*, 911, 2005.

propos n'est pas de les évoquer tous, mais de suggérer que le théorique constitue dans cette perspective un chapitre de plein droit de l'histoire littéraire, aussi difficile à ignorer que l'affirmation de l'autonomie de la littérature, et aussi difficile à censurer sans faire passer du même coup à la trappe un nombre impressionnant d'écrivains en général plutôt admirés.

On peut faire un pas de plus. Le théorique est non seulement l'effet de l'autonomie, mais il en est également la clé de voûte, dans la mesure où il vient occuper une place que d'autres discours ou pratiques susceptibles d'instrumentaliser la littérature pourraient revendiquer, la privant alors du même coup de son pouvoir singulier. Quand Robbe-Grillet écrit dans les toutes premières pages de *Pour un Nouveau Roman* que « les critiques ne supportent pas que les artistes s'expliquent[1] », c'est bien de cela qu'il s'agit : d'une revendication théorique qui vaut comme disqualification de toute appropriation du pouvoir de la littérature par des non-écrivains, par des critiques (journalistiques ou académiques, peu importe) qui ne seraient pas au service de la littérature. Sans praticiens se dévouant pour faire la théorie de leur pratique, l'autonomie de la littérature reste un vœu pieux, elle se joue en fin de compte autour de la question de savoir à qui revient le *dernier mot*. Sans le théorique, la littérature sera toujours au service d'autres pouvoirs que le sien, au service d'institutions qu'elle récuse afin de n'être redevable de quelque chose qu'à elle-même.

Quelques années plus tard, brèves mais suffisantes pour combiner, autour de Mai 68, l'imaginaire de l'autonomie absolue de la littérature avec celui de la révolution (celui-ci renforçant celui-là, et réciproquement), Jean-Louis Baudry, membre du groupe Tel Quel, ne dit rien d'autre lorsqu'il constate que la société admet les avant-gardes, mais refoule le théorique : « La condamnation frappe de moins en moins telle ou telle pratique littéraire ou artistique dans sa production concrète et semble au contraire se concentrer sur la pensée de cette pratique, sur la

---

1. *Pour un Nouveau Roman*, Paris, Minuit, 1963, p. 10.

théorie qui est liée à cette pratique. En fait, la société admet et récupère toutes les "révolutions" en "art", à condition que celles-ci conservent à l'objet de la production littéraire ou picturale son caractère artistique, c'est-à-dire le reverse immédiatement dans un circuit de production[1]. » Le théorique est partie intégrante du combat que la littérature mène pour son propre compte et, du même coup, pour celui de la révolution. En tant que principe de destitution (plutôt que d'institution) et d'interruption de l'échange, il est la pointe la plus acérée, la moins tolérable de ce combat, il est l'ultime moyen pour la littérature d'éviter sa récupération, de ne pas perdre ainsi son pouvoir spécifique qui sera régulièrement défini comme un pouvoir de subversion.

Pour rester dans l'état d'esprit de Mai 68, on dira que la théorie a été à la littérature ce que l'utopie de l'autogestion a été au mouvement ouvrier : un projet d'auto-institutionnalisation. On ne manquera pas de relever à ce propos que le théorique et la problématique de l'autogestion ont en commun de s'en prendre systématiquement, et à des niveaux bien entendu très différents, à la *représentation*, toutes fonctions confondues. De même que l'autogestion ouvrière consiste à mettre au chômage technique tout délégué syndical potentiel, à le priver de sa fonction de représentant (autoproclamé) de la classe ouvrière, ce qui remet en cause de façon beaucoup plus générale tout un système de représentation politique au profit de la démocratie immédiate ou d'assemblée permanente, de même le bouclage théorique de la littérature la dispense de sa fonction de représentation, lui permet de ne parler que d'elle-même, en son nom propre, et d'éviter ainsi toute appropriation de son pouvoir. Gain accessoire (sur lequel on reviendra au chapitre 2) : la chose littéraire devient, du même coup, prolétarienne, elle passe avec armes et bagages du côté de la production.

1. Tel Quel, *Théorie d'ensemble*, Paris, Seuil, 1968, p. 127.

Cette position – ou fonction – de la théorie explique aussi les contradictions et les renversements dans la (micro-)histoire du terme entre ses débuts linguistiques-structuralistes et ses produits dérivés dits poststructuralistes. La théorie a (re)commencé en France, avec les modèles linguistiques et les ancêtres formalistes russes, comme un rêve de science dont on attendait qu'elle (dé)montre la réalité – la littérarité – de la littérature dès lors vouée à sa décomposition analytique, soustraite à tous les mythes bourgeois du génie créateur, aux bavardages impressionnistes des critiques et au catéchisme national des historiens de la littérature. Et elle a terminé dans la réfutation de son scientisme qui aura constitué dans cette perspective une sorte de piège ou une ruse de la « récupération ». Il n'a fallu que quelques années (de succès) pour reconnaître que la décomposition analytique équivaut non pas à une valorisation ou à une autonomisation de la littérature, mais bien à sa dissolution au profit de disciplines universitaires telles que la linguistique ou la sémiotique qui n'en demandaient pas tant pour s'imposer.

La particularité de l'intervention du groupe Tel Quel dans l'histoire de la théorie, ce sera ainsi le passage à ce qu'on pourrait appeler une contre-sémiologie ou une contre-sémiotique à laquelle les travaux de Julia Kristeva donneront leur pleine mesure, et dont le but est de réinjecter une dimension politique au théorique en voie d'académisation[1]. Celui-ci ne sera plus du côté de la linguistique, mais d'une science supérieure du texte qui remplace le paramètre de la linguistique et qui redouble celle de l'écrivain lui-même auquel le théoricien doit être capable de s'identifier : « La sémiotique se construira alors à partir du cadavre de la linguistique [...], à laquelle la linguistique se résignerait après avoir préparé le terrain à la sémiotique [...]. Le sémioticien n'est pas seulement linguiste et

---

1. Signe de cette académisation, la fondation, en 1970, de la revue *Poétique*, par Gérard Genette et Tzvetan Todorov, qui ont tous les deux été proches de Tel Quel au cours des années 1960 (ils publient plusieurs ouvrages dans la collection « Tel Quel » au cours de cette période).

mathématicien, il est écrivain. Il n'est pas seulement celui qui décrit en antiquaire de vieux langages, faisant de sa science un cimetière de vieux discours morts ou se mourant. Il est aussi celui qui découvre, en même temps que l'écrivain, les schémas et les combinaisons des discours qui se font. La place qu'occupe le sémioticien, dans la société non métaphysique qui se dessine aujourd'hui, rendra manifeste et évidente l'interprétation de la science et de la "poésie". Car sa démarche, consistant à *expliquer* le langage, suppose au préalable une capacité d'*identification* avec la démarche de celui qui *produit* le discours, avec l'écrivain[1]. »

Les changements de position de Roland Barthes, que certains n'ont pas manqué de lui reprocher ou d'épingler comme une preuve de légèreté scientifique, participent du même renversement. Après avoir revendiqué avec une certaine véhémence – c'est l'époque de l'analyse structurale des récits[2] ou de la polémique avec Raymond Picard dont témoigne la même année *Critique et Vérité*[3] – le droit de la littérature au métalangage, il se retournera contre le geste structuraliste et contre son propre scientisme en ne cessant de contester, de *S/Z* à *Sade, Fourrier, Loyola* et au-delà, la possibilité du métalangage, soit celle d'un discours scientifique (structuraliste) qui aurait pour objet la littérature, mais sans pour autant abandonner la posture

---

1. *Semeiotiké. Recherches pour une sémanalyse*, Paris, Seuil, 1969, p. 58-59. Sur l'histoire de Tel Quel, on consultera l'incontournable livre de Philippe Forest, *Histoire de Tel Quel*, Paris, Seuil, 1995. L'évolution de *Tel Quel* au cours des années 1960, qui est au moment de sa fondation en 1960 une revue encore relativement classique dont le modèle est plutôt la *NRF* que *Les Temps modernes* de Sartre, constitue à elle seule une sorte d'accéléré de l'histoire de la radicalisation de l'autonomie de la littérature et du développement de son *spin-off* théorique.

2. « Introduction à l'analyse structurale des récits », *Communications*, 8, 1966. Dans cet article, Barthes développe l'hypothèse qu'il existe *une* langue du récit, une langue par conséquent commune à tous les récits, qu'il revient à l'analyse structurale, autant dire à la théorie envisagée comme un métalangage en principe parfait, de décrire.

3. *Critique et Vérité*, Paris, Seuil, 1966.

théorique. La spécificité et l'autonomie de la littérature ne passent plus par le redoublement d'un métalangage, mais par l'attention à la singularité du texte, dont le corrélat théorique est la multiplication des métalangages. « Il n'y a pas de métalangage, a-t-on dit : ou plutôt : il n'y a que des métalangages », écrit-il dans cette perspective[1]. Multiplication, et non pas abandon du métalangage : le dernier temps de l'âge des théories, prélude peut-être à sa dissolution, ce sera l'horizon d'une « science des singularités », qui doit assurément beaucoup à Barthes.

On relèvera encore que l'émergence du collectif Change en 1968 participe de la même volonté de rupture avec le modèle structuraliste auquel Jean-Pierre Faye et ses proches s'efforcent par tous les moyens de réduire Tel Quel dont ils sont désormais les rivaux. Change joue Chomsky contre Jakobson (tout en revendiquant l'initiation de Philippe Sollers et des siens aux recherches du cercle de Prague[2]), le dynamisme de la grammaire générative contre l'activité de décomposition ou de segmentation structuraliste du texte en niveaux distincts, la continuité de l'idéologique et du littéraire contre un « textualisme » supposé refermer le texte sur lui-même. Cette volonté de réouverture du texte sur le social, qui est d'autant plus difficile à distinguer de celle de Tel Quel à la même époque que les auteurs mis en avant sont les mêmes de part et d'autre (Mallarmé, Lautréamont, Bataille, Artaud, etc.), constitue pour le moins un amendement de l'affirmation de l'autonomie de la littérature, même s'il s'agit aussi de préserver cette autonomie en l'arrimant plus explicitement aux prestiges du « politique ». Quoi qu'il en soit, il est significatif qu'elle conduise également le collectif Change à remettre en cause le primat ou la fonction

---

1. *Sade, Fourrier, Loyola*, Paris, Seuil, 1971, p. 169. Sur les évolutions de la pensée de Barthes, voir aussi Philippe Roger, *Roland Barthes, roman*, Paris, Grasset, 1986.

2. Roman Jakobson, « Lettre sur le Cercle de Prague à J.-P. Faye et L. Robel », *Change* n° 4, octobre 1969, p. 224.

du théorique lui-même. C'est notamment l'enjeu de leur intérêt pour la folie et la psychiatrie, ou plus exactement pour des discours qui, à l'intérieur du champ psychiatrique, opposent un « sujet producteur » au « sujet théorisant »[1]. Pour parler de la folie, il faut l'avoir vécue, et cela vaut aussi pour la littérature. Réhabilitation déthéorisante de l'expérience, assurément ; mais il est beaucoup moins sûr que Change parvienne ainsi à se démarquer réellement de Tel Quel.

Extension du champ

Une extension du champ s'impose dans le cadre de cette rapide généalogie du théorique. Les théories littéraires sont indissociables de l'affirmation de l'autonomie de la littérature. Il n'est pas sûr cependant qu'elles auraient joué un rôle aussi considérable si le théorique *en général* n'avait pas connu au cours des années 1960 une formidable montée en puissance. Les littéraires n'ont pas eu le monopole du théorique. On peut même penser que beaucoup d'entre eux ont pris le train en marche, un train lancé à toute vapeur par les structuralistes, puis doté de locomotives comme Lacan, Althusser ou Foucault, qui vont l'entraîner vers d'autres horizons. Je relèverai ou rappellerai à ce propos les quatre points de croisement suivants entre la réflexion théorique dans le domaine littéraire et la vogue générale du théorique.

Le premier point à souligner, c'est que le théorique émerge dans ses versions structuralistes en s'opposant au déterminisme historiciste propre à l'orthodoxie marxiste-communiste, intellectuellement dominante après la Seconde Guerre mondiale. Synchronie contre diachronie : le théorique, toutes tendances confondues, est dans cette perspective une machine de guerre

---

1. Yves Buin et Michel Armelino, « Formes de l'expérience », in *Folie, histoire, récit*, colloque de Cerisy, tome II, sous la direction de Jean-Pierre Faye, U.G.E, coll. 10/18, 1975, p. 18.

contre l'allégeance au « matérialisme historique » et aux formes traditionnelles d'instrumentalisation de la littérature auxquelles celui-ci procède, avec la complicité d'un Sartre. Il permet en somme aux littéraires d'éviter le confinement dans la secondarité des superstructures imposée par l'hégémonie d'une vulgate marxiste. C'est donc plutôt une bonne affaire pour eux.

Le deuxième point qu'il faut rappeler, même si c'est une évidence, c'est que la question du langage et du discours joue de manière générale un rôle central dans la mouvance théorique, toutes disciplines confondues. On peut même dire que c'est elle qui fait la différence entre ceux qui « en sont » (Barthes, Foucault, Lacan, Derrida, Kristeva, de Man, etc.) et ceux qui n'en sont pas ou seulement de façon marginale (par exemple René Girard ou Michel Serres). Le structuralisme, rappelons-le, est une invention de linguistes (Saussure, Jakobson, Troubetskoï) et c'est la linguistique promue au rang de science-pilote qui dans les années 1960 donnera sa légitimité scientifique au théorique, bien au-delà des domaines strictement linguistique et littéraire. Mais pour la théorie littéraire, c'est une aubaine. L'objet de la linguistique structuraliste, c'est le langage conçu comme un objet autonome, comme un jeu interne de rapports et d'oppositions dont procède la signification. À ce titre, le langage peut être branché directement sur l'autonomie de la littérature, et plus précisément encore sur sa qualité la plus fondamentale, la littérarité. Au regard des chassés-croisés entre poésie et science qui ont marqué le tournant du siècle, de Paris à Saint-Pétersbourg, on dira que la linguistique structurale aura été, historiquement parlant, une promesse d'analyse scientifique de la « parole essentielle » postulée par un Mallarmé. C'était une opportunité à saisir, même si la promesse n'a finalement pas été tenue et qu'il faudra passer à l'orbite freudienne et heideggérienne pour la relancer.

Le troisième point se déduit logiquement du précédent, et il est capital. Dans toutes ses composantes, et pour autant que le langage y joue un rôle central, le structuralisme se présente comme un *anti-référentialisme*. La réalité y est toujours pensée comme construite par le symbolique, c'est-à-dire produite dans et par le langage (par des rapports d'équivalence et d'opposition internes au langage). Il y a là une convergence d'autant plus réelle avec la littérature antiréaliste (Mallarmé, Valéry, Ponge, le Nouveau Roman, etc.) que le structuralisme lui-même vient d'un horizon avant-gardiste radicalement antiréaliste, via le futurisme et le formalisme russes. Dans sa version structuraliste, le théorique vient de la littérature et nous y ramène. Ajoutons que l'anti-référentialisme du théorique n'a rien de contingent. Il est au cœur de toute entreprise théorique d'envergure, il en constitue l'acte de naissance par lequel il se distingue des philosophies de la connaissance privilégiant l'expérience, qu'il sera toujours possible de considérer comme réalistes. Comme y prétend la littérature parvenue au degré le plus radical de l'autonomie, le théorique crée ainsi sa propre réalité. Cela vaut bien une *joint venture* un peu plus systématique entre littérature et théorie.

À ce titre, et c'est le quatrième point de convergence décisif avec le discours littéraire, le théorique se présente toujours comme un discours *réflexif*. Il ne doit pas sa cohérence à son adéquation à une réalité observable, mais à la rigueur de ses articulations internes. Cette propriété le rapproche du discours littéraire ou poétique qui, dans la perspective de son autonomie, tient sa valeur de la surdétermination des rapports entre ses différentes parties. À supposer qu'elle existe ou qu'elle soit identifiable, la « parole essentielle » peut se définir comme un principe de remotivation ou de surmotivation d'une part du signe linguistique, en principe arbitraire[1], d'autre part des rapports que les signes linguistiques constituant un texte poétique entretiennent entre eux. Le pouvoir du discours littéraire radicalement anti-référentialiste comme du discours théorique est un pouvoir d'articulation ou de surdétermination, il se constitue dans une capacité de se produire *sui generis*, il s'impose dans

1. Voir Gérard Genette, *Mimologiques : voyages en Cratylie*, Paris, Seuil, 1976.

un effet de concaténation. Cet effet d'enchaînement est aussi une des clés de la séduction ou de la fascination exercée par le théorique. Sa justification étant interne plutôt que liée à une réalité observable, son usage coïncide nécessairement avec sa transmission, sa reprise, voire sa simple répétition. On s'en convaincra avec les effets d'école et d'imitation qu'ont entraînés certaines de ses versions majeures, littéraires ou non : Blanchot, Derrida ou encore Lacan qui n'aura pas perdu son temps en se faisant le théoricien de l'assujettissement du sujet au signifiant.

Pour conclure, relevons encore le point suivant. On comprend mieux dans cette perspective le rôle majeur qu'a pu jouer Louis Althusser dans la promotion du théorique et surtout dans sa politisation, ainsi que le succès de son discours auprès des avant-gardes et de Tel Quel en particulier qui, à partir de 1969, met Marx revu par Althusser à son ordre du jour[1]. Que rêver de mieux en effet qu'un transfert du discours anti-référentialiste et réflexif, qui confère au théorique son pouvoir spécifique, dans le domaine du marxisme tombé depuis des décennies en déshérence à cause du pointilleux gardiennage du Parti communiste français ? L'intervention d'Althusser « relooke » le marxisme en jouant la philosophie (la théorie) contre l'histoire, son objet est « la recherche de la pensée philosophique de Marx, indispensable pour sortir de l'impasse théorique où l'histoire nous avait relégués[2] ». La position philosophico-théorique qu'il développe, rappelons-le, doit beaucoup à sa proximité avec la mouvance (post)structuraliste – et plus précisément encore avec la composante lacanienne de cette mouvance – qui lui transmet notamment son anti-référentialisme[3]. Elle permet au

---

1. Voir notamment Philippe Sollers, *Sur le matérialisme. De l'atomisme à la dialectique révolutionnaire*, Paris, Seuil, 1974. Sur les rapports de Tel Quel avec Althusser, voir aussi Philippe Forest, *Histoire de Tel Quel, op. cit.*, p. 312 *sq.*

2. Louis Althusser, *Pour Marx*, Paris, Maspero, 1965, p. 11.

3. On le vérifiera en particulier avec les commentaires d'Althusser sur la psychanalyse. Voir, par exemple, « Freud et Lacan », *Écrits sur la psychanalyse*, Paris, Stock, 1993.

philosophe théoricien de ne pas trop se préoccuper du monde réel cher à Aragon et réduit à un effet de l'imaginaire (au sens lacanien du terme). « Il faut totalement remanier l'idée qu'on se fait de la connaissance, abandonner le mythe spéculaire de la vision et de la lecture immédiates, et concevoir la connaissance comme production », écrit-il dans *Lire le capital*[1]. La fameuse « coupure épistémologique » repérée dans l'œuvre de Marx, grâce à laquelle celui-ci passe d'un savoir conçu comme vision à un savoir conçu comme production[2], ou à une « pratique théorique » véritablement matérialiste, ouvre sur un ordre théorique « pur », fondé sur sa propre concaténation, élevé au rang de science parce qu'il relève d'une cohérence interne qui est le gage de sa scientificité et de sa non-dépendance par rapport à l'idéologie et aux intérêts de classe. Elle donne au théorique en général une légitimité politique maximale, et ceci d'autant plus qu'elle l'érige au rang d'une pratique, abolissant ainsi en fin de compte la distinction entre théorie et pratique, une dichotomie considérée comme un « mythe idéologique[3] ». Elle dispensera donc de toute autre

1. Louis Althusser, *Lire le capital*, PUF, Paris, 1996, p. 17.
2. « Concevoir dans sa spécificité la philosophie de Marx est donc concevoir l'essence du mouvement même par lequel est produite sa connaissance ou concevoir la connaissance comme *production* » (*Lire le capital, op. cit.*, p. 31). Cette production implique également une redéfinition de la vision, elle remet en cause le champ de la représentation, un terme appelé lui aussi à jouer un rôle central dans la théorie littéraire (voir ci-dessous chap. 3) : « À la lettre ce n'est plus l'œil (l'œil de l'esprit) d'un sujet qui *voit* ce qui existe dans le champ défini par une problématique théorique : c'est ce champ lui-même qui *se voit* dans les objets ou les problèmes qu'il définit, – la vue n'étant que la réflexion nécessaire du champ sur ses objets » (*ibid.*, p. 19). La disqualification du visible, qui est au contraire la clé de voûte de tout réalisme, est là encore évidente, comme sur ce point l'influence de la théorie lacanienne du spéculaire et de l'imaginaire. Rien d'étonnant donc si Lacan a fini par servir de réassurance théorique à un certain nombre de revenants de l'althusséro-maoïsme.
3. *Op. cit.*, p. 64.

pratique politique ceux qui se consacrent à la pratique de la théorie. Il y a décidément des occasions qu'on ne peut pas se permettre de rater.

Réflexivité

« Ce qui n'est pas toléré, c'est que le langage puisse parler du langage. La parole dédoublée fait l'objet d'une vigilance spéciale de la part des institutions, qui la maintiennent ordinairement sous un code étroit : dans l'État littéraire, la critique doit être aussi "tenue" qu'une police : libérer l'une serait aussi "dangereux" que de populariser l'autre : ce serait mettre en cause le pouvoir du pouvoir, le langage du langage[1]. » Le Barthes de *Critique et Vérité*, on le voit, est sur la même longueur d'onde que Robbe-Grillet ou Baudry cités plus haut. Et plus encore que chez ceux-ci, l'enjeu est clairement posé en termes d'institution et de pouvoir : le dédoublement opéré par le théorique subvertit le rôle de police de la littérature ordinairement assigné à la critique, il permet de passer d'une situation de contrôle institutionnel de la littérature à une situation d'autogestion ou d'auto-institution.

Remise dans son contexte, l'affirmation de Barthes renvoie clairement au discours critique et théorique. Mais la généralité de la formulation permet de l'entendre autrement encore : comme l'apologie de la dimension *réflexive* de la littérature, soit l'ensemble des procédés permettant au discours littéraire

1. *Critique et Vérité, op. cit.*, p. 13. On notera la proximité de cette perspective sur le théorique et ses effets de subversion institutionnelle avec la problématique de l'ordre du discours telle que la formalisera un peu plus tard Michel Foucault dans *L'Ordre du discours* (Paris, Gallimard, 1971). Il faudrait relire l'ensemble de ce que Foucault écrit dans les années 1960 sur la littérature ou sur tel écrivain à la lumière rétroactive de l'intérêt de plus en plus exclusif qu'il porte à partir de 1970 aux mécanismes du pouvoir, ne serait-ce que pour prendre la mesure de son intérêt pour les questions littéraires, souvent considérées comme marginales dans son œuvre.

de se réfléchir lui-même ou de se mettre en scène. Dès lors que le théorique est défini non pas à partir de son horizon académique, mais bien comme une faculté de la littérature de réfléchir sur elle-même, cette position n'a rien d'étonnant. Entre se réfléchir soi-même et réfléchir sur soi-même, il y a pour le moins continuité. Dans cet ordre d'idées, on pourrait dire que le théorique n'est qu'une modalité de la réflexivité ou, inversement, que les phénomènes de réflexivité ont la plupart du temps une portée théorique ou du moins qu'ils ont été très souvent lus dans cette perspective. La solidarité entre théorie et réflexivité est, en somme, au cœur de la stratégie théorique[1].

Les dispositifs de la réflexivité sont multiples, ils vont du plus simple au plus complexe ou, si l'on préfère, au plus incertain. Au niveau le plus élémentaire, la réflexivité se confond avec tous les énoncés méta-discursifs que peut comporter un texte littéraire et qui se rapportent à lui-même (à une intention, une fonction, un « comment j'ai écrit », etc.). On sera également particulièrement attentif dans cette perspective à toutes les indications dites « para-textuelles » accompagnant les textes (les préfaces, etc.), qui sont autant de portes réflexives ouvertes sur le théorique[2]. Au niveau le plus complexe ou le moins évi-

1. Logiquement, la critique du théorique entraîne donc également celle de la réflexivité. On le vérifiera notamment et *a contrario* avec les propositions « déthéorisantes » de *Change* déjà évoquées, qui impliquent une critique systématique de la réflexivité, un amendement qui a la signification d'une réouverture du texte sur un « hors-texte », formulé par exemple dans les termes suivants sous la plume de Jacques Roubaud : « La littérature parle du langage en parlant d'autre chose, ne parle d'autre chose qu'en parlant du langage ; indissolublement [...]. Et ceci sépare nécessairement la littérature de la science du langage ; la littérature de la science de la littérature [...] en dépit des grands rêves réducteurs » (« Quelques thèses sur la Poétique », *Change* n° 6, « La poétique. La mémoire », 1970, p. 10-11). La langue littéraire ne se réduit pas au langage (ni par conséquent à la réflexivité). Elle est, selon *Change*, traversée entre autres choses par les *formes* que sont le désir, les idéologies et la métrique, trois notions clés souvent problématisées dans les articles du collectif.
2. Voir Gérard Genette, *Seuils*, Paris, Seuil, 1987.

dent, on trouve le « texte » telquelien caractérisé au cours des années 1960 par la revendication de la mise en scène de son processus de production[1], mais aussi par exemple les récits de Maurice Blanchot ou ceux de Roger Laporte. Entre ces deux extrêmes, il existe toute une échelle ou des degrés de réflexivité qui passent par les mises en abyme « classiques », identifiables comme telles[2], mais aussi, de façon moins directe, par des récits qui se donnent comme leur propre « aventure » (c'est le fameux renversement du récit d'une aventure en aventure d'un récit[3]), ou encore par l'« autoréflexivité intégrale » parfois prêtée à un Mallarmé[4]. Il faut y inclure également un grand nombre de dispositifs intertextuels qui participent souvent d'une dialectique de l'identification passant par le rapport à un autre texte : l'intertexte balzacien dans *La Recherche du temps perdu* acquiert par exemple une dimension réflexive si on le

1. L'imaginaire de la production textuelle, ou plus exactement celui de la mise en scène de cette production, domine la période la plus « théorique » de l'histoire de Tel Quel, dont *Théorie d'ensemble* (*op. cit.*) sera précisément la synthèse. Sur le versant pratique, il s'incarne notamment dans les « romans textuels » de Philippe Sollers comme *Drame* (Paris, Seuil, 1965) ou *Nombres* (Paris, Seuil, 1966), conçus comme un processus de remontée vers l'origine du sens (voir également à ce sujet Philippe Forest, *Histoire de Tel Quel, op. cit.*, p. 230 *sq.*).
2. Voir sur ce point l'incontournable *Récit spéculaire* de Lucien Dällenbach (Paris, Seuil, 1976), très représentatif d'une configuration critique et théorique dont l'autoréflexivité est la cheville ouvrière.
3. Ce renversement a été mis en avant à propos d'un certain nombre de nouveaux romans, ou plus exactement de « nouveaux nouveaux romans » : *La Bataille de Pharsale* de Claude Simon est une bataille de la phrase, nul n'est censé l'ignorer, et *La Prise de Constantinople* de Jean Ricardou se renverse en prose de Constantinople. C'est d'ailleurs Jean Ricardou lui-même qui s'est fait l'impressionnant théoricien de ce phénomène (voir, par exemple, « Naissance d'une fiction », in *Nouveau Roman : hier, aujourd'hui* (vol. II), U.G.E., coll. 10/18, 1972, p. 379-417 ; ou « La bataille de la phrase », in *Pour une théorie du nouveau roman*, Paris, Seuil, 1971, p. 118-158).
4. Exemple « classique » évoqué à ce propos : Le *Sonnet en yx (Ses purs ongles très haut...)*, *Œuvres complètes, op. cit.*, p. 68.

considère comme un « commentaire » du récit de Proust. Et de l'intertextualité, on passera facilement à l'intermédialité, c'est-à-dire à des évocations d'autres formes d'art dans un texte (notamment la peinture, par des moyens d'*ekphrasis*) qui auront elles aussi souvent une fonction réflexive : toujours chez Proust, ce sont par exemple les évocations des œuvres d'Elstir ou de Vinteuil. D'autres distinctions et précisions de la notion de réflexivité sont bien entendu possibles : on peut distinguer en particulier, avec L. Dällenbach, les mises en abymes de l'énoncé, de l'énonciation, et enfin celles du code (par exemple du genre littéraire)[1].

Mon propos n'est pas de recenser ici toutes les formes que peut prendre la réflexivité, ni d'en présenter une synthèse, ni de la refonder théoriquement. Ce qui m'importe, c'est d'observer, avec le recul des dernières décennies, que l'âge des théories littéraires a également été l'âge par excellence de la réflexivité (ou des réflexivités). L'argument de la réflexivité a toujours été mis au service du théorique dont il est parfaitement solidaire. De même que le rêve est, selon Freud, la voie royale de l'accès à l'inconscient, de même la réflexivité est la voie royale pour démontrer l'autonomie de la littérature. Elle est une machine de guerre contre son instrumentalisation, contre sa mise au service d'un sens qu'il lui reviendrait de communiquer. Elle est la preuve que « la littérature ne parle que d'elle-même », formule certes hâtive, mais autour de laquelle se sera fait, pendant des décennies, le partage des eaux (en deux camps comme il se doit), les uns y voyant aujourd'hui comme hier la porte ouverte au solipsisme et à un autisme littéraire suicidaire, les autres au contraire la garantie de la spécificité et de l'autonomie de la littérature.

C'est dire si la réflexivité, comme le théorique, a toujours été un combat, un engagement pourrait-on dire, ou plus exactement et en référence à Sartre, un contre-engagement, un dégagement, en phase avec ce que Mallarmé, orfèvre en la matière, qualifiait

---

1. *Le Récit spéculaire, op. cit.*

de « grève devant la société[1] ». Ce contre-engagement est d'ailleurs très souvent explicite. *L'Espace littéraire* de Blanchot, qui constitue un des manifestes les plus conséquents en faveur de l'autonomie de la littérature, gagne à être lu parallèlement à *Qu'est-ce que la littérature*[2] de Sartre : là où le premier dit blanc, l'autre répond noir, invariablement. Et les deux repoussoirs privilégiés de Robbe-Grillet, qui se distingue par un des taux les plus élevés de mises en abyme par roman dans l'histoire de la littérature française, sont d'une part Sartre et sa « théorie » de l'engagement de l'écrivain, d'autre part le réalisme socialiste, dont il suggère d'ailleurs parfois que les positions existentialistes y conduisent, voire se confondent avec lui – ce qui reste à prouver. Le Nouveau Roman et ses miroirs tiennent ainsi une part non négligeable de leur légitimité de ce qu'ils sont les frères ennemis d'une mythique instrumentalisation de la littérature par quelque chose comme l'« existentialo-stalinisme ». Son succès participe d'un militantisme esthétique antistalinien, qu'il arrivera d'ailleurs à des membres du Parti communiste, saisis par le démon de la théorie, de reprendre tel quel, c'est le cas de le dire[3] : c'est encore par le militantisme qu'on risque le moins d'en sortir[4].

La réflexivité n'est cependant pas seulement au service d'un démontage du réalisme socialiste ou de l'existentialisme. Elle est aussi à la pointe du combat contre une conception supposée bourgeoise de la littérature identifiée au « dogme de l'expression et de la représentation », ou plus exactement à celui de la

1. *Œuvres complètes, op. cit.*, p. 870 ; Sartre, si réfractaire aux charmes de la réflexivité, n'a pas manqué de lui reprocher ce parti pris de grève (voir « L'engagement de Mallarmé », *Obliques*, 18-19, 1979).
2. *Situations* II, *op. cit.*
3. Par exemple Jacques Henric et Jean-Louis Houdebine, intellectuels communistes passés à Tel Quel.
4. On consultera sur cette question Philippe Forest, *Histoire de Tel Quel, op. cit.*, ainsi que le récent témoignage de Jacques Henric, *Politique*, Paris, Seuil, 2007.

transparence de l'une et de l'autre. En se repliant sur elle-même, la littérature échappe à la bourgeoisie, à ses chiens de garde critiques, à ses institutions naturalisantes, ou encore à l'histoire littéraire dans laquelle cette bourgeoisie se projette, elle et ses valeurs. Haine de la bourgeoisie : on ne sort pas tout à fait de Sartre par des moyens de Sartre. Il suffit d'ailleurs de passer du duo Sartre-Blanchot à un trio incluant également le Barthes du *Degré zéro de l'écriture*[1] pour se rendre compte que celui-ci propose une sorte de synthèse de l'un et de l'autre[2]. Le *Degré zéro* est un compromis, une tentative de jouer, avec Blanchot, la carte de l'autonomie de la littérature, mais en conférant en même temps à cette tentative la valeur d'un combat idéologique. On peut faire l'hypothèse que c'est également ce compromis qui conduit Barthes au cours des mêmes années à s'intéresser autant à Brecht et qui fait qu'il reste de manière générale l'auteur le plus représentatif de l'âge des théories littéraires.

La politisation de la réflexivité a par ailleurs un prix : celui d'une réécriture parfois douteuse de l'histoire littéraire. Le service idéologique qu'on en attend implique en effet qu'elle est apparue avec les « premiers ébranlements de la conscience bourgeoise », comme l'écrit Barthes dans ses *Essais critiques*[3]. Elle n'aurait cessé depuis de miner de l'intérieur les institutions littéraires bourgeoises qu'il revient au Nouveau Roman ou à Tel Quel de précipiter définitivement vers leur ruine : « Notre littérature est depuis cent ans un jeu dangereux avec sa propre mort, c'est-à-dire une façon de la vivre [...]. Elle est un masque qui se montre du doigt[4]. » L'histoire de la réflexivité est alors celle de la littérature elle-même perdant son innocence (c'est

1. Paris, Seuil, 1953.
2. Dans « Réponses » (*Tel Quel*, 47), Barthes a déclaré ne pas avoir lu Blanchot à l'époque où il publiait *Le Degré zéro de l'écriture*. Philippe Roger relève que cette affirmation n'est pas très crédible (*Roland Barthes, Roman*, Paris, Grasset, 1986, p. 247).
3. R. Barthes, *Essais critiques*, Paris, Seuil, 1964, p. 106.
4. *Ibid.*, p. 107.

Voltaire décrété le dernier des écrivains heureux dans *Le Degré zéro de l'écriture*), comme si le Moyen Âge ou la Renaissance en avaient ignoré les ressorts les plus sophistiqués.

Qu'à cela ne tienne, les médiévistes monteront également sur les bateaux de la mise en abyme, leur Moyen Âge passera du côté de la subversion de l'idéologie bourgeoise, ou plus exactement de ses ancêtres théologiques, comme Rabelais et quelques autres. Réécrite du côté du théorique, l'histoire littéraire serait ainsi marquée par un certain nombre de refoulements et de retours du refoulé théorique-réflexif. Plus réflexif que moi, tu meurs : l'âge des théories littéraires est aussi dans cette perspective l'âge de la surenchère réflexive. Il confère aux chasseurs de mise en abyme et aux aventuriers du texte un indiscutable supplément de prestige, une *aura* dont les historiens de la littérature, condamnés à ronger leur frein, ne peuvent que rêver, hier comme aujourd'hui. D'une telle inflation, on peut tirer aujourd'hui la conclusion suivante : phénomène ou processus indéniablement à l'œuvre dans de nombreux textes littéraires, la réflexivité n'en est pas moins, fondamentalement, une affaire d'engagement au service de l'autonomie de la littérature, une question de point de vue, de parti pris dans la lecture dont le retrait aujourd'hui perceptible indique *a contrario* qu'il relève en dernière instance d'une constellation idéologique et d'un rapport de force institutionnel.

En d'autres termes, la réflexivité a certes été théorisée, mais elle a surtout aussi fait l'objet d'une pratique (théorique) de la lecture qui a considérablement bouleversé le champ littéraire et ses hiérarchies. Elle a permis de valoriser beaucoup d'œuvres et d'auteurs qui ont aujourd'hui perdu leur visibilité : le Nouveau Roman et les textes produits dans la mouvance de Tel Quel, mais aussi Ponge, Blanchot, Louis-René des Forêts, Borges, Raymond Roussel, Lautréamont, Mallarmé, etc. Inversement, elle a conduit à une désaffection pour des auteurs difficilement récupérables en termes de réflexivité. Voltaire, Hugo, Sartre, Camus, Malraux et beaucoup d'autres encore s'effacent au profit de Flaubert (au bénéfice de l'arme absolue de l'ironie),

Proust, Kafka, Leiris, etc. D'autres encore survivent tant bien que mal, parce qu'il y a quelque part dans leur œuvre un petit pan de réflexivité qui permet de les réhabiliter. Zola s'en sort grâce à *L'Œuvre* et au *Docteur Pascal*, Balzac grâce à des récits comme *La Fille aux yeux d'or* ou *Sarrasine*, qui bénéficie du considérable coup de pouce de Barthes[1]. D'autres enfin auraient pu être réhabilités ou adoubés si un grand lecteur avait bien voulu se dévouer pour les lire dans une perspective réflexive. On dira qu'ils ont simplement manqué de chance.

Mais le symptôme le plus convaincant du prestige du pouvoir de la réflexivité ou de son opérativité au cours de ces décennies est à chercher non pas dans le champ littéraire français où, globalement, le théorique est resté l'affaire des avant-gardes et de quelques marges universitaires[2], mais dans l'espace américain, où l'École de Yale constituée par Paul de Man et ceux qui l'ont suivi, placée sous le signe de la déconstruction derridienne, a fait un véritable tabac. Aucune école ou aucune tendance de la mouvance théorique n'a réussi une OPA institutionnelle comparable à celle réussie par l'École de Yale dans les universités américaines. Ce constat me semble inséparable de l'antiréférentialisme radical de la version américaine de la déconstruction, qui a été appliquée aux genres tex-

1. *S/Z*, Paris, Seuil, 1970.
2. Le théorique ne s'est jamais véritablement imposé en France, ni dans les universités ni ailleurs. C'est sans doute paradoxalement la raison pour laquelle, selon Todorov (*La Littérature en péril*, *op. cit.*), il fait aujourd'hui autant de dégâts dans l'enseignement secondaire : parce qu'il y est imposé comme une « méthode » et qu'en tant que tel il est coupé de sa vraie signification d'engagement pour l'autonomie de la littérature, combat idéologique mené des années 1960 aux années 1980. On peut supposer que des professeurs de français qui initient leurs élèves aux charmes de la mise en abyme ou aux subtilités des préfixes grecs via *Le Discours du récit* de Gérard Genette, comme si c'était le fin du fin, doivent les impressionner à peu près autant que s'ils tentaient de leur faire prendre parti dans les disputes d'autrefois entre nestoriens et monophysites.

tuels les plus divers et qui a contaminé ainsi pratiquement toutes les disciplines des sciences humaines.

Le point de départ de Paul de Man est une critique du *New Criticism*, c'est-à-dire de la version anglo-saxonne de l'affirmation de l'autonomie de la littérature, qui apparaît dès les années 1930[1], ainsi que du formalisme « relooké » par le structuralisme. Mais cette critique ne se fait pas au nom d'un retour à la référence ou à une signification intentionnelle imputable à l'auteur, condition de possibilité de l'assignation d'une fonction à la littérature et partant de son instrumentalisation. Il s'agit au

---

1. Les grandes étapes et œuvres du *New Criticism* sont : Cleanth Brooks et Robert Penn Warren, *Understanding Poetry*, 1938, puis surtout René Welleck et Austin Warren, *The Theory of Literature*, Harcourt Brace & Company, Orlando (Fl.), 1949. Dans une optique plutôt proto-structuraliste, on mentionnera également Northrop Frye, *Anatomy of Criticism*, Princeton University Press, Princeton (NJ), 1957. Le *New Criticism* conçoit l'œuvre littéraire comme une totalité organique intransitive échappant à l'ordre de la communication et de la signification, pour dire les choses très vite. Il est ainsi sur la même longueur d'onde que le structuralisme encore à venir, notamment en ce qui concerne la critique de l'illusion référentielle et de l'illusion biographique (liée à la valorisation de l'intention de l'auteur). Sur le contexte institutionnel et culturel qui en favorise la montée en puissance avec au moins vingt ans d'avance sur la mouvance structuraliste en France, on consultera les remarques très pertinentes de François Cusset, *French Theory*, *op. cit.*, p. 57-63. Je proposerai cependant une explication un peu différente des raisons du succès du *New Criticism*. Si F. Cusset a raison d'interpréter celui-ci comme une réaction « autonomiste » contre le développement d'une culture de masse et de communication, il me semble en revanche qu'y voir un transfert sur la littérature de la fonction identitaire-nationale exercée en France par l'histoire n'est pas convaincant : d'abord parce que la littérature – ou plus exactement l'histoire littéraire – joue également ce rôle en France, et même beaucoup plus qu'aux États-Unis, et ensuite parce que, justement, l'enseignement de la littérature dans les universités américaines n'a jamais été, comme en Europe, au service de la monumentalisation inhérente à la constitution des cultures nationales européennes. C'est donc parce que l'enseignement de la littérature *échappe* largement aux impératifs de la culture nationale qu'une culture théorique de réflexion sur la littérature peut se développer.

contraire de disqualifier encore plus radicalement toutes les dis-ciplines s'efforçant de fonctionnaliser la littérature. De manière très significative, Paul de Man dira des département d'anglais américains qu'à cause de leur refus de reconnaître que la litté-rature *ne signifie pas*, ils sont devenus de « grandes organisa-tions au service de tout sauf leur propre objet », convoquant l'histoire, la sociologie, la psychologie, etc., pour réinjecter de la signification à ce qui n'en a pas[1].

Comment procèdent Paul de Man et la déconstruction ? En prenant pour ainsi dire la logique de la réflexivité à contre-pied ou en flagrant délit de contradiction, non pas pour la réfuter, mais pour l'arrimer à sa propre contradiction ou à son « indé-cidabilité » (un mot clé de la déconstruction). Ce procédé est exemplairement mis en œuvre par Paul de Man dans *Allegories of Reading*, une série d'essais consacrés à Nietzsche, Rousseau, Rilke et Proust dans lesquels il s'agit à chaque fois de vérifier la discordance entre des énoncés métalinguistiques ou méta-critiques (réflexifs) et les stratégies rhétoriques qui seraient véritablement à l'œuvre dans ces textes[2]. La déconstruction à l'américaine pourrait ainsi se résumer en une formule : « Quand dire, c'est ne pas faire »[3]. Passage de la littérature

1. Voir « The Return to Philology », *The Resistance to Theory*, Min-neapolis, University of Minnesota Press, 1986, p. 21-26.
2. *Allegories of Reading*, New Haven, Yale University Press, 1979. Voir aussi, du même auteur et dans la même perspective, *Blindness and Insight. Essais in the Rhetoric of Contemporary Criticism*, Minneapolis, University of Minnesota Press, 1983.
3. Ce n'est pas tout à fait une coïncidence si ce programme tient ainsi dans le renversement du titre donné en français à l'ouvrage inaugural de J.-L. Austin (*Quand dire c'est faire/How to do things with words*) : la déconstruction n'a cessé de s'en prendre aux présupposés de la pragma-tique ou, si on préfère, à ceux d'une rhétorique non contradictoire. J'en veux notamment pour preuve le retentissement qu'a eu aux États-Unis la passe d'armes, sur ce même sujet de la pragmatique, entre John Searle et Jacques Derrida, qui semble sortir pour la circonstance une artillerie légè-rement disproportionnée par rapport aux attaques de Searle (voir *Limited Inc.*, Paris, Galilée, 1990).

comme affirmation d'elle-même à la littérature comme contestation d'elle-même, réflexivité renforcée par son indécidabilité : plus que jamais le texte se referme ainsi sur lui-même, à double tour et aux dépens de toute dimension référentielle. Dans les termes de Paul de Man, on dira que la perspective théorique qu'il propose est renforcée par la *résistance* du texte lui-même à la théorie[1]. La réfutation du théorique (simple, structuraliste) fait en somme partie de la nature même de la « chose littéraire », à laquelle seule l'approche déconstructrice rendrait ainsi justice.

Identifier la disjonction entre un dire et un faire, telle est désormais la mission du théoricien. Transformé en chasseur de contradictions, d'indécidabilités et de taches aveugles, annonçant en préalable de chaque lecture que tout texte se dérobe à la lecture, son propre pouvoir n'en est que plus irréfutable, sacralisé par sa disqualification parfois pathétiquement affirmée. Le commentaire fait ainsi miroiter, notamment dans son déni répété de la possibilité même de lire, une position d'infaillibilité dans la lecture et partant une position de maîtrise et de pouvoir. Une lecture déconstructrice n'est pas une lecture de plus, qui s'ajoute à d'autres ou dialogue avec elles : c'est une lecture essentiellement supérieure, rendue telle par l'affirmation de son caractère infailliblement faillible. La déconstruction fut cela, ou du moins aussi cela, car bien entendu elle a généré un nombre considérable de travaux de très grande qualité : la mise en acte ou en scène d'un savoir ou d'un pouvoir-lire supérieur, exercice académique extrêmement rentable, surtout au regard de la modestie des investissements nécessaires[2].

1. *The Resistance to Theory, op. cit.*
2. Le *double jeu* ainsi mené par rapport à la question de l'autorité, qui vit de sa propre contestation, est particulièrement insistant, à la façon d'un symptôme, dans le numéro d'hommage que les *Yale French Studies* consacrent en 1985 à Paul de Man, décédé en 1984 (*Yale French Studies*, 69 : « The Lessons of Paul de Man »). Florilège : « Je voudrais évoquer non pas le pouvoir de De Man comme enseignant ou comme écrivain,

Mais, surtout, ce pouvoir tend à s'autonomiser par rapport aux textes eux-mêmes, réduits au rôle de pourvoyeurs de contradictions qu'il revient au théoricien d'expliciter. Ce n'est pas une coïncidence ni simplement de la malveillance si certains (des nombreux) détracteurs de la déconstruction lui ont reproché de substituer la théorie aux œuvres elles-mêmes[1] et d'en faire le lieu d'un discours à son tour *intransitif*, n'ayant d'autre fin que sa propre « production », comme autrefois la littérature dont elle prend ainsi la place[2]. Ce n'est plus la théorie au service de l'autonomie de la littérature, mais la théorie au service de sa propre autonomie, de son propre pouvoir, se passant à la limite des textes, comme l'indique la multiplication d'ouvrages et d'articles métathéoriques qui paraissent alors : la déconstruction appliquée à Proust ou à Rilke, mais aussi à de Man lui-même, puis à ceux qui commentent de Man, etc. Il aura été possible et parfois même conseillé, au tournant des années 1980, de devenir professeur

la théorie
pour
la théorie

---

mais l'extraordinaire autorité intellectuelle qu'il exerçait sur ses amis et collègues, ou du moins sur moi. Paul de Man n'aimait pas des mots comme "pouvoir", "force" ou "autorité", en particulier lorsqu'ils se rapportaient au monde universitaire » (J. Hillis Miller, p. 3, c'est-à-dire en ouverture du numéro, je traduis) ; « Paul rejetait sa propre autorité, mais personne n'avait plus d'autorité que lui. Il ne cherchait aucun leadership, mais il était naturellement un leader intellectuel et un guide humain » (Shoshanna Felman, p. 8, je traduis) ; « Il n'a jamais cherché à être suivi ; les gens l'ont suivi en masse. Il était ironique par rapport à l'idée d'école. Ses disciples se trouvent partout dans le pays » (Barbara Johnson, p. 10, je traduis) ; « Nous voulions lui attribuer une autorité égale au savoir qu'il nous a transmis, une autorité dont il s'est toujours détaché, avec un haussement d'épaules » (Ellen Burt, p. 12, je traduis).

1. Notamment A. Compagnon dans « The Diminishing Canon of French Literature in America », *Stanford French Review*, vol 15, n° 1-2, 1991, qui vaudra à son auteur une large variété de leçons politiques sur le sens de l'histoire et de la déconstruction.

2. Pour une présentation plus détaillée de la déconstruction américaine aux lecteurs français, je renvoie une fois de plus à F. Cusset, *French Theory*, *op. cit.*, p. 90 *sq.*

de littérature aux États-Unis avec 10 % de littérature et 90 % de théorie en guise de bagage : démonstration éclatante des vertus (auto-)institutionnalisantes de la configuration théorique et réflexive. Et si on en est arrivé là aux États-Unis (alors que le théorique ne s'est jamais autonomisé de la même manière en Europe), c'est parce que le théorique y est resté très largement un combat interne aux universités, parce qu'il n'a pas eu d'autre objectif que sa propre promotion en tant que produit académique de qualité supérieure, dans un marché qui y était préparé de longue date, notamment par le *New Criticism*. En d'autres termes, il a pu s'autonomiser parce que, contrairement à ce qui s'est passé en France, sa configuration spécifique ne devait rien à un contexte politique dont l'horizon est révolutionnaire, ni à une tradition avant-gardiste s'efforçant depuis un demi-siècle soit de se mettre au service de cette révolution soit de la détourner à son propre profit. En traversant l'Atlantique, la réflexivité aura ainsi passablement changé de fonction.

La mort de l'auteur : intérêts posthumes

Le langage parlant du langage serait l'intolérable même pour le pouvoir. Barthes précise cette affirmation de la façon suivante : l'engagement théorique-réflexif implique non seulement un redoublement de la littérature par le discours théorique, mais également une redistribution des rôles de l'écrivain et du commentateur. Cette redistribution est décrite par Barthes toujours comme « attentat à l'ordre des langages[1] », dont la principale victime est l'auteur, destitué de ses pouvoirs au profit du commentateur. Le théorique-réflexif implique donc une sorte d'exécution, au sens plutôt juridico-policier que musical du terme, de l'auteur par le commentateur qui en prend la place. Jean Clair y verrait sans doute la preuve que la mouvance théorique conduit au terrorisme, comme il l'a suggéré pour les surréalistes et leurs

1. *Critique et Vérité, op. cit.*, p. 14.

revolvers aux poings. C'est prêter à la littérature d'avant-garde une efficacité symbolique dont celle-ci n'a pu que rêver – ou dont elle n'a jamais osé rêver. Mais puisque l'éminent critique d'art nous entraîne ainsi sur le terrain du questionnement criminologique de la littérature, restons-y un instant. Faisons preuve de l'esprit de suspicion caractérisant le premier inspecteur de police venu et posons-nous la question suivante : la « mort de l'auteur » fut-elle aussi naturelle qu'on l'a prétendu, est-elle une maladie sénile de la culture bourgeoise ? Ou est-elle au contraire de nature criminelle ? Faut-il parler de « mort » ou de « meurtre » de l'auteur ? Ou encore : n'y en a-t-il eu qu'une ?

La notion de mort de l'auteur a ses lettres de noblesse et son histoire, mais recouvre en fait un certain nombre de phénomènes et de positions hétérogènes et parfois convergentes, mais parfois seulement. On la fait remonter en général à Mallarmé, qui désigne la « disparition élocutoire du poëte » comme la condition de possibilité de l'expansion de l'œuvre[1]. Mise en veilleuse par Valéry, pas du tout pressé de mourir, puis par la mouvance surréaliste, clairement portée sur la vie, elle revient en force avec Blanchot, qui écrit en 1949 un de ses essais fondateurs, « La littérature et le droit à la mort[2] », avant d'approfondir les mêmes questions dans L'Espace littéraire, puis dans d'autres essais. La littérature y est placée sous le signe d'un effacement de l'auteur, d'un retranchement en tous points opposable à la position sartrienne, que la pensée de Blanchot fait apparaître a contrario comme une stratégie de la présence ou de la manifestation de l'auteur[3]. Elle est réactivée une seconde fois et pour ainsi dire officialisée au cours des années

---

1. *Crise de vers, op. cit.*, p. 366.
2. *La Part du feu*, Paris, Gallimard, 1949.
3. Enjeu confirmé par des essais consacrés à Sartre et venus d'un bord théorique et analytique : voir notamment Denis Hollier, *Politique de la prose*, Paris, Gallimard, 1982, et Alain Buisine, *Laideurs de Sartre*, Lille, Presses universitaires du Septentrion, 1986.

structuralistes par Barthes tout d'abord[1], puis par Foucault[2]. Au-delà de la connivence explicite de l'un et de l'autre avec Blanchot, le décret de la « mort de l'auteur » s'est politisé en changeant de décennie. L'auteur devient un avatar bourgeois de Dieu (un créateur en somme, et donc suspect), et il incarne aussi un principe d'ordre du ou dans le discours[3] et donc de contrôle du potentiel de subversion de la littérature.

Mort naturelle ou meurtre ? En tout cas, on ne peut pas dire que le constat de décès effectué par Barthes et Foucault ait plongé ceux-ci dans une définitive mélancolie, ni ceux qui se sont saisis avec enthousiasme d'une aussi *bonne nouvelle*. Pour beaucoup, la mort de l'auteur a été une affaire rentable, trop lucrative pour que ne vienne pas le soupçon que l'auteur, ce vénérable vieillard, a été pour le moins un peu poussé dans l'escalier.

Pour démontrer le caractère peu naturel de cette mort, on peut également prendre les choses par l'autre bout, soit par celui de la résurrection de l'auteur. Un nombre considérable d'auteurs consciencieusement morts il y a deux ou trois décennies se portent aujourd'hui comme des charmes et leurs avatars squattent assidûment les médias, de préférence audiovisuels, comme si de rien n'était. La « mort de l'auteur » est morte le jour où il n'y a plus eu photo entre le prestige d'un passage à *Apostrophes* et celui d'un article dans la *NRF* ou même dans *Tel Quel*. L'avantage du *wishful killing*, c'est en somme sa

1. « La mort de l'auteur » (1968), *Le Bruissement de la langue*, Paris, Seuil, 1984.
2. « Qu'est-ce qu'un auteur » (1969), *Dits et Écrits*, Paris, Gallimard, 1994.
3. Foucault, rappelons-le, parle dans cette perspective, qui est déjà celle qu'il systématise un peu plus tard avec *L'Ordre du discours* (*op. cit.*), d'une *fonction-auteur* qui se développe avec l'invention de l'imprimerie, pour des raisons non seulement économiques (c'est toute la question des droits d'auteur), mais également pénales (c'est la nécessité d'une assignation de l'auteur, de sa responsabilité, incontournable dans le cadre d'un ordre ou d'un contrôle des discours par le pouvoir).

réversibilité, son côté *born again*, qui ne constitue d'ailleurs pas seulement un récent phénomène d'époque. La résurrection est présente déjà dans les grandes entreprises thanatographiques comme celle d'un Blanchot par exemple, elle leur est interne. En d'autres termes – et c'est exemplaire chez Blanchot – l'auteur revendique bien un « droit à la mort », mais sa résurrection en « il » impersonnel paré d'une convenable aura sacrificielle n'en sera que plus prestigieuse[1].

La mort de l'auteur permet en tout cas une formidable revalorisation de la profession de commentateur, la culture ayant apparemment autant horreur du vide que la nature. L'auteur est mort ? Peut-être, mais le commentateur est en pleine forme et s'engouffre dans la tombe. Mallarmé, Proust ou Blanchot ont été des critiques ? Le théoricien sera donc leur égal, il sera écrivain. Se manifestant au nom de l'autonomie de la littérature, il affranchit non seulement celle-ci de la servilité dans laquelle la maintiennent les historiens de la littérature, les staliniens et les existentialistes, mais il s'affranchit du même coup lui-même de cette position servile.

Là où était l'ancienne critique, aphasique et asymbolique selon Barthes, la nouvelle doit advenir, avec pour mission de redoubler la parole de l'œuvre d'une autre parole[2]. Le commentateur est désormais doté d'une voix, comme l'écrivain. Et du redoublement, qui implique encore la possibilité d'une différentiation, on passe quelques pages plus loin à la fusion des deux fonctions : depuis Mallarmé, « il n'y a plus qu'une écriture » : « Est écrivain celui pour qui le langage fait problème, qui en éprouve la profondeur, non l'instrumentalité ou la beauté[3] ». Dès lors que le langage fait problème pour lui – et il suffit sans doute qu'il le dise pour que ce soit le cas –, le commentateur a droit aux prestiges très blanchotiens de la « solitude de l'acte

1. Voir sur ce point l'article essentiel de Daniel Oster, « D'un statut d'évangéliste », *Littérature*, 33, 1979.
2. *Critique et Vérité*, *op. cit.*, p. 38.
3. *Ibid.*, p. 46.

critique, loin des alibis de la science ou des institutions », et dans ces conditions, le commentaire devient un « acte de pleine écriture[1] ». La mort de l'auteur endossée par le commentateur est une porte ouverte sur l'« expérience intérieure », expression qui permet de surcroît de se placer sous le précieux patronage de Georges Bataille, virtuose de l'impureté des genres et en tous genres : « Une même et seule vérité se cherche, commune à toute parole, qu'elle soit fictive, poétique ou discursive, parce qu'elle est désormais la vérité de la parole elle-même[2]. »

Il existe, en somme, deux types de critiques littéraires : d'une part, les serviles, gardiens aphasiques de l'ordre bourgeois du discours, qui vivent aux dépens des auteurs artificiellement maintenus en vie et, d'autre part, ceux qui accèdent dans le dos de l'auteur mort à une parole véritable. « Nous devons lire comme on écrit », affirme Barthes, toujours dans *Critique et Vérité*[3]. Même son de cloche dans les *Essais critiques* : « Le critique est un écrivain ». Il a par conséquent « droit à une parole », fût-elle indirecte[4]. Les *Essais critiques* permettent également de suivre l'autre versant de cette problématique qui nous ramène à la question du théorique-réflexif. Si le critique a droit à une parole, l'écrivain, lui, a droit à la critique, à la réflexion théorique. On comprend mieux dans cette perspective l'attachement de Barthes à la figure de Brecht, dont l'œuvre procéderait d'une exemplaire abolition de la « distinction mythique entre création et réflexion[5] ».

Un autre prétendant à la succession de l'auteur sera le scientifique, soit par exemple le sémioticien tel que le définit Julia Kristeva pour le distinguer du sémiologue et du linguiste. Le sémioticien est non seulement linguiste et mathématicien, il est aussi écrivain. Il est celui qui découvre, en même temps que

1. *Ibid.*, p. 47.
2. *Ibid.*, p. 48.
3. *Ibid.*, p. 52.
4. *Essais critiques, op. cit.*, p. 9-10.
5. *Ibid.*, p. 259.

[marginalia: Mort de l'auteur ou pur fct scientifique ? de l'auteur]

l'écrivain, les schémas et les combinaisons des discours qui se font. Il se définit par sa capacité d'*identification* avec celui qui produit, c'est-à-dire l'écrivain. À ce titre, il sera même capable d'*anticiper* la production de systèmes sémiotiques dans les langues naturelles, c'est-à-dire d'être en avance sur l'écrivain[1]. Là où était l'auteur doit advenir son avatar scientifique et critique, que Philippe Sollers appelle également de ses vœux dans les termes suivants : « Nous avons le droit d'exiger des écrivains une attitude critique et pratiquement scientifique vis-à-vis d'eux-mêmes, en rupture définitive avec l'individualisme du prétendu créateur de formes[2]. »

L'auteur s'efface donc non seulement derrière le lecteur critique, mais également derrière l'homme de science, et ceci d'autant plus que celui-ci s'intéresse non pas aux œuvres individuelles, difficiles à séparer de leur auteur, mais aux principes généraux, aux lois structurales du langage littéraire. Pilotée par la linguistique, la science de la littérature implique le sacrifice de l'auteur : « La science de la littérature érige celle-ci à la hauteur du mythe, qui est sans auteur », écrit encore Barthes[3]. Il suffit ensuite de faire repasser cette science du côté du ci-devant auteur pour que la boucle soit bouclée. Julia Kristeva évoque dans cette perspective une science attribuable au moins autant au critique qu'à l'auteur et qu'il faut concevoir comme une science de la *structure* : le mot d'ordre de la « mort de l'auteur » avait décidément toutes les chances de s'imposer dans la mouvance structuraliste. Rien de mieux en tout cas que la structure pour dissoudre l'auteur et pour le faire renaître en homme de science, en calculateur des effets de la structure. L'auteur n'est rien ni personne, mais une simple possibilité de permutation : « Il devient un anonymat, une absence, un blanc pour permettre à la structure d'exister comme telle[4]. » Là où

---

1. *Semeiotiké. Recherches pour une sémanalyse, op. cit.*, p. 59.
2. *Logiques*, Paris, Seuil, 1968, p. 233.
3. *Critique et Vérité, op. cit.*, p. 59.
4. *Semeiotiké. Recherches pour une sémanalyse, op. cit.*, p. 156.

il y avait le zéro de l'auteur, le *il* du personnage peut apparaître, écrit encore Kristeva. Et il le fait en vertu d'une science de la structure et de la permutation qui n'est pas plus attribuable à celui qui écrit qu'à celui qui lit, qui constitue en somme la commune *relève* de l'un et de l'autre. Cette position apparaît ainsi comme une synthèse du motif de la « disparition élocutoire du poëte » popularisée par Mallarmé, de sa reprise par Blanchot qui fait de la disparition du « je » et de sa renaissance en « il » impersonnel la clé du mécanisme de la fiction[1] et enfin – ou déjà – de la théorie lacanienne d'un sujet identifié au jeu du signifiant[2].

La science n'est jamais une bonne affaire pour l'auteur. Dans cette perspective, les origines de la « mort de l'auteur » sont à chercher non seulement dans une préhistoire française de la théorie, du côté de Mallarmé et de Blanchot, mais également du côté des formalistes russes, même si ceux-ci ne décrètent jamais explicitement la mort de l'auteur. Ils s'intéressent eux aussi à des principes généraux et (ré)activent notamment la question des genres littéraires qui, par définition, n'ont pas d'auteurs et sont transpersonnels. Dans cette perspective, la démarche poéticienne développée par Gérard Genette et d'autres est, elle aussi, parfaitement solidaire du motif de la disparition de l'auteur. On le vérifiera avec ses réflexions sur la question de l'architexte[3], mais aussi avec certains de ses essais plus anciens. Je pense notamment ici à son intérêt très soutenu pour une

1. *L'Espace littéraire, op. cit.*, en particulier p. 17. Voir aussi *L'Entretien infini*, Paris, Gallimard, 1969, p. 556 *sq.*

2. *Semeiotiké, op. cit.*, p. 157-158. Vont également dans ce sens, mais avec le recours à la science en moins, les formulations proposées à la même époque par Michel Foucault, notamment dans sa contribution à *Théorie d'ensemble* de Tel Quel (*op. cit.*). Foucault insiste notamment sur l'effacement de tout nom propre, « simple référence dans un langage commencé depuis toujours » (p. 22) et sur la disparition de la subjectivité dans un recul de l'origine opérée par le langage de la fiction (p. 24).

3. *Introduction à l'architexte*, Paris, Seuil, 1979 et *Fiction et Diction*, Paris, Seuil, 1991.

conception borgésienne de la littérature qui érige bien celle-ci à la hauteur d'un mythe en faisant miroiter un seul auteur, intemporel et anonyme, auteur de toutes les œuvres du même coup soustraites à leur diachronie[1] (c'est le fameux « sentiment œcuménique » de la littérature qui permet à Proust d'évoquer le « côté Dostoïevski de Madame de Sévigné »).

Tout cela fait beaucoup de coups portés à l'auteur, et encore, je n'en dresse pas la liste exhaustive. Mon propos est simplement de suggérer que dans la constellation théorique-réflexive qui nous intéresse ici, la mort de l'auteur a une indiscutable opérativité. Elle est inévitable, elle constitue une nécessité systémique, elle permet un (re)positionnement du critique ou du lecteur par rapport à l'œuvre qui doit être fondamentalement compris comme la mise en place d'un contre-pouvoir, comme une rupture avec l'ordre du discours (au sens où l'entend Foucault), comme une tentative de soustraire la littérature à ses coordonnées institutionnelles, ou plus généralement à la culture entendue comme tradition (bourgeoise). La mouvance théorique aura bien été dans cette perspective une pratique de la table rase, du tout est possible ici et maintenant, ou encore une pratique du *déshéritage* : on hérite d'un auteur, on déshérite d'un auteur mort. Et si elle a constitué un contre-pouvoir, on peut dire tout aussi bien, comme je l'ai déjà suggéré, qu'elle a voulu être un pouvoir absolu. Le lecteur-critique, déguisé en homme de science ou non, qui prend la place de l'auteur, prétend en effet le faire sans recourir à d'autre autorité que celle de sa propre parole (ou de sa propre « science de la structure ») dont le statut se confond avec celle de l'écrivain. Que la « mort de l'auteur » ait été mise en avant surtout par des commentateurs venus de l'horizon théorique ne doit donc rien au hasard. Il y a une solidarité conceptuelle réelle entre celle-ci et le redoublement réflexif impliqué par la position théorique : imagine-t-on Gustave Lanson et les siens se passionnant pour la mort de ceux qu'il leur revient d'immortaliser ?

1. *Figures I*, Seuil, 1966, p. 123 *sq.*

Une dernière remarque : beaucoup de formulations relatives à la mort de l'auteur, notamment celles de Barthes, datent de sa période « structuraliste-scientifique ». Apparemment cela va de soi, mais il faut relever qu'un certain nombre de ces formulations programment d'emblée une rupture avec le scientisme auquel elles semblent faire allégeance. Globalement, l'histoire de la théorie littéraire aura beaucoup moins vu sortir l'auteur par la porte de la science que par celle de la « solitude de l'acte critique », apparemment plus séduisante, surtout après son réinvestissement par la psychanalyse. Là où était l'auteur, le commentateur peut donc advenir, pourvu désormais d'une voix et d'un coefficient de « solitude critique », certes prestigieux, mais qui reste heureusement la plupart du temps nettement plus bas que ceux affichés par les martyrs de l'espace littéraire (Kafka, Mallarmé, Artaud, Proust, etc.). Il suffit donc de suivre les variations sur le thème de la mort de l'auteur et, notamment, l'abandon de la détermination scientifique de cette « mort », pour avoir du même coup sous les yeux l'évolution qui précipite la théorie littéraire vers sa disparition, c'est-à-dire aussi vers une résurrection de l'auteur. À peine le décret de mort prononcé, une telle résurrection semble être devenue le rêve secret de tous les déshérités volontaires de la fonction-auteur.

Mort de l'auteur : modalités d'application

La mort de l'auteur a été affirmée de toutes les manières possibles, mais a-t-elle jamais été prouvée ? A-t-on jamais retrouvé le cadavre ? Le tombeau est désespérément vide, et compte tenu de la santé médiatique affichée par beaucoup d'auteurs autrefois énergiquement morts, on peut douter qu'ils y aient passé beaucoup de temps. En d'autres termes, il n'existe guère que des indices ou des preuves indirectes. La mort de l'auteur se réalise dans des produits dérivés qui permettent d'en maintenir la conjecture. Son opérativité exige elle-même un certain nombre d'opérations complémentaires et solidaires.

La première, la plus répandue, la plus simple et peut-être même la plus tautologique, consiste à faire disparaître l'auteur en le mettant au chômage technique ou en postulant chez celui-ci une grève de l'intention. Elle consiste à refuser à la « parole » de l'écrivain toute *intentionnalité*, cette parole étant en somme d'autant plus prestigieuse qu'*elle ne veut rien dire* (ou en termes derridiens : qu'elle n'est pas une parole) – mais on s'en charge à sa place. Ce n'est pas le moindre des paradoxes mais, pour la mouvance théorique-réflexive, il est fondateur. Il permet la redistribution des rôles de l'écrivain et du critique qu'on vient d'examiner. Tout se passe comme si on coupait à l'écrivain la parole au moment où on démontre l'irréductible spécificité de la littérature. L'autonomie du discours littéraire n'a finalement lieu que du côté de ceux qui se l'approprient, du côté de ceux dont le discours constitue une suppléance à une intentionnalité absente. Par définition, un auteur mort ne saurait avoir une intention, et réciproquement : s'il n'en a pas, il est juste bon à mourir[1]. Antoine Compagnon a décrit les apories théoriques du décret de non-intentionnalité de manière convaincante, en montrant notamment que beaucoup de ceux qui s'appuient sur une telle hypothèse jouaient en fait sur les mots (sens, signification, vouloir-dire, etc.) et qu'il est difficile, voire absurde, de considérer qu'un texte est produit en l'absence de la moindre intention[2]. On peut dire, par conséquent, que les opérations visant à accréditer la « mort de l'auteur » sont à mettre au compte des auteurs eux-mêmes, auxquels on prêtera ainsi sinon un instinct de mort, du moins une intention de mort. Ce sont des techniques, des procédés d'écriture particuliers dans lesquels la « mort de l'auteur » s'incarne.

---

1. C'est pourquoi un Ricœur ou un Hans-Robert Jauss ont beau faire, ils sont toujours restés *personae non gratae* dans les salons de la théorie, herméneutique oblige.
2. *Le Démon de la théorie, op. cit.*, p. 47-99.

Au niveau narratif ou romanesque, celle-ci passe par exemple par la déconstruction de la stabilité des personnages, que la critique traditionnelle a toujours considérés, sans doute à juste titre, comme des possibilités de représentation ou d'expression de l'auteur, comme ses porte-parole plus ou moins fiables. Un auteur qui ne se représente plus dans l'un ou l'autre de ses personnages, qui ne s'identifie plus à eux, n'est plus tout à fait un auteur, il est un auteur qui se sacrifie par avance, qui s'exclut du monde qu'il construit pour donner à celui-ci des apparences d'autonomie. On évoquera bien entendu dans cette perspective l'ensemble du Nouveau Roman, exemplaire tentative de désinvestissement du personnage par l'auteur – celui-ci privant celui-là d'identité, et réciproquement. Pionnière en matière d'anonymat du personnage, d'où on remontera à la disparition de l'auteur : Nathalie Sarraute, qui défend l'anonymat du personnage comme nécessité romanesque dès *L'Ère du soupçon*[1]. Plus généralement, et toujours dans le registre narratif, on peut également mentionner toutes les réductions, des récits de Blanchot à ceux du premier Sollers en passant par beaucoup d'autres, du personnage à un simple « je », ou à simple « il », ou encore à une oscillation entre les deux, bref, à une pure fonction grammaticale qui ne donne aucune identité stable à un personnage, ni par conséquent aucun moyen à l'auteur de revenir à son ancienne place. De tels dispositifs seront souvent explicitement valorisés, dans les textes de l'orbite Tel Quel, comme mise en acte (ou en scène) de l'assujettissement de l'auteur au symbolique, de sa dépendance par rapport aux lois de la syntaxe présentées comme déterminantes en ce qui concerne l'identité ou l'absence d'identité de l'auteur. Pour paraphraser Lacan, on dira alors que le pronom personnel, c'est ce qui représente l'auteur pour un autre pronom personnel. On peut aussi évoquer ici les très nombreuses variations sur le thème de personnages en quête d'auteur ou se retournant contre celui-ci : le filon pirandello-borgésien

1. Paris, Gallimard, 1950.

de la littérature en somme, qui fait miroiter l'autonomie de l'œuvre en y intégrant un auteur privé des privilèges de son autorité extérieure.

Ces techniques de « désidentification » se retrouvent également du côté de la poésie qui reste, aux côtés des anti-récits, le genre privilégié par la mouvance théorique-réflexive, conformément sans doute aux origines avant-gardistes de cette mouvance[1]. De façon très sommaire on dira que la mort de l'auteur est à repérer dans tout ce qui découple la pratique de la poésie des bases lyriques qui ont précisément permis au cours de la première moitié du XIXe siècle une des plus efficaces opérations de promotion de l'auteur. C'est Baudelaire commençant à défigurer le langage poétique[2], Rimbaud rejouant à la vitesse V Lamartine et Hugo, puis surtout Mallarmé et Lautréamont, héros tutélaires d'une « révolution du langage poétique » radicalement anti-lyrique, dont Francis Ponge, Denis Roche ou Marcelin Pleynet seront les héritiers, parmi d'autres. Comme dans le cas du romanesque, la déstabilisation, voire la disparition du sujet de l'énoncé jouent un rôle majeur dans ce découplage.

Plus généralement encore, et indépendamment de toute considération générique, on dira qu'il y a solidarité entre le

1. Des dadaïstes aux situationnistes en passant par les surréalistes et justement Tel Quel, l'avant-garde a toujours résisté au roman et privilégié la poésie, dût-elle passer dans la vie quotidienne ou dans la révolution, selon le vœu des situationnistes. Dans le cas de la mouvance théorique des années 1960 à 1980, ce privilège est lié au fait que celle-ci valorise le langage en tant que tel. La poésie est plus directement une « pratique signifiante » que le roman, discours toujours déjà codé. Elle est donc plus directement un principe de contre-pouvoir, voire un principe souverain de subjectivation. C'est aussi la raison pour laquelle les récits privilégiés par la mouvance théorique sont ceux qui brouillent le discours romanesque dans sa transparence, qui le tirent du côté de la poésie, du « travail de la langue » : on pense à Dante, à Proust, à Joyce, à Raymond Roussel, ou encore à Leiris dans le registre autobiographique.

2. Voir Barbara Johnson, *Défigurations du langage poétique, op. cit.*, p. 7-160.

décret de la mort de l'auteur et l'ensemble des interrogations – c'est un véritable pain quotidien de la théorie – qui ont porté sur le statut du « sujet écrivant ». La mort de l'auteur se réalise ou se concrétise dans les nombreuses opérations théoriques ayant pour but de rendre le statut du sujet incertain, de problématiser le « qui parle ? », le rapport entre le sujet de l'énonciation et celui de l'énoncé, et partant le statut de l'auteur. Pourquoi s'est-on enthousiasmé pour les *shifters* jakobsoniens adoubés par Lacan (soit par exemple les pronoms personnels, ou d'autres mots qui ne prennent sens que par les coordonnées ou le contexte du message)[1] ? Parce qu'ils mettent en place un effet de distanciation entre le sujet de l'énonciation et celui de l'énoncé, suggérant ainsi que, dans le cas de l'auteur (le sujet de l'énonciation), celui-ci n'est pas identifiable au sujet de l'énoncé, et donc tout aussi bien absent.

Il en va de même avec le « fading du sujet » cher à Barthes, qu'on peut définir comme un effet d'évanescence du sujet de l'énonciation (et partant de l'auteur) par lequel le texte advient dans sa pluralité et par conséquent dans son autonomie. Cette pluralité doit en effet toujours être imputée à un lecteur-scripteur prenant la place de l'auteur : « Plus l'origine de l'énonciation est irrepérable, plus le texte est pluriel. Dans le texte moderne, les voix sont traitées jusqu'au déni de tout repère : le discours, ou mieux encore, le langage parle, c'est tout[2]. » Le « fading du sujet », c'est bien la version barthésienne de la « disparition élocutoire du poëte » chère à Mallarmé : l'auteur cède l'initiative aux mots, et c'est finalement le langage lui-même qui parle. Ou plus exactement, c'est *initialement* que le langage parle, ce qui veut dire que le sujet (de l'énonciation comme de l'énoncé) vient *après lui*. Si Barthes ne le dit pas dans ces termes, d'autres l'affirment plus explicitement. Dans un article sur Dante, Philippe Sollers évoque par

1. *Écrits*, Paris, Seuil, 1966, p. 535. Comme le précise Lacan, Jakobson lui-même doit le terme de *shifter* à Jespersen.
2. *S/Z, op. cit.,* p. 48.

exemple le « recommencement sans fin d'un poème ou d'une langue anonyme », ainsi que la « naissance continue du scripteur à l'intérieur de cette langue adressée à quelqu'un de continuellement naissant[1] ». La langue précède le scripteur (autre nom du ci-devant auteur ou, si l'on veut, ce qui en reste : la main, branchée directement sur l'anonymat de la langue), mais aussi le lecteur, qui est réinventé dans le même mouvement. Le corrélat de la mort de l'auteur sera toujours dans cette perspective le potentiel résurrectionnel du langage, soit sa capacité de faire advenir un sujet nouveau à la place d'un auteur disqualifié : « Le "je" qui vient alors au langage est celui, non pas de l'individu, mais du langage lui-même devenu autre et fêtant "sa rédemption dans l'apparence[2]" ».

Le « fading du sujet » est une notion d'autant plus essentielle chez Barthes qu'elle conduit également au cœur de sa fascination pour l'ironie (exemplairement celle de Flaubert). Celle-ci consiste minimalement dans le découplage du sujet de l'énonciation et de l'énoncé, l'un faisant comprendre qu'il ne pense pas comme l'autre. La mort de l'auteur correspond clairement, chez Barthes du moins, non seulement à une volonté d'en finir avec la propriété, mais également à un rêve d'inassignabilité et d'irresponsabilité : « Comment forcer le mur de l'énonciation, le mur de l'origine, le mur de la propriété », demande-t-il un peu plus loin dans le même livre, dans un passage justement consacré à l'ironie et à la parodie[3]. Rien de plus logique dans cette perspective que le fameux « Tout ceci doit être considéré comme écrit par un personnage de fiction », autre version du

1. *Logiques, op. cit.*, p. 47.
2. *Ibid.*, p. 65.
3. *S/Z, op. cit.*, p. 52. Le mur de l'origine et de la propriété : malgré des formulations un peu différentes, Barthes est ainsi toujours en phase non seulement avec la mort de l'auteur, mais aussi avec les réflexions de Foucault sur les raisons de l'émergence de l'auteur, économiques mais aussi juridiques : Flaubert, prince de l'ironie, a justement failli payer pour savoir de quoi il en retourne. Le rêve d'inassignabilité de Barthes, c'est le cauchemar de Pinard.

« fading du sujet » et surtout épigraphe, de surcroît manuscrite, du *Roland Barthes par lui-même*[1]. De ce livre, on peut dire dans cette perspective qu'il opère un retour dénié ou honteux de l'auteur, mais inversement aussi qu'il en systématise d'autant plus l'inassignabilité qu'il le divise en une première et une troisième personne.

À l'affût de traces de la mort de l'auteur, la mouvance théorique aura beaucoup spéculé, toutes tendances confondues, sur le « qui parle (dans un texte littéraire) ? », en s'ingéniant en somme à ne pas trouver de réponse satisfaisante ou simple à une telle question, et en transformant à l'occasion, surtout dans ses versions derridiennes, le « qui parle ? » en un « qui signe ? ». Toute la question de l'impropriété du nom propre est à mettre en rapport avec celle de la mort de l'auteur (comment imaginer un auteur sans nom propre ?). Les essais de Derrida sur Genet ou Ponge vont donner toute son ampleur à cette problématique[2] et susciter de multiples reprises et variantes, surtout aux États-Unis, où le dépistage de l'absence d'auteur comme la disqualification de la notion même de sujet de l'énonciation tiendront lieu pendant un certain temps de figures imposées[3]. On remarquera encore à ce propos qu'antérieurement aux deux essais qu'on vient de mentionner, Derrida articule déjà la question de la signature avec celle de l'énonciation, dans un texte qui programme la fameuse querelle engagée quelques années plus tard avec John Searle[4]. Un acte illocutoire ou performatif, qui ne saurait se passer d'un sujet effectuant l'acte, peut toujours n'être qu'une citation et par conséquent il l'est toujours, pourrait-on dire pour résumer la position de

1. R. Barthes, *Roland Barthes par lui-même* Paris, Seuil, 1975.
2. Voir *Glas*, Paris, Galilée, 1974 et *Signéponge*, Paris, Seuil, 1988.
3. Indice de cette vogue, l'Université de Californie à Berkeley publie depuis plus de vingt ans une revue intitulée *Qui parle ?* (en français dans le titre).
4. Voir Jacques Derrida, « Signature, événement, contexte », *Marges de la philosophie,* Paris, Minuit, 1972, p. 365-393 et *Limited Inc., op. cit.*

Derrida qui, dans la foulée, peut ainsi jeter le sujet de l'énonciation (et l'auteur qui signe) avec le bain de la pragmatique.

On pourrait dire encore que si l'auteur a autant tendance à mourir, c'est avant tout parce qu'il n'est jamais identique à lui-même, parce qu'il est toujours un autre (c'est le paradoxe de l'épigraphe du *Roland Barthes par lui-même* évoquant un personnage de roman). L'auteur est mort, vive l'autre (et parfois l'Autre). Dans cette perspective, c'est toute la problématique de l'intertextualité développée par Julia Kristeva qui vient soutenir ou concrétiser le postulat de la mort de l'auteur. Compte tenu de l'enthousiasme avec lequel l'université néo-positiviste s'est approprié le terme pour le mettre au service de la néo-critique des sources, on a un peu de peine à réaliser aujourd'hui qu'il n'y a pas si longtemps, l'intertextualité a été une machine de guerre contre le dogme bourgeois de l'expression[1]. Cette machine porte par ailleurs la marque de fabrication de Bakhtine, qui est aux formalistes russes ce que les « poststructuralistes » sont aux structuralistes : c'est-à-dire celui qui, tout en reconnaissant la spécificité et l'autonomie du discours littéraire, le rebranche sur un dehors, en l'occurrence essentiellement social. Bakhtine opère une brèche dans la clôture formaliste en développant des notions comme la polyphonie, le dialogique ou encore l'hétéro-logie, qui sont toutes au service d'une conception pluralisée, socialisée et intersubjective de la communication, littéraire ou non. Qui parle ? Jamais moi, ou plus exactement jamais seulement moi. Il y a toujours dans ma voix et dans ce que j'écris d'autres voix, d'autres qui parlent ou d'autres qui ont écrit avant moi. Des décennies avant que la mort de l'auteur ne connaisse ses heures de gloire françaises puis américaines, Bakhtine aura

---

1. Voir par exemple « Le mot, le dialogue et le roman », *Semeiotiké*, *op. cit.*, p. 143-173. Le recyclage du concept d'intertextualité par la critique des sources est bien l'ironique symptôme du retour d'une logique de l'appropriation. Quand la question est « qui doit quoi à qui ? », l'auteur est décidément de retour pour faire valoir, au moins par procuration académique, ses droits à la propriété intellectuelle.

ainsi déjà programmé la dissolution de l'auteur par la polyphonie : je est non seulement un autre (ce qui ne fait pas beaucoup,
en somme), mais plusieurs autres[1].

Il convient d'insister sur l'ambiguïté de l'effet Bakhtine,
dont la mouvance théorique aura attendu deux services contradictoires : d'une part, une justification (de plus) du congé
donné à l'auteur, puisque celui-ci ne serait plus que le relais des
innombrables voix qui l'ont précédé et, d'autre part, une réouverture du texte sur un hors-texte (social, idéologique) qui
remet en cause l'autonomie de la littérature impliquée dans le
premier terme de l'alternative. Et on remarquera à ce sujet que
l'intérêt du collectif Change pour la question de la *traduction*
constitue une tentative de dépasser cette ambiguïté, d'articuler
théoriquement les différents plans définis par Bakhtine. La
réflexion menée par Change sur ce point, centrale à partir de
1973, confère en effet à l'auteur une fonction de *traducteur* :
d'une langue à l'autre bien sûr, mais aussi à l'intérieur d'une
même langue, conformément aux principes de la grammaire
générative, et enfin du hors-texte au texte. Si l'auteur est mort,
ce n'est pas parce qu'il doit céder l'initiative aux mots qui
mèneraient ainsi leur propre vie, mais c'est parce qu'il est un
principe de traduction généralisée, parce qu'il est un *transfor-
mateur*, le principe actif ou dynamique en somme de ce que le
collectif Change tente de théoriser à partir de la grammaire
générative-transformationnelle de Chomsky[2].

1. Cf. Tzvetan Todorov, *Mikhaïl Bakhtine : Le Principe dialogique*,
Paris, Seuil, 1981. Rappelons à ce sujet que Bakhtine est lui-même un
auteur qui aura fait, plus que d'autres, l'expérience de sa disparition,
l'expérience de son « devenir-autre ». On lui attribue aujourd'hui un certain nombre de textes qui ont été signés par des collaborateurs ou des disciples, dans un contexte politique (stalinien) où Bakhtine, par ailleurs
exilé, est obligé de faire de la corde raide, de calculer de façon très pru-
dente ce qu'il lui est possible d'écrire. C'était sans doute le bon moment
pour sinon inventer la mort de l'auteur du moins faire un peu le mort.
2. Léon Robel, « Translatives », *Change* n° 14, « Transformer. Traduire », Paris, Seghers/Laffont, 1973, p. 5 et *sq.*

Relevons enfin, puisque Lacan a été évoqué ci-dessus via les *shifters* de Jakobson, que toutes les questions qui se disposent autour du motif de la mort de l'auteur constituent la clé – ou du moins une des clés – du succès de la psychanalyse dans le champ de la théorie littéraire. Car ce succès, c'est non seulement celui d'une méthode d'interprétation, utilisée comme telle avant la montée en puissance de la théorie littéraire (par exemple par Charles Mauron, ou plus subtilement par Marthe Robert ou Jean Starobinski[1], etc.), mais également celui d'une radicalisation ou d'un approfondissement théorique portant notamment sur le problème du sujet de l'énonciation, sur le « qui parle ? ». Entre l'idée que dans un texte, c'est le langage lui-même qui parle, attribuable à Mallarmé, mais aussi à Heidegger[2], puis reprise par de nombreux théoriciens (dont Barthes et Sollers évoqués ci-dessus), et les positions de Lacan (« Le signifiant, c'est ce qui représente le sujet pour un autre signifiant » ; « L'inconscient est structuré comme un langage », etc.), il existe une complicité d'autant plus objective que Lacan a lui aussi lu Heidegger de très près, comme n'ont pas manqué de le relever quelques douzaines de commentateurs sagaces. En cédant l'initiative aux mots (selon la formule de Mallarmé), le poète la cède en somme du même coup à l'inconscient, qui se manifeste dans le glissement d'un mot à l'autre, d'un signifiant à l'autre.

---

1. Marthe Robert, *Roman des origines, origines du roman*, Paris, 1972, Jean Starobinski, *L'Œil vivant II, La relation critique*, Paris, Gallimard, 1970.
2. On s'en convaincra en relisant *Acheminement vers la parole*, Paris, Gallimard, 1976, traduit de l'allemand par Jean Beaufret, Wolfgang Brokmeier et François Fédier (1959). Heidegger y multiplie les formules suggérant que le « qui parle » renvoie au langage, antérieurement à tout sujet de l'énonciation : « La parole est parlante » (p. 15) ; « Nous ne pourrions dès lors dire : c'est l'homme qui parle – car cela veut dire : c'est la parole qui fait l'homme, qui le rend homme. Dans une telle pensée, l'homme serait un produit de la parole […] » (p. 16).

L'inconscient roule ainsi pour la mort de l'auteur et inversement. On peut même se demander quelle aurait été la fortune de la « mort de l'auteur » s'il n'y avait pas eu l'inconscient pour lui (re)donner vie, pour réinjecter malgré tout un sens, une intention (un désir inconscient) permettant de sortir de l'aporie de la disqualification de toute intention. La psychanalyse apparaît ainsi comme la seule technique ou science de l'interprétation – la seule herméneutique – disposant d'une réassurance théorique intégrée en matière de mort de l'auteur. Elle est une procédure imparable de disqualification du sujet conscient et de son « vouloir dire », et en même temps elle restitue, à un autre niveau, quelque chose comme une intention, un projet, une cohérence – celle d'un inconscient. Son branchement sur la mort de l'auteur aura eu des effets déflagrants. Il permet en effet de combiner la thèse de l'autonomie de la littérature – puisque l'inconscient est (structuré comme) un langage – avec une « anthropologisation » maximale. Expérience du langage et de la mort de l'auteur, la littérature est du même coup le lieu où le sujet se retourne sur les fondements de sa propre subjectivité, où il fait, via la *chora sémiotique* de Julia Kristeva par exemple, l'expérience de sa non-existence antérieure, où il est confronté à son propre *procès*, toujours selon l'expression de J. Kristeva[1].

On notera pour conclure que c'est en particulier sur ce point que portent les divergences entre les versions lacaniennes et derridiennes de la théorie littéraire. Conformément à leur goût pour l'aporie et l'indécidabilité, les derridiens reprochent aux lacaniens de restituer un sujet (inconscient) et partant tout un régime métaphysique de la vérité[2]. Inversement, une des

1. *La Révolution du langage poétique*, Paris, Seuil, 1974, p. 17-100.
2. Philippe Lacoue-Labarthe et Jean-Luc Nancy, *Le Titre de la lettre*, Paris, Galilée, 1973 ; J. Derrida, « Le facteur de la vérité », *Poétique*, 21, version augmentée dans *La Carte postale*, Paris, Flammarion, 1980 ; sur la dispute « au sommet » entre Lacan et Derrida, voir aussi la très utile mise au point de Barbara Johnson, *The Critical Difference*, Baltimore, The Johns Hopkins University Press, 1980, p. 110-145.

principales critiques adressée par Julia Kristeva à la déconstruction derridienne porte précisément sur une différence d'investissement de la *place du mort* : en vouant celle-ci au « neutre » (à l'indécidable, à un « ni l'un ni l'autre » indéfiniment contradictoire), Derrida, mais aussi Blanchot avant lui, se contenteraient de tirer une rente de situation sur la négativité de cette place, alors que l'approche de J. Kristeva a pour but d'en saisir la productivité dans le registre du sémiotique (de la formation de la subjectivité)[1].

Au service de l'autonomie et de la spécificité de la chose littéraire, toutes les théories littéraires auront plus ou moins intégré le paramètre de la mort de l'auteur, mais c'est surtout dans l'art de l'enterrer ou d'en entretenir la tombe qu'elles se distinguent les unes des autres.

1. *La Révolution du langage poétique, op. cit.*, p. 128-134.

CHAPITRE 2

La théorie littéraire au service de la révolution

L'horizon révolutionnaire

Si la théorie littéraire s'était contentée d'être un parti pris en faveur de l'autonomie de la littérature, si elle n'avait eu d'autre ambition que de soustraire celle-ci aux instrumentalisations idéologiques ou institutionnelles qu'on vient d'évoquer, elle ne serait sans doute pas devenue le phénomène qu'elle a été. Il est probable qu'elle n'aurait pas bénéficié de l'aura politique qui a été la sienne au cours des années 1960 et 1970. De fait, ce sont les versions les plus formalistes de la théorie littéraire, c'est-à-dire celles qui se sont tenues au plus près de l'identification formelle de la littérarité, selon le terme de Jakobson, qui auront été les moins performantes politiquement. Tous ne se sont pas passionnés pour la théorie littéraire afin de la mettre au service de la révolution, mais progressivement ceux qui accrochent le wagon de la théorie au train des utopies révolutionnaires montées en puissance vers la fin des années 1960 vont occuper le devant de la scène. Dans cette perspective, l'histoire de la théorie littéraire est celle d'une radicalisation qui la conduira finalement à se retourner contre elle-même, à se dissoudre et à disparaître, du moins en tant que combat intellectuel. Elle se survivra, mais à l'écart de l'actualité politique et culturelle, comme un faisceau de disciplines académiques telles que la sémiotique, la sémiologie, la poétique, ou même la rhétorique qui reprendra également du service[1].

1. Notamment avec l'orientation donnée à la revue *Poétique* par Michel

Les années 1950 et la première partie des années 1960 sont caractérisées en France par une sorte de front commun en faveur de l'autonomie de la littérature, qui trouve refuge à l'enseigne du structuralisme et de ses produits dérivés, mais aussi à l'enseigne de l'herméneutique, de la critique thématique ou des travaux d'écrivains-théoriciens comme Maurice Blanchot, Alain Robbe-Grillet ou Michel Butor. Ce front, assez hétérogène lorsqu'on y regarde de près, tient d'abord par ce à quoi il s'oppose : l'instrumentalisation politique de la littérature par les idéologies de la gauche officielle, beaucoup plus pesante en France que dans d'autres pays européens, raison pour laquelle le statut de la littérature est loin d'y être un enjeu politique comparable. On imagine mal qu'un Nouveau Roman eût été possible et surtout important en Angleterre ou aux États-Unis, mais c'est parce qu'un Sartre et *a fortiori* un Aragon y eussent été tout aussi improbables.

Le front tient aussi parce qu'au regard des valeurs culturelles considérées comme de droite, en particulier l'érudition nécessaire au mandarinat des historiens de la littérature, il a représenté une alternative incontestablement *démocratique* et donc en phase avec une population étudiante prise dans le tourbillon du développement des universités de masse. C'est un aspect de la mouvance structuraliste qui a été trop peu souligné : avant puis, surtout, après les événements de Mai 68, soit au moment du réinvestissement maximal de l'énergie politique dans le champ culturel, cette mouvance est indissociable de la démocratisation des universités. Jamais l'accès à la critique littéraire universitaire n'aura été aussi facile. Il ne dépend plus alors d'une érudition élitaire, mais de la connaissance d'un certain nombre de règles ou de « théorèmes » linguistiques que la

Charles, qui en prend la direction en 1979. Michel Charles est l'auteur de *Rhétoriques de la lecture*, Paris, Seuil, 1977, et de *L'Arbre et la Source*, Paris, Seuil, 1985. Signalons également que la rhétorique a fait d'emblée partie de l'agenda du Groupe mu (Centre d'études poétiques de l'université de Liège, fondé en 1967).

théorie met à la disposition de tous – c'est un de ses rôles les plus essentiels. À un autre niveau, il est favorisé par la possibilité de lectures « internes » ou immanentes plutôt qu'externes et érudites : c'est une des raisons – sinon la raison principale – pour lesquelles les critiques « thématiques », comme Jean-Pierre Richard par exemple, ont été associés à la mouvance théorique. Le passage du mandarinat, typiquement français, de l'historien de la littérature au théoricien (post)structuraliste, c'est un peu la même chose que la conversion, d'ailleurs contemporaine, de la haute couture au prêt-à-porter[1].

Ce front va cependant se défaire progressivement et laisser place en quelques années – entre 1965 et 1975, pour aller vite – à de nouveaux clivages et à de nouvelles hiérarchies dans le champ du théorique comme dans celui de la littérature elle-même. Les recherches purement formelles ou linguistiques, dont l'horizon est la mise en place de « grammaires du texte » de plus en plus sophistiquées, vont peu à peu s'effacer derrière d'autres discours convoquant copieusement le marxisme, mais aussi la psychanalyse, Nietzsche et Heidegger. Du même coup, les icônes changent aussi. Valéry, inventeur français de la poétique, dont la place dans une histoire de la théorie littéraire est pendant un temps irréfutable, glisse peu à peu au rang de complice qui a finalement déçu. Par charité autant que par calcul tactique, compte tenu des services théoriques qu'il a pu rendre

---

1. Autre aspect ou conséquence de ce caractère démocratique : l'internationalisme de la mouvance structuraliste, qui s'est imposée dans le monde entier. N'en déplaise aux apologues d'une nouvelle histoire littéraire et d'un nouveau nationalisme culturel, jamais la pensée et la littérature françaises n'ont été aussi présentes à l'étranger qu'au cours des années marquées par la « théorie ». Par ses origines (allemandes, russes, avant-gardistes) autant que par ses objectifs et ses textes canoniques, la théorie n'a jamais participé d'une logique nationaliste. Mais n'est-ce pas précisément ce qui rend celle-ci aussi insupportable aux yeux de certains ? Où irait-on s'il fallait admettre que les Américains ont des choses à dire sur Flaubert ou Proust, comme les Français ont quelque chose à dire sur Kafka ou Joyce ?

ou des titres qu'il a pu fournir, ou encore par respect pour sa proximité avec Mallarmé, on n'ira pas jusqu'à lui reprocher trop ouvertement ses penchants académiques, mais on n'en pense pas moins et on l'épingle comme formaliste, un label peu à peu suspect lorsqu'il n'est pas certifié russe. Il n'est d'ailleurs pas sûr que les formalistes russes s'en sortent vraiment mieux : la couverture de la collection Tel Quel, dans laquelle une anthologie de textes est traduite pour la première fois en français[1], leur garantit une belle rente de situation posthume, mais c'est surtout faute d'avoir jamais été vraiment lus qu'ils échappent à un révisionnisme théorique plus radical.

Il en va de même avec l'évolution de la cote du Nouveau Roman, dont le formalisme, attribué ou revendiqué, sera passé en une dizaine d'années du statut de fer de lance du combat antistalino-sartrien à celui de relique d'un temps presque révolu. En attendant les palinodies d'Alain Robbe-Grillet découvrant au cours des années 1980 les charmes de l'autobiographie, il faut toute l'énergie de Jean Ricardou pour que le Nouveau Roman se survive quelques années à lui-même, lui aussi à l'ombre tutélaire de Tel Quel. Au niveau de la critique proprement dite, les mêmes partages se mettent en place. Les moins théoriques, Jean-Pierre Richard ou Jean Rousset par exemple, mais aussi les structuralistes les plus résistants à l'inflexion politique, qui jouent tous encore un rôle très important du temps des *Chemins actuels de la critique*[2], seront peu à peu placés en *stand-by* à la périphérie souvent académique et dépolitisée du combat théorique[3]. C'est le cas de beaucoup d'autres encore,

1. *Théorie de la littérature*, textes des Formalistes russes réunis, présentés et traduits par Tzvetan Todorov, Paris, Seuil, 1965.
2. C'est le nom d'une des décades les plus célèbres organisée en 1966 à Cerisy-la-Salle, et publiée en 1968 sous le même titre (U.G.E., coll. 10/18). Parmi les participants, on relève notamment Georges Poulet, Paul de Man, Jean Rousset, Boris de Schloezer, Raymond Jean, Jean-Pierre Richard, Serge Doubrovski, Gérard Genette.
3. En ce qui concerne Jean Rousset, on peut dire que ce nouveau positionnement est notifié explicitement par Jacques Derrida en personne, qui

victimes d'investissements trop peu diversifiés dans la linguistique et la sémiotique[1]. Notons encore qu'au niveau de ce marché désormais secondaire, ce sont ceux qui se regroupent à l'enseigne de la poétique qui s'en sortent le mieux[2].

Le front commun qui s'est constitué à partir des années 1950 en faveur de l'autonomie de la littérature, puis de la théorie littéraire, et qui permettait de concilier Greimas et Blanchot, ou dont Barthes se présente jusque vers la fin des années 1960 comme la figure la plus synthétique ou intégratrice, aura tenu, le temps qu'il faut, sur une ambiguïté ou un malentendu. Il y a d'un côté les formalistes, les linguistes ou les herméneutes, qui sont en général des universitaires. Pour eux, la (re)conquête de l'autonomie de la littérature a été, sinon une fin en soi, du

s'en prend à son formalisme dans « Force et signification », *L'Écriture et la Différence*, Paris, Seuil, 1967. De la même manière, la critique thématique devient peu à peu suspecte, si ce n'est politiquement incorrecte. C'est d'autant plus injuste dans le cas d'un de ses représentants les plus éminents, Jean-Pierre Richard, que celui-ci intègre dans ses essais plus tardifs (sur Proust, Céline, etc.) beaucoup d'éléments venus notamment de l'horizon théorique-psychanalytique.

1. Le cas de Greimas illustre le mieux le retrait progressif de la sémiotique : parti pour conquérir toute l'Université française, si ce n'est le monde entier, il aura été progressivement marginalisé, académisé et dépassé par l'inflexion du *linguistic turn* en un *political* ou *philosophical turn*.

2. Le parcours de Gérard Genette est à cet égard intéressant et paradoxal, puisque c'est, un peu à rebours de ce qui arrive à beaucoup d'autres, l'histoire d'un désinvestissement progressif de la politique, du moins au niveau des apparences et des manifestes. Après être passé dans sa jeunesse par le Parti communiste, il intègre pendant un temps Socialisme ou Barbarie, un groupe politique marxiste anti-léniniste animé notamment par Cornelius Castoriadis et Claude Lefort au cours des années 1950 et 1960. Caractérisé par la recherche d'une alternative au stalinisme (mais aussi à la posture sartrienne), cet engagement politique est réinvesti quelques années plus tard dans le cas de Genette dans une collaboration avec Tel Quel, qui publie *Figures I* et *Figures II*, puis « neutralisé » avec la création de la revue et de la collection *Poétique* (en collaboration avec Tzvetan Todorov) qui bénéficieront pendant

moins un objectif idéologique suffisant[1]. Il y a, de l'autre côté, ceux pour qui la position réflexive n'aura été que le préalable à un combat politique encore à mener. Au service de quelle révolution peut-on mettre une littérature rendue à son autonomie ? Quelle politique déduire de mots d'ordre tels que « la littérature ne parle que d'elle-même » ou « je ne suis que littérature » ? Ces questions sont au cœur de ce qui va emporter, en France surtout, la théorie littéraire au-delà de ses limites, ou du moins au-delà de la grammaire formelle qu'elle a commencé par être et qu'elle est restée dans d'autres contextes nationaux. C'est en tout cas un des paradoxes de l'histoire française de la théorie littéraire que d'avoir été (re)mise presque immédiatement, c'est-à-dire à peine l'autonomie de la littérature établie, au service d'une autre révolution.

L'histoire de la théorie littéraire en France aurait pu être plutôt tranquille et académique, comme ce fut très largement le cas en Allemagne et même aux États-Unis, du moins jusqu'à l'arrivée de la *French Theory*. Mais elle ne l'a pas été, sans doute pour au moins deux raisons. D'une part, elle s'est développée dans un champ littéraire et intellectuel historiquement extrêmement politisé, dominé depuis près d'un siècle par la

---

deux décennies au moins d'un prestige considérable et international dans le domaine des études littéraires. G. Genette est revenu récemment sur ses engagements politiques dans certains passages de *Bardadrac*, Paris, Seuil, 2006.

1. Cet objectif peut être défini, comme A. Compagnon choisit de le faire, en termes justement très valéryens de « combat contre la doxa » consistant à prendre par principe le contre-pied des évidences admises comme paramètres fondamentaux des études littéraires : l'écrivain s'exprime, communique, est influencé par un milieu, une histoire, etc. (*Le Démon de la théorie littéraire, op. cit.*, p. 13 *sq.*). Compte tenu du caractère polémique de certains échanges de l'époque, mais aussi de l'authenticité de l'engagement politique de beaucoup, dont il n'y a pas de raison de douter *a priori*, on observera que c'est là une perception plutôt minimaliste de l'intensité politique des débats menés à l'enseigne des théories littéraires.

classe dite des « intellectuels » qui n'ont jamais joué un rôle comparable dans aucune autre culture occidentale (et *a fortiori* non occidentale). Avec un peu de recul, on peut dire qu'elle s'intègre parfaitement dans la longue histoire des engagements politiques caractéristiques du champ littéraire français dès le XIXᵉ siècle. À ce titre, elle aura constitué, dans ses versions politisées, le dernier chapitre de l'histoire française des avant-gardes, elle aussi copieuse. D'autre part, elle s'est greffée, ou plus exactement elle a tenté de se greffer (avec un succès plutôt mitigé), sur un système universitaire particulièrement conser-vateur, ce qui a renforcé la dimension et le prestige oppositionnels de ses versions même les moins radicales[1]. Rappelons à ce propos que la plupart des « stars » du théorique sont restés des marginaux dans le système universitaire français : ceux qui en ont été les principaux animateurs ont enseigné dans des institutions comme Paris VIII-Vincennes, quasiment conçue comme un abcès de fixation des événements de Mai 68. Les plus célèbres d'entre eux ont pu intégrer l'École des hautes études en sciences sociales ou le Collège de France (Michel Foucault, puis Roland Barthes), institutions certes prestigieuses, mais très éloignées du cœur du pouvoir universitaire français. Les acteurs du théorique se sont construits contre un système qui s'est dans l'ensemble très bien défendu contre eux.

Cette situation permet également de comprendre pourquoi la mouvance théorique française est restée dans l'ensemble très fermée à beaucoup de ses prédécesseurs étrangers. Au-delà de

1. La situation française est donc *a priori* très différente de la situa-tion américaine caractérisée par des universités en général beaucoup moins conservatrices et dont certaines, dans le champ des études litté-raires, ont adopté le *New Criticism* depuis longtemps. Différente aussi de celle des universités allemandes, plus ouvertes aux sciences humaines et à l'herméneutique en attendant que certaines basculent au cours des années 1960 dans un marxisme plutôt orthodoxe ou même dogmatique. Très différentes, les situations américaine et allemande ont pourtant en commun d'être beaucoup moins propices à la politisation de la théorie littéraire.

quelques mythiques textes fondateurs venus plus ou moins directement de l'épicentre révolutionnaire soviétique (Jakobson, les formalistes russes, Bakhtine, lus la plupart du temps superficiellement), elle a dans l'ensemble ignoré longtemps ce qui se passait ailleurs. L'audience des premiers théoriciens américains comme Northrop Frye, René Welleck et Austin Warren et plus généralement celle du *New Criticism*, pourtant déterminant dans la réception ultérieure dans les universités américaines de la *French Theory*, sont restées confidentielles même après leur traduction assez tardive. Il en va de même pour l'herméneutique allemande (la *Rezeptionsästhetik* développée autour de Hans-Robert Jauss et de Wolfgang Iser) ou pour des francs-tireurs comme Léo Spitzer, dont la stylistique anticipe pourtant un certain nombre de thèmes qui se concrétiseront avec le *linguistic turn* encore à venir. Une part de cette fermeture est sans doute à mettre sur le compte de la traditionnelle incompétence linguistique des milieux français concernés ou de leur chauvinisme, mais une part seulement. L'autre est liée, me semble-t-il, au manque d'aura politique de ces démarches. Dans une perspective française marquée par la montée des gauchismes, le *New Criticism* a beau annoncer le caractère démocratique de l'activité théorique structuraliste[1], accrédité en période de guerre froide dans les plus prestigieuses universités américaines, il n'aura jamais l'attractivité des « révolutionnaires » russes proscrits par Staline.

Le propos de ce chapitre (et du suivant) est donc d'examiner les différentes manières dont les théoriciens de la littérature ont envisagé de se mettre au service de la révolution, car bien

---

1. Le caractère démocratique du *New Criticism* a été signalé par François Cusset dans *French Theory, op. cit.*, p. 61 : « La seule connaissance requise dans la perspective du *New Criticism*, c'est celle du langage et de son fonctionnement, plus accessible aux classes défavorisées, estiment les *New Critics*, que l'histoire littéraire, les allusions culturelles, les connaissances biographiques, toutes élitistes. » Ces termes sont transférables tels quels à la mouvance structuraliste.

entendu il n'y en a pas eu qu'une. On pourrait même affirmer que la diversité des discours théoriques disqualifie par avance toute tentative de synthèse dans ce domaine, que ce qui reste aujourd'hui, ce sont des œuvres critiques singulières, plus ou moins significatives, plus ou moins passées de mode. Il me semble cependant possible de considérer que la politisation du théorique se décline selon deux axes.

Le premier est celui de la *production*, qui sera véritablement l'objet de ce chapitre. Son horizon est constitué par ce qu'on appellera un « communisme de l'écriture », pour reprendre l'expression de Maurice Blanchot (qui n'a, d'aucune manière, contribué à une théorie de la « production du texte »). Pour aller très vite, on dira pour l'instant qu'il consiste à jouer la production du texte contre son échange ou sa lecture, à écarter tout « pourquoi écrire ? » ou tout « pour qui écrire ? » – questions encore typiquement sartriennes – au profit d'un « comment écrire ? », à privilégier la fabrication aux dépens du produit fini.

Le second axe, qui sera traité dans un chapitre suivant, est celui de la *subversion*. Grâce à cette mission auto-attribuée, la théorie littéraire renoue avec ses origines avant-gardistes. La littérature et surtout sa reprise théorique deviennent dans cette perspective l'antidote à l'idéologie dominante. Elles se voient conférer une mission de destruction des dispositifs symboliques qui font que la société est ce qu'elle est ou, de façon plus complexe selon Jacques Derrida, une mission de déconstruction de ces dispositifs.

Les deux axes que je propose ont une vertu avant tout méthodologique, ils permettent de distinguer un certain nombre d'opérations qui, dans la pratique, se combinent souvent et parfois se confondent. Le privilège de la fabrication est par exemple souvent justifié en termes de subversion de la « représentation », une des bêtes noires de la théorie littéraire, on y reviendra au troisième chapitre. Ils ont également en commun une présupposition fondamentale qui veut que la révolution se fera dans et par le langage et le discours ou ne se fera pas. Loin de la vulgate marxiste vouant la culture à un statut de super-structure déterminée par les rapports de production, la littéra-ture rendue à son autonomie n'est plus une superstructure. Dans une perspective théorique, elle est le lieu (ou du moins la scène : tout dépend ici de l'efficacité que l'on accorde aux pra-tiques symboliques) d'une révolution, et même selon certains, on le verra, celui d'une sorte d'« archi-révolution » du langage poétique qui serait la condition de possibilité de l'autre, prolé-tarienne.

Cette position n'est pas neuve. C'est déjà, dans l'entre-deux-guerres, celle des surréalistes qui, malgré quelques doulou-reuses tentatives de rapprochement avec le Parti communiste, n'auront jamais tout à fait accepté de mettre le surréalisme au service d'une autre révolution que celle opérée par le surréa-lisme lui-même, et plus précisément par l'automatisme qui en est la cheville ouvrière. C'est également la position de nom-breux « dissidents » du surréalisme, et notamment de ceux qui ont le plus fermement résisté à la tentation communiste : par exemple Antonin Artaud et Georges Bataille, qui n'ont pas grand-chose d'autre en commun et qui vont reprendre du service à titre posthume dans la mise en place de la nouvelle « révolution du langage poétique »[1]. Elle fait pencher la balance du côté du « changer la vie » (Rimbaud) plutôt que du côté du « transformer la société » (Marx), pour autant que le langage et surtout la parole soient du côté de la vie. Dans les années 1950-1960, le *linguistic turn* encore intuitif et plutôt empirique du temps des surréalistes va devenir explicite, avec

---

1. Ce n'est pas une coïncidence si au moment de sa rupture définitive avec le Parti communiste, Tel Quel va faire jouer à ces deux écrivains un rôle stratégique, immortalisé au cours d'une autre célèbre décade de Cerisy-la-Salle qui a eu lieu en 1972 (voir *Artaud* et *Bataille*, U.G.E., 1973, coll. 10/18). Fondamentalement antistaliniens à leur époque, Artaud et Bataille restent quelques décennies plus tard ce qui se fait de mieux en matière de révolution prioritairement ou exclusivement « culturelle » (voir aussi sur ce point Philippe Forest, *Histoire de Tel Quel, op. cit.*, p. 384-441).

l'irruption de la linguistique structurale, mais également avec celle de la réflexion heideggérienne sur le langage. Ces deux courants de pensée constituent par ailleurs le socle théorique de la psychanalyse lacanienne, dont le poids théorique ira croissant dans le domaine de la théorie littéraire.

Toutes les avant-gardes françaises, mais aussi russes, allemandes, etc. ont donné à une révolution du et par le langage poétique une place centrale, c'est en quelque sorte leur marque de fabrique et surtout leur réponse à la perspective communiste orthodoxe. Même chez les situationnistes, indépassables sur le front de l'anti-stalinisme comme sur celui de l'anti-léninisme, on trouve au cours des années 1950-60 des préoccupations analogues. Une affirmation comme celle-ci, qui touche aux rapports entre langage et révolution, n'aurait sans doute pas été désavouée par Artaud, ni même par Tel Quel : « À l'inverse, la poésie doit être comprise en tant que communication immédiate dans le réel et modification réelle de ce réel. Elle n'est autre que le langage libéré, le langage qui regagne sa richesse et, brisant ses signes, recouvre à la fois les mots, la musique, les cris, les gestes, la peinture, les mathématiques, les faits [...]. Retrouver la poésie peut se confondre avec réinventer la révolution, comme le prouvent à l'évidence certaines phases des révolutions mexicaine, cubaine ou congolaise. Entre les périodes révolutionnaires où les masses accèdent à la poésie en agissant, on peut penser que les cercles de l'aventure poétique restent les seuls lieux où subsiste la totalité de la révolution, comme virtualité inaccomplie mais proche, ombre d'un personnage absent [...]. Il ne s'agit pas de mettre la poésie au service de la révolution, mais bien de mettre la révolution au service de la poésie[1]. » Debord et les siens ne portaient pas la mouvance théorique dans leur cœur, c'est le moins qu'on puisse dire, et je ne cherche pas à établir ici après coup une communauté d'intérêts ou de projet là où celle-ci n'a jamais existé. Il n'en reste pas moins que la notion d'une révolution

1. *Internationale situationniste*, 8, Paris, Champ libre, 1975, p. 31.

passant par l'activation du potentiel poétique du langage, potentiel qui peut être conçu dans des termes très différents, constitue le fil rouge – ou du moins un des fils rouges – de l'histoire des avant-gardes. Et c'est précisément ce fil qui relie l'histoire de la théorie littéraire à une histoire plus générale des avant-gardes revenues en force au cours des années 1960 sur tous les terrains (littérature, théâtre, cinéma, arts plastiques, etc.) après l'éclipse stalino-sartrienne.

Pourquoi un tel retour ? C'est une question qui dépasse le cadre que je me suis fixé ici. Relevons cependant que dès le XIXe siècle, l'histoire des intellectuels français, très marquée par le mythe révolutionnaire, se caractérise par l'oscillation entre un projet d'engagement politique – exemplairement incarné par Hugo, Zola ou Sartre – et un projet de révolution interne à la pratique de l'écriture (ou plus généralement artistique), qu'un certain nombre de commentateurs ont également placé sous le signe de la *négativité*[1]. Flaubert, Baudelaire et plus radicalement encore Mallarmé sont les enfants de la désillusion de 1848 (et de quelques autres qui ont suivi), qui a été souvent décrite comme la plus littéraire des révolutions françaises, c'est-à-dire celle où les écrivains se seront le plus bercés d'illusions sur la réalité de leur engagement ou sur leur « efficacité symbolique ». C'est ce qui donne une valeur emblématique à la première élection présidentielle française de 1848 au suffrage universel (masculin) et *perdue* par Lamartine. On peut voir cette défaite comme le véritable acte de naissance du modernisme et de sa mélancolie politique[2]. Défait sur le plan politique, l'écrivain fait de nécessité vertu, célèbre les charmes d'une littérature vierge de tout enjeu social, joue les

---

1. Voir aussi sur ce point Laurent Jenny, *Je suis la Révolution. Histoire d'une métaphore (1830-1975)*, Paris, Belin, 2008.

2. Voir sur ce point Dolf Oehler, *Le Spleen contre l'oubli. Baudelaire, Flaubert, Heine, Herzen*, Paris, Payot, 1988, notamment p. 7-22 et 309-369 ainsi que Ross Chambers, *Mélancolie et opposition : les débuts du modernisme en France*, Paris, José Corti, 1987.

martyrs, les damnés, se veut en grève devant la société, se replie, creuse le vers, fût-ce pour n'y trouver que le néant. Un siècle plus tard, la situation n'est certes pas la même, la France n'a pas à se remettre d'une révolution qui aurait échoué. La remontée des avant-gardes puis des théoriciens de la littérature se plaçant sous le signe des classiques du modernisme (de Mallarmé à Kafka en passant par Proust, Joyce, etc.) ne peut cependant pas être dissociée de la perte de crédibilité dont sont victimes à la fois le marxisme officiel du camp communiste et les postures engagées (typiquement celle de Sartre) qui en sont le bras sinon armé du moins littéraire. Il y a, à l'origine du succès français de la théorie littéraire, la fatigue du marxisme officiel et le discrédit de l'utopie dont il était porteur. Ce n'est pas la répétition de l'après-1848, mais c'est quand même beaucoup d'énergie qu'il est possible de réinvestir désormais dans le champ littéraire et esthétique[1].

---

1. On peut se demander dans quelle mesure le champ littéraire tel qu'il a été décrit par Pierre Bourdieu n'est pas lui-même structuré par cette oscillation caractéristique de l'histoire française des intellectuels et des écrivains. Il existerait en somme un champ littéraire à partir du moment où celui-ci est traversé non seulement de légitimations rivales dont la crédibilité est en dernière instance de nature politique, mais traversé également de « crises » de la littérature qui en favorisent la dimension réflexive. Celle-ci serait ainsi l'effet d'une prise de conscience de ce que la littérature est mortelle, comme Valéry l'affirmait des civilisations. En tout cas, il est significatif que Bourdieu ait construit, dans sa version la plus élaborée, la théorie du champ littéraire à partir de Flaubert, figure tutélaire d'une modernité réflexive, ou qu'il lui en ait même attribué la paternité, puisque L'Éducation sentimentale en serait la consciente préfiguration (voir Les Règles de l'art, op. cit.). Il est significatif aussi que la notion de champ littéraire n'est plus guère applicable à la situation actuelle de la littérature française, marquée par le retrait sans doute définitif de la polarisation avant-gardiste/commerciale. De la même manière, elle n'a jamais été réellement applicable à d'autres cultures littéraires, américaine, anglaise et même allemande, qui ne sont pas concernées au même titre que la France par l'opposition entre une littérature noble et une littérature commerciale ni, du même coup, entre une littérature réflexive et une littérature « expressive ».

Les origines formalistes

Commençons donc par l'axe de la production, puisqu'aussi bien logiquement que chronologiquement, c'est en termes de *production*, et plus précisément de *production textuelle*, ou de *production du sens*, que les choses sérieuses, c'est-à-dire révolutionnaires, vont véritablement commencer. C'est à partir du moment où la question du « comment écrire », du « comment c'est fait », est retraduite systématiquement en termes de production que la théorie littéraire prend l'allure d'un combat politique. Comment en arrive-t-on là ? C'est une évolution qui ne s'est pas faite en un seul jour, qui s'étend même sur tout le milieu du XXe siècle et qui a réclamé un faisceau précis de convergences, de rencontres et de reprises.

Même si, bien entendu, tout ne commence pas avec eux, même s'ils ont eux-mêmes des prédécesseurs, au départ il y a les formalistes russes. Passionnés de littérature et de linguistique, ils ont un pied dans l'université, un autre dans la poésie et dans l'avant-garde. Certains d'entre eux viennent du futurisme russe qui est, vers 1913, ce qui se fait de plus virulent en matière d'avant-garde – il est en avance à certains égards sur le dadaïsme à venir. Historiquement, le formalisme russe est en tout cas ce qui ressemble le plus à la configuration à la fois académique et avant-gardiste de la théorie littéraire française des années 1960, non seulement à cause de la double appartenance professionnelle de beaucoup d'entre eux, mais aussi parce que les structuralistes français ont les mêmes préoccupations que leurs aînés. Ils s'intéressent, dans un premier temps du moins, à la « littérarité de la littérature », selon l'expression de Roman Jakobson, le plus connu des formalistes russes. Leur objectif est la définition, aussi rigoureuse que possible, de la spécificité du langage poétique. Les structuralistes français sont bien les héritiers des formalistes russes, à condition de préciser immédiatement qu'il s'agit en partie d'un héritage réinventé, déterminé par un contexte culturel et politique très différent : on peut être un héritier sans le savoir, et en l'occurrence sans avoir toujours lu ceux dont on hérite[1].

Les formalistes russes sont étudiants, écrivains, critiques littéraires, et plus tard professeurs pour certains d'entre eux. Aux côtés de Roman Jakobson, on trouve Ossip Brik, Boris Eichenbaum, Iouri Tynianov, Victor Chklovski, Vladimir Propp, Boris Tomachevski, etc. En 1915, Roman Jakobson, âgé alors de dix-neuf ans, fonde le Cercle linguistique de Moscou et Victor Chklovski en 1917 une Société d'étude du langage poétique *(Opoïaz)*. Ce sont les idées et les recherches de ces deux groupes bientôt fusionnés qui vont se répandre sous le label formaliste, au départ aussi injurieux que l'avait été celui d'« intellectuel » en France. Les dates de la mise en place des deux groupes ne sont pas insignifiantes. Elles soulignent que le formalisme n'est pas le produit de la révolution soviétique à laquelle il a parfois été associé dans l'imaginaire français. Les formalistes se seraient aussi volontiers passés des bolcheviks que ceux-ci se passeront d'eux, parfois brutalement à partir de la période stalinienne. La généalogie du formalisme russe renvoie clairement au futurisme russe[2]. À ce titre et comme toutes les avant-gardes, il procède également d'un projet de subversion culturelle qu'il faut mettre en rapport avec les blocages politiques de la dernière société tsariste, caractérisée en même temps par une effervescence intellectuelle impressionnante. Un projet d'engagement politique de type sartrien – et *a fortiori* réaliste-socialiste – lui est donc tout à fait étranger. De fait, le formalisme ne survit qu'en exil, et plus

1. Jusqu'à l'anthologie des textes formalistes traduits et publiés en 1965 par Tzvetan Todorov pour la collection « Tel Quel » (*Théorie de la littérature, op. cit.*), les formalistes sont restés pratiquement inconnus en France. Ils constituent donc une pièce très intéressante à verser au compte d'un dossier qui est encore à constituer dans de nombreux domaines de l'histoire des idées : celui des héritages plus ou moins inconscients ou spontanés, voire celui de l'invention des héritages (ou des ancêtres).

2. Voir sur ce point Felix Ph. Ingold, *Der Grosse Bruch, Russland im Epochenjahr 1913, op. cit.*

particulièrement avec le fameux cercle de Prague (1926), toujours animé par Jakobson qui s'installe dans cette ville dès 1920 et jusqu'en 1939[1].

Que disent, que font les formalistes ? Ils s'intéressent à la dimension linguistique de la poésie, valorisent et étudient les formes littéraires plutôt que les contenus, soit aussi ce que la linguistique structurale qu'ils contribuent à rendre possible pensera en termes de *signifiant* (par opposition au signifié), selon le terme de Ferdinand de Saussure : les rythmes et les phonèmes sont à l'ordre du jour, mais aussi la dimension rhétorique du langage ou à un autre niveau les structures de la narration. Un des exemples les plus connus du type de recherches qui les ont intéressés est la *Morphologie du conte* de Vladimir Propp[2]. Ils ne sont pas les premiers à mettre en avant la spécificité du langage poétique (et partant l'autonomie du champ littéraire), les romantiques allemands ou en France un Mallarmé l'ont fait avant eux et ils en sont eux-mêmes dans cette perspective les héritiers. Mais ils sont les premiers à faire de l'étude de la spécificité du langage poétique un projet *scientifique* sur lequel embrayera le structuralisme français des années 1960.

1. Roman Jakobson, le passeur par excellence : il quitte l'Union soviétique dès 1920. Juif, il est obligé de s'enfuir de Tchécoslovaquie pour le Danemark, la Norvège, la Suède, puis New York. C'est là qu'il est nommé en 1941 à l'École libre des hautes études, une institution française en exil, où il rencontre Claude Lévi-Strauss également exilé, avant de continuer sa carrière à l'université de Columbia, puis à Harvard. La mouvance structuraliste française est au départ un produit hors-sol, fruit de la rencontre entre des Juifs exilés aux États-Unis, dont rien n'indique alors le rôle à venir lorsqu'elle sera enfin introduite dans une France qui l'aura copieusement ignorée jusqu'à ce moment.
2. Publiée en France en 1970, aux Éditions du Seuil, dans la collection « Poétique ». La version russe date de 1928 et la première traduction anglaise de 1950. Le point de départ de Propp, c'est qu'au-delà de leur diversité apparente, tous les contes seraient issus d'un même canevas. Son travail consistera par conséquent à identifier l'organisation interne des formes narratives, la structure même du récit, en réduisant les contes dans leur diversité à un certain nombre de fonctions par définition récurrentes.

Bousculés par l'histoire, dispersés, les formalistes ne tireront jamais toutes les conséquences théoriques qui découlent de leurs nombreux travaux, et ne leur conféreront jamais une portée véritablement systématique. Leur projet scientifique est resté largement à l'état de projet. Comme pour la mouvance structuraliste des années 1960 qui charrie, elle aussi, de nombreux mirages scientifiques, c'est plutôt leur désir de science qu'il convient de relever. Pourquoi une science de la littérature plutôt que les traditionnelles histoires de la littérature organisées en une multitude de chapitres qui pourraient tous être intitulés « l'homme et l'œuvre » ? Précisément parce que les formalistes russes veulent en finir avec « l'homme et l'œuvre », c'est-à-dire avec la couverture de l'œuvre par un créateur plus ou moins inspiré. Il s'agit pour eux de soustraire la question de l'acte d'écriture à toute mythologie de la création. La littérature est désormais conçue en termes de *procédés*, selon l'expression de Chklovski puis, dans un second temps, en termes de *fonctions* : le langage se décompose en plusieurs fonctions dont certaines permettent des opérations spécifiquement littéraires. À l'ordre du jour, et sans entrer dans les détails terminologiques, il y a donc maintenant la description de la fabrication de l'œuvre en termes techniques, c'est-à-dire la description des procédés et structures qui sont en quelque sorte à la *disposition* de l'écrivain[1] : comment, par exemple, raconter ? Avec quels choix possibles au niveau de la voix narrative, du mode, de la temporalité, et avec quelles règles de déroulement, etc. ?

La question de la fabrication de l'œuvre fait bon ménage avec celle de son autonomie, elle en constitue même l'indispensable complément. Autonome, l'œuvre se réfléchit elle-même,

---

1. Disposition : le terme renvoie aussi – et ce n'est pas une coïncidence – à la rhétorique, traditionnel art de la fabrication du discours. Et il est vrai, comme beaucoup d'acteurs de la mouvance théorique l'ont eux-mêmes souligné, que celle-ci est à comprendre, sur son versant linguistique-formaliste, comme une néo-rhétorique opposable notamment à l'hégémonie de l'histoire littéraire.

on l'a vu, et ce retour sur elle-même implique en particulier une conscience de ses moyens de fabrication ou consiste parfois même dans cette conscience. Plus une œuvre est lucide sur les procédés qui en sont à l'origine, plus elle s'affirme dans son autonomie, dans sa littérarité, et inversement. Tel est le point de départ des formalistes, ou plus précisément le point où ceux-ci embraient sur l'ironie romantique, qui procède déjà de la conscience d'un « je ne suis que littérature ». Ce point de départ sera repris d'autant plus systématiquement au cours des années 1960 qu'il est également compatible avec la question de la disparition ou de la mort de l'auteur. Une œuvre idéalement autonome, ce sera une œuvre dont l'auteur est réduit à un rôle de fabricant, ou même une œuvre qui s'écrit toute seule, pure machine textuelle dont les théoriciens français rêveront notamment en relisant le livre de Raymond Roussel, *Comment j'ai écrit certains de mes livres*. Ce sera une œuvre débarrassée de toute détermination par l'intention de l'auteur et *a fortiori* par son éventuel génie. Celui-ci est décomposable (et donc annulable) en un certain nombre de procédés qui, idéalement toujours, sont à la portée de *n'importe qui* puisque ce sont précisément des techniques de fabrication.

N'importe qui, ou plus exactement *tout le monde*, ce qui ne revient pas tout à fait au même. Il se pourrait même que ce soit là toute la différence entre le formalisme russe et celui d'un Valéry qui, contrairement au premier, a quelque chose de réactif ou d'élitaire, et dont l'invocation par les théoriciens des années 1960 pourrait bien relever dans cette perspective d'un malentendu. Valéry est l'inventeur d'une « poïétique » préscientifique, contemporaine de celle des formalistes, mais restée comme à usage personnel, interminablement transcrite sous forme de fragments dans ses *Cahiers*, et certainement pas destinée à une démocratisation de la fabrication de la littérature. Tout se passe comme si la « poïétique » lui servait à se démarquer de tous ceux dont il estime avoir percé les secrets de fabrication et qu'il considère du même coup comme n'importe qui : je fais la grève de la littérature parce que celle-ci est à la portée de n'importe qui, tel serait son credo. Inversement, du côté du *tout le monde*, il y a ceux pour qui l'enjeu est au contraire de transmettre les secrets de fabrication, de faire en sorte que les procédés puissent être partagés sinon par tout le monde, du moins par le plus grand nombre. Et ce sont justement ceux-là qui privilégieront l'option scientifique, garante de la transmission objective d'un savoir.

Les formalistes se situent à peu près à égale distance de ces deux pôles. Ils sont clairement au service d'une désacralisation de la littérature, d'une démystification de l'autorité de l'auteur, mais sans qu'on puisse mettre directement leur geste critique au compte d'un projet révolutionnaire ou d'un « communisme de l'écriture » comme chez certains de leurs successeurs français. Tout au plus y tendent-ils en accordant parfois à la littérature une fonction critique-subversive liée à sa capacité de surprendre, de provoquer et de renouveler les codes dominants. Son rôle le plus important est d'empêcher une perception immédiate et stéréotypée de la réalité. Chklovski introduit à ce sujet le concept d'*ostranenie*, devenu le véritable mana du formalisme russe[1]. Dans la mesure où le renouvellement ainsi valorisé passe essentiellement par la forme, ce concept est solidaire de la problématique du partage que je viens d'évoquer, puisque la singularisation, la nouveauté qu'il induit est toujours productrice d'une plus-value de littérarité exhibée comme telle. Les formalistes se situent ainsi également quelque part entre le « donner un sens plus pur aux mots de la tribu » cher à Mallarmé et le projet d'un Francis Ponge d'introduire le lecteur dans son atelier ou dans sa fabrique. Il n'en reste pas moins que, malgré le contexte de la mise en place d'une culture

1. Le terme d'*ostranenie* désigne les procédés littéraires qui retardent la transmission du sens ou qui rendent cette transmission plus longue. Le procédé permet de redonner aux mots la résistance qu'ont les choses elles-mêmes au toucher. Il renvoie à des notions telles que l'éloignement, la distanciation, la défamiliarisation. Voir notamment V. Chklovski, « L'art comme procédé », *in* T. Todorov, *Théorie de la littérature, op. cit.*, p. 76-97.

soviétique valorisant la production, la fabrication, la science et donc « résolument moderne », ils ne tireront jamais explicitement les conclusions politiques de leur propre intérêt pour la fabrication. L'heure de la production collective de la poésie d'avant-garde n'a de toute évidence pas encore sonné.

Matérialisme

Elle ne sonnera pas non plus avec les premiers pas de la théorie littéraire française, ceux du structuralisme orthodoxe et du « front commun » évoqué ci-dessus. La légitimation dominante de la recherche en littérature n'est pas si différente de celle imaginée par les formalistes russes. Il s'agit toujours de privilégier le « comment » aux dépens des profondeurs historico-psychologiques du « pourquoi », d'imposer une conscience rhétorique de la littérature ou encore le sentiment du peu de naturalité du langage littéraire. Comment une œuvre fonctionne-t-elle, de quelle(s) structure(s) son sens est-il l'effet ou le produit ? Telles sont quelques-unes des questions communes à ceux qui vont se réunir au cours des années 1960 à l'enseigne du structuralisme[1]. Ils y répondent à grand renfort

1. Ils auront des réseaux qui leur sont propres, ils fonderont des cercles, des revues, des associations. C'est par exemple la revue *Langages*, fondée en 1966 par Algirdas Julien Greimas, Roland Barthes, Jean Dubois, Bernard Pottier et Bernard Quemada. C'est l'Association internationale de sémiotique, créée la même année à l'initiative de Roman Jakobson, et dont Greimas sera le secrétaire général. C'est le Groupe de recherche sémio-linguistique fondé par le même Greimas avec l'appui de Lévi-Strauss et avec la collaboration de Barthes, dont les principaux membres seront Jean-Claude Coquet, Oswald Ducrot, Gérard Genette, Julia Kristeva, Christian Metz et Tzvetan Todorov. Et c'est bien sûr leur présence dans des revues comme *Communications*, dont le huitième numéro est consacré à l'analyse structurale des récits, *Tel Quel* pour certains d'entre eux, *Critique* pour d'autres, *Change* pour d'autres encore, etc. Au niveau des éditeurs, l'essentiel de ces publications se feront aux Éditions du Seuil.

de formalisations dont la scientificité jadis irréfutable et prestigieuse laisse aujourd'hui souvent sceptique. C'est par exemple l'époque des schémas actanciels réduisant le déroulement d'un récit à un certain nombre de variables ou de fonctions, plus ou moins directement inspirés des analyses de V. Propp[1]. C'est l'époque également du « carré sémiotique », que A. J. Greimas choisit d'inventer en 1968[2] : il aurait pu être le sésame d'une conquête de l'Université française par le structuralisme, mais en face des pavés cueillis cette année-là dans les rues, il n'a rapidement plus fait le poids. Entre carrés et pavés il a fallu choisir, et ceux qui s'en sont le mieux tirés sont ceux qui, à défaut de lancer eux-mêmes beaucoup de pavés, ont produit de plus beaux pavés symboliques ou théoriques.

1. Les schémas actanciels désignent l'ensemble des rôles et des relations, ainsi que les fonctions des « actants » dans la narration d'un récit. La dimension théorique de cette approche doit beaucoup au fait qu'elle implique un effet de synthèse, que l'actant peut être à la fois sujet ou objet, comme le relève Greimas : « L'actant peut être conçu comme celui qui accomplit ou qui subit l'acte, indépendamment de toute autre détermination. [...] Le concept d'actant remplace avantageusement le terme de personnage resté ambigu du fait qu'il correspond aussi en partie au concept d'acteur [...] défini comme la figure et/ou le lieu vide où s'investissent et les formes syntaxiques et les formes sémantiques » (Julien A. Greimas et Joseph Courtés, *Sémiotique : dictionnaire raisonné de la théorie du langage*, tome I, Paris, Hachette, 1979, p. 3). Concrètement, les récits seront envisagés dans cette perspective sous l'angle suivant : un personnage agit en vue de la quête d'un objet. Les personnages, événements ou objets positifs l'aidant dans cette quête sont des *adjuvants* tandis que ceux qui joueront le rôle d'obstacles sont des *opposants*. Outre les deux catégories d'adjuvants et d'opposants, il existe parfois des destinataires qui sont ceux qui bénéficient des résultats de l'action ainsi que des *destinateurs,* les valeurs au nom desquelles le héros agit.
2. Le carré sémiotique constitue, avec les schémas actanciels, le principal apport théorique à mettre au compte d'A. J. Greimas. Pour faire vite, on dira qu'il est à la sémantique ce que les schémas actanciels sont à la narratologie. Il se veut à la fois un réseau de concepts et une représentation visuelle de ce réseau, généralement sous forme d'un « carré » (qui est plutôt un rectangle). Il se fonde sur la très ancienne tradition d'analyse sémantique par

Deux concepts ont ici une vertu opératoire particulière et jouent un rôle clé dans la « radicalisation » du théorique. Celui de *matérialité* tout d'abord, qui profite de sa proximité avec celui de matérialisme. La « matérialité » devient la qualité prioritaire du langage, celle qu'il convient de valoriser pour réhabiliter celui-ci dans son épaisseur, et donc contre sa fonction communicationnelle qui le voue à la transparence. Elle permet de zoomer sur la notion de signifiant tel que Ferdinand de Saussure le définit par opposition au signifié. Le signifiant, ce sera, au prix d'un certain forçage de la théorie saussurienne, le nom du langage pris non pas dans son idéalité mais dans sa matérialité, sonore ou graphique, qu'une génération entière va prendre l'habitude d'opposer à la face conceptuelle du langage, le signifié, et par extension à la signification ou au sens. Plus généralement, la littérarité de la littérature sera définie en termes de matérialité signifiante et celle-ci est systématiquement opposée à des notions telles que l'expressivité ou l'intentionnalité du sens. Ce qui compte dans un texte, c'est ce dont il est fait, non ce qu'il « veut dire » ou ce qu'il cherche à exprimer ou communiquer. Et ce dont il est fait, c'est le « jeu du signifiant », c'est son « tissu littéral » (les effets d'assonances ou d'allitérations, sa musicalité, etc.), mais aussi son rythme ou sa disposition, antérieurement à toute signification. Les textes littéraires privilégiés dans cette perspective seront précisément ceux dont il est possible de montrer qu'ils sont conscients de leur matérialité ou même qu'ils jouent celle-ci contre un sens dont la transparence sera toujours suspecte : exemplarité d'un Mallarmé, d'un Lautréamont et de leurs avatars contemporains.

La « matérialité du langage » constitue en somme la version structuraliste de la vieille opposition romantique, importée en

---

opposition (qui remonte à Aristote), dont il permet des versions plus complexes en faisant passer le nombre de classes analytiques découlant d'une opposition donnée de deux (par exemple, vie/mort) à quatre (par exemple, vie, mort, vie et mort : un mort-vivant, ni vie ni mort : un ange, etc.).

France principalement par Mallarmé, entre une « parole brute » (le langage dans sa fonction instrumentale de moyen de communication) et une « parole essentielle » (réservée au langage poétique). C'est dire si elle est un postulat cohérent par rapport à celui de l'autonomie de la littérature. Si celle-ci n'a d'autre fin qu'elle-même, elle n'aura par conséquent d'autre fonction que de (se) mettre en scène (dans) sa matérialité, d'affirmer qu'elle n'est que langage. Dans cette perspective, on peut même penser que la fonction de tout l'appareillage linguistique par lequel passe cette réactivation est de prouver scientifiquement l'existence de quelque chose comme la « parole essentielle » ou de montrer de quoi celle-ci est faite et en quels éléments elle se décompose. On tient sans doute également là une des clés permettant de comprendre pourquoi l'investissement linguistique-structuraliste de la littérature sera resté finalement éphémère, ou pourquoi une telle science a été aussi vite abandonnée. Elle s'est attachée à l'étude d'un objet peut-être parfaitement imaginaire. Il n'est pas sûr en effet que la parole essentielle à laquelle Mallarmé et d'autres ont voué la poésie ait jamais existé sinon comme un postulat, une figure de légitimation de la littérature permettant à celle-ci de s'affirmer dans son irréductible autonomie ou comme une différence absolue[1].

---

1. Pour se convaincre de la difficulté à identifier la « parole essentielle », il suffit de se reporter à l'œuvre de Mallarmé lui-même dont la plus grande partie reste circonstancielle, liée à des situations discursives claires et souvent ironiquement surexposées. En fait, peu d'œuvres brouillent autant la frontière entre le langage (supposé) poétique et le langage (supposé) quotidien, peu d'auteurs auront autant travaillé que Mallarmé à une mise en crise subtile de l'identité du langage poétique (voir sur ce point B. Johnson, *Défigurations du langage poétique, op. cit*, p. 161-191, ainsi que V. Kaufmann, *Le Livre et ses adresses,* Paris, Librairie des Méridiens-Klincksieck, 1986, p. 19-82, et plus récemment Patrick Sutter, *Le Journal et les Lettres. De la presse à l'œuvre,* Éditions MetisPresses, Genève, 2010). Relevons encore l'expression utilisée par Blanchot, pour qualifier la séparation mallarméenne de la parole en deux états : « Par une division violente, Mallarmé a séparé le langage en deux

Mais la nouveauté réside dans le terme : parler de matérialité plutôt que de littérarité comme Jakobson, c'est s'accro-
cher au wagon du matérialisme – historique, cela va de soi. Ou
c'est du moins tirer profit de l'ombre tutélaire de Marx dont le
prestige est revu à la hausse au cours des années 1960, grâce
au commentaire althussérien notamment. Qui oserait s'affirmer idéaliste au cours de cette décennie et de la suivante ?
Quelles auraient été les chances de la théorie littéraire si elle
ne s'était si résolument prononcée pour un matérialisme parfois fort peu historique, comme n'ont pas manqué de le relever de « vrais » théoriciens marxistes ? Un des principaux
succès – ou coups de force – de la mouvance structuraliste,
qu'en principe philosophiquement tout oppose au marxisme,
aura été de faire passer les opérations effectuées dans le
domaine de la linguistique et du discours littéraire pour équi-
valentes à des analyses relevant quasiment de l'économie
politique. Du même coup, elle donne effectivement à des opérations que tout destinait au départ (mais aussi à l'arrivée !) à
un usage purement académique une dimension politique et
révolutionnaire. Subrepticement, on passe en effet d'une forme
de matiérisme, qui est une composante presque traditionnelle
de l'avant-garde artistique[1], à une allégeance au matérialisme
historique d'autant plus séduisante que pour une fois celui-ci,

formes presque sans rapport, l'une la langue brute, l'autre le langage essentiel » (*L'Amitié*, Paris, Gallimard, p. 171). Division violente : l'expression
suggère un coup de force ou du moins un positionnement spécifique de la
littérature, que Blanchot reprend à son compte. On peut même dire que le
coup de force est beaucoup plus le sien que celui de Mallarmé, surtout au
regard de la difficulté de fonder une telle division en termes objectifs, une
difficulté sur laquelle la mouvance structuraliste aura en fin de compte échoué.
    1. Évoqué à propos de Rothko, de Newman, des monochromes de Klein
ou de Ryman, des textures de Fautrier, Dubuffet, Burri et Tapies ou encore
à propos des visages et corps de Giacometti et de Bacon, etc., le matiérisme
traverse toute l'histoire des avant-gardes plastiques sans qu'il soit possible
de le lier à un groupe ou à une école. La mouvance structuraliste se trouve
donc à cet égard en très bonne – ou, du moins, nombreuse – compagnie.

internalisé et incorporé à une problématique linguistique, ne vient pas remettre en cause l'autonomie de la littérature.

Réinvestie par une théorie littéraire embrayant sur les acquis et les recettes du formalisme grâce auxquelles elle passe du côté de la matière et du matérialisme, la littérature – ou du moins ce qu'il y a de plus radical en elle – apparaît enfin pour ce qu'elle a toujours été : au service de la révolution, ou même en avance sur celle-ci, ayant déjà effectué à un niveau symbolique ce qu'il appartient à la révolution de réaliser sur le plan politique et social. La littérature – la vraie – est révolutionnaire parce qu'elle libère la matière, c'est-à-dire le langage ou le signifiant, de l'emprise de l'idéalité du signifié. Dans *Sur le matérialisme*, Philippe Sollers le dira par exemple dans les termes suivants à propos de Mallarmé : « Nous dirons donc qu'avec un symptôme comme celui de Mallarmé commence à peine la dé-constitution générale de cette mainmise sur le signifiant, signifiant matériel, donc, désormais immaîtrisable, et qui va passer dans la transformation révolutionnaire. Ce n'est plus l'"individu" mais le *sujet*, ce n'est plus l'"homme" mais les *masses* qui entrent dans la possibilité de "se moduler" à leur gré[1]. »

Prestige de la production

L'autre concept essentiel au décollage politique de la théorie littéraire, c'est donc celui de *production*. Valéry, bien peu révolutionnaire, était fasciné par le « faire », par ce qu'il appelait

1. Philippe Sollers, *Sur le matérialisme*, Paris, Seuil, 1974, p. 22. Je n'ignore pas, en citant ce texte relativement tardif de 1974, que le matérialisme de Sollers ne se réduit pas, à ce moment-là, à un matiérisme. Non seulement Lénine et Mao sont passés par là, mais aussi Lacan. Il n'empêche que ce qu'il décrit comme le « symptôme Mallarmé » prend appui sur la veine matiériste qui existe incontestablement chez Mallarmé, à qui il est arrivé, rappelons-le, de réduire la pratique poétique (française) aux « vingt-quatre lettres de l'alphabet ».

le *poïein* et il en ira encore ainsi, dans un premier temps, avec la mouvance structuraliste qui oppose, avec une terminologie apparemment plus scientifique, le « comment » au « pourquoi ». Mais de même qu'on passe de la littérarité à la matérialité, et de celle-ci au matérialisme, de même le « comment c'est fait » s'efface progressivement derrière un « comment c'est produit », plus prolétarien, plus matérialiste et d'autant plus en phase avec le sens de l'histoire qu'il est aussi plus collectif, plus communautaire. On dira que ce sont des nuances mais, avec la notion de production (du texte, du sens, etc.), l'auteur prend définitivement congé de l'artisan, du fabricateur. Produire plutôt que fabriquer, c'est passer de l'atelier à l'usine, ou encore de l'idéalisme de l'artiste travaillant seul au monde réel, celui d'une production anonyme au demeurant compatible avec la mort de l'auteur. C'est une des particularités de ce moment de l'histoire des avant-gardes. Alors que celles-ci se déterminent tout au long du siècle contre un assujettissement au monde de l'économie et contre une philosophie de la production sur laquelle le communisme officiel entend régner en maître, alors qu'elles opposent en général la nécessité d'une subversion culturelle aux révolutionnaires dogmatiques qui relèguent la littérature à l'étage des superstructures pour mieux l'instrumentaliser, la mouvance structuraliste et surtout post-structuraliste va au contraire s'approprier la problématique de la production. Elle va la détourner, pourrait-on dire, et l'incorporer à la question du langage poétique.

Le moment (post)structuraliste de l'histoire de l'avant-garde, ce serait donc l'abandon définitif du motif mallarméen de la « grève devant la société », qui suscitait encore les foudres de Sartre, au profit d'une image nouvelle de l'écrivain convertissant celui-ci en producteur, en travailleur de la langue. Il existe un texte de Mallarmé dans lequel celui-ci met en scène un dialogue muet, impossible, entre lui et des ouvriers venus le déranger dans sa résidence d'été de Valvins : « Peut-être moi, aussi, je travaille... » – A quoi ? n'eût objecté aucun, admettant, à cause de comptables, l'occupation transférée des bras à la tête. A quoi – tait, dans la conscience seule, un écho – du moins qui puisse servir, parmi l'échange général. Tristesse que ma production reste, à ceux-ci, par essence, comme les nuages au crépuscule ou des étoiles, vaine[1] ». Contrairement à ses successeurs des années 1960-1970, Mallarmé n'est pas encore très sûr d'avoir droit au statut de producteur (« *Peut-être* moi, aussi, je travaille »). Il doute en tout cas de pouvoir être reconnu comme tel par les ouvriers, par les authentiques producteurs qui restent, comme lui, en dehors de l'« échange général ». Moins d'un siècle plus tard, les doutes et la tristesse ne sont plus de circonstance, ni la mélancolique ironie d'un Mallarmé sceptique en ce qui concerne sa complicité avec le monde de la production. Volontairement privé de ses privilèges d'auteur bourgeois plus ou moins (bien) inspiré, l'écrivain est désormais sommé de trahir sa classe d'origine pour accéder au statut de producteur ou même de prolétaire engagé dans un combat révolutionnaire.

Parmi les nombreux travaux qui ont valorisé une thématique de la production, ce sont certainement ceux de Jean-Joseph Goux qui lui ont donné sa portée la plus significative. J.-J. Goux publie dans *Tel Quel* de 1963 à 1972, c'est un grand connaisseur des œuvres de Marx, de Freud, de Saussure et de Derrida. Son point de départ est la célèbre distinction de Marx entre *valeur d'usage* et *valeur d'échange*. Le signe, comme n'importe quel autre produit, et précisément parce qu'il exige également d'être produit, comporterait une valeur d'usage (en l'occurrence, le signifiant, la matérialité du langage) dont c'est le destin, comme dans le cas de la marchandise, d'être méconnue, passée sous silence par la valeur d'échange (le signifié, le sens, le langage dans sa fonction de communication). Dans cette perspective, le signe est non seulement un produit qui, sous peine d'idéalisme, ne doit pas être occulté comme tel, mais aussi le moyen de production d'autres produits (d'autres

---

1. *Conflit*, in *Œuvres complètes, op. cit.*, 1945, p. 358.

signes), il est un principe de production, il *travaille* : « Tout comme un produit est le moyen de production d'autres produits (le *détour* par lequel on fabrique d'autres produits – moyennant une certaine dépense de force de travail), les signes (ensemble de signes, ou parties d'ensembles) forment les moyens de production d'autres signes (d'autres combinaisons de signes). La méconnaissance de la *valeur d'usage* des signes n'est donc pas autre chose que l'occultation de leur valeur productive. Occultation du travail ou du jeu des signes, sur et avec d'autres signes. La valeur opératoire, l'efficace propre des signes dans la production du sens, le *calcul*, l'instance purement combinatoire, ce que nous pourrions nommer d'un mot heureusement ambigu la *fabrique* du texte (travail et structure, fabrication et façon) se trouve gommée (ou plutôt oubliée/refoulée) sous la transparence négociable[1]. »

De même qu'il existe un corps de la marchandise qui disparaît derrière sa valeur d'échange, de même il existe un *corps de la lettre*[2], qui serait en somme le nom matérialiste du signifiant, toujours occulté par la *parole*, lieu d'articulation d'un sens et d'une voix ; une voix que la théorie littéraire des années 1960 et 1970 s'efforce de destituer de ses supposés privilèges philosophico-politiques décrits et dénoncés par Jacques Derrida[3]. J.-J. Goux continue ainsi son raisonnement

---

1. « Marx et l'inscription du travail », *Théorie d'ensemble, op. cit.*, p. 188-189. Sur J.-J. Goux, voir aussi l'analyse de Laurent Jenny dans *Je suis la révolution, op. cit.*, p. 181-209.

2. *Ibid.*, p. 190.

3. Selon J. Derrida, la voix est le point d'appui ou la clé de voûte de toute la tradition métaphysique occidentale et de sa stratégie de la vérité, souvent décrite en termes de *logocentrisme*. Celui-ci est à comprendre comme une procédure d'exclusion de ce qui résiste à l'idéalité de la voix et de la parole : soit précisément la lettre, la trace, l'inscription, l'(archi)-écriture qui sont pourtant la condition de possibilité du discours métaphysique. Je renvoie à *La Voix et le Phénomène*, Paris, PUF, 1967, *De la grammatologie*, Paris, Minuit, 1967, et *L'Écriture et la Différence*, Paris, Seuil, 1967.

homologique en faisant de la parole l'équivalent de l'*équivalent général* de la théorie de Marx, à savoir l'argent. La parole est au corps de la lettre ce que l'argent est à la spécificité d'une marchandise, à sa valeur d'usage : ce qui l'occulte et la rend abstraite, ce qui en permet l'infinie circulation ou, compatibilité lacanienne oblige, ce qui en *refoule* la matérialité signifiante, ce qui voue celle-ci à l'inconscient. Du même coup, c'est la linguistique de Saussure qui est renvoyée à un monétarisme suspect, puisqu'elle reposerait, comme tout le structuralisme, sur un système généralisé d'équivalences entre des signes réduits à une fonction de support de permutations arbitraires. Et une telle réduction n'est possible que parce que les signes ont été abstraits, détachés de leur matérialité signifiante, de leur productivité, autant dire de leur force de travail.

Ce dispositif permet à J.-J. Goux de réactualiser en des termes politiques un postulat dont les origines sont également à chercher du côté du romantisme : celui de l'intraductibilité du langage « poétique » (dont un Mallarmé dirait qu'elle garantit son essentialité). Le théoricien continue ici d'articuler Derrida et Marx : « Or si le travail de l'écriture ne peut donner lieu à "la transparence d'une traduction neutre", le travail concret, comme force et corps, comme usage et création de valeur d'usage, est aussi une *inscription hiéroglyphique* qui ne souffre aucune substitution, aucun échange. « Un corps verbal ne se laisse pas traduire ou transporter dans une autre langue. Il est cela même que la traduction laisse tomber. De même le travail concret ne peut être évalué sans être *subtilisé*[1]. » La traduction est du côté de la substitution, de l'échange, de la subtilisation – à la fois de l'abstraction et du vol, comme dans le cas de l'évaluation ou de la rémunération d'un travail qui, en tant que

---

1. « Marx et l'inscription du travail », *loc. cit.*, p. 202. Les citations à l'intérieur de cette citation renvoient à Jacques Derrida, « Freud et la scène de l'écriture », *L'Écriture et la Différence, op. cit.*, p. 293 *sq.*

production d'une valeur d'usage, est lui-même de l'ordre d'une inscription, d'une écriture[1].

Tout travail est écriture, toute écriture est travail. Il est difficile d'imaginer que la première partie de ce théorème, même revu par le scepticisme mallarméen (« Peut-être moi, aussi, j'écris... ») ait jamais pu enthousiasmer les travailleurs. En revanche, les bénéfices de la seconde partie sont tangibles, du moins sur le marché des images de l'écrivain. Si l'écriture, dans son essentiel matérialisme, est du côté de la production, si elle permet d'opposer une logique de la valeur d'usage à la valeur d'échange (à la communication), alors l'écrivain – ou plus exactement le ci-devant écrivain, l'auteur décrété mort – passe lui-même du côté d'une avant-garde enfin prolétarienne. Les surréalistes, question d'autonomie, ont toujours hésité à mettre le surréalisme au service de la révolution (prolétarienne), ils en sont restés à l'impossible articulation entre *deux* révolutions. Les situationnistes ont pris acte d'une telle impasse en décrétant que la révolution devait être mise au service de la poésie, qu'elle aurait lieu comme réinvention poétique de la vie quotidienne (Mai 68). Avec l'avant-garde poststructuraliste, un pas de plus est franchi – à moins qu'il s'agisse d'un pas en arrière : l'écrivain recyclé en producteur de sens n'a plus à se mettre au service de la révolution puisqu'il y est *de facto* à partir du moment où il joue le corps de la lettre contre le sens.

1. La question de l'intraductibilité constitue un enjeu sur lequel le collectif Change cherchera précisément à faire un peu plus tard la différence en liant au contraire le destin de la poésie à un principe de traductibilité généralisé, conformément aux principes de la grammaire générative-transformationnelle (voir sur ce point Léon Robel, « Translatives », *loc. cit.*). L'inversion de l'intraductibilité absolue du « corps verbal » en traductibilité générale est aussi à mettre en rapport avec la réflexion menée par Change sur la question de *l'échange,* une notion qui permet au collectif réuni autour de J.-P. Faye d'attaquer de front le « matérialisme » anti-communicationnel de la mouvance théorique-réflexive incarnée par Tel Quel.

Il y est tellement qu'il n'est même plus question de dire qu'il est au service de la révolution : il la *fait*, elle n'a pas ou plus vraiment lieu ailleurs, pourrait-on dire, que dans l'activation de la productivité du langage. Cette activation est désormais un geste révolutionnaire en soi qui permet d'en finir avec l'asservissement par le sens et l'échange, exactement de la même manière qu'il s'agit d'en finir avec le même assujettissement au niveau du travailleur : « L'asservissement du travailleur, par le capital, perpétué par l'intermédiaire de la forme argent, est donc identique à la servitude de l'écriture opératoire abaissée par l'élément du sens, réprimée par la subsomption logocentrique. Assujettir l'écriture à la sphère de l'échange (du langage) alors que l'efficace et la réalité de son action appartiennent à la production et à l'usage (écriture productive : "poésie", mathématiques, sciences), c'est occulter, par l'éclat du discours marchand, le travail (ou le jeu) qui permet et *entretient* ce discours[1]. »

L'incorporation de l'activité révolutionnaire à la pratique de l'écriture est ainsi entière. À un stade ultérieur du développement de la théorie au cours duquel la question de la production s'effacera derrière celle du « sujet en procès » (ou Marx derrière Lacan), il sera possible de renoncer à une solidarité ou conscience de classe fondée sur la question de la production et de prendre congé du prolétaire si celui-ci n'a pas encore accédé aux charmes de la pratique signifiante[2]. Mais pour l'instant, c'est bien là qu'on en est : prolétaires de tous les pays, écrivez,

---

1. « Marx et l'inscription du travail », *loc. cit.*, p. 205.
2. « Ce que la théorie marxiste dialectique envisage donc par le concept de "conscience de classe *prolétarienne*" n'est pas une conscience de classe, mais l'achèvement de la conscience de classe, pour autant que celle-ci "repose exclusivement sur l'évolution du processus moderne de production" (G. Lukacs), par l'introduction en elle de la négativité qui change la production d'une totalité en l'infinité d'un procès. Si le prolétaire obtient une telle pratique signifiante du procès socio-symbolique, ce n'est que lorsqu'il dépasse sa condition de producteur » (Julia Kristeva, *La Révolution du langage poétique*, *op. cit.*, p. 388).

écrivains de tous les pays, prolétarisez-vous par l'investissement du signifiant et de sa productivité, du même coup libérée,
mise au service de la révolution. Communiquer, échanger,
c'est toujours s'en tenir à une plus-value de sens extorquée au
langage dont on refoule la matérialité, c'est occulter ce que
Bataille appelait la « besogne des mots[1] », c'est se retrouver du
côté d'une très longue chaîne de maîtres et d'oppresseurs inau-
gurée par Platon : « Le mépris ouvert de Platon pour l'écriture
signifie ainsi l'extorsion ouverte (dans l'esclavage) du surtra-
vail. Le philosophe est dispensé d'une façon ouverte de l'écriture comme la classe dominante est dispensée du travail. La
dispense du détour de production entretient la parole politique
(qui évolue dans l'immédiateté et l'évidence du sens) et *impose*
en retour le travail producteur[2]. »

« Le sens profite de l'écriture qui le rend possible[3] » : il
revient à la théorie littéraire et aux pratiques de l'écriture
conscientes du problème de mettre fin à ce rapport d'exploitation, d'anticiper, dans le laboratoire de la littérature d'avant-
garde, la généralisation de la déroute de la communication, du
sens, du logocentrisme et par extension de l'ensemble de ce
que peut recouvrir le terme de socio-symbolique. Ce que
Mallarmé, avec son ironie coutumière, qualifiait encore
d'« action restreinte » est ainsi élevé au rang d'une action indubitablement révolutionnaire qui ne laisse de place ni au doute
ni à la restriction. Et puisqu'on a évoqué la besogne des mots
chère à Bataille, ne manquons pas de signaler l'opérativité de
la notion de « pratique », omniprésente et souvent qualifiée de
« signifiante ». Être au bénéfice d'une pratique signifiante comporte beaucoup d'avantages. D'abord elle renvoie presque immédiatement à son envers, la théorie : une pratique signifiante,
presque par définition, est consciente d'elle-même, elle implique

1. « Informe » (*Documents* n° 7, décembre 1929), *Œuvres complètes* I,
Paris, 1973, Gallimard, p. 217.
2. « Marx et l'inscription du travail », *loc. cit.*, p. 210.
3. *Ibid.*, p. 211.

un redoublement théorique, contrairement à la première acti-vité littéraire venue. Et puis surtout, la pratique signifiante per-met de récuser les soupçons ou les accusations d'*inaction* qui plombent régulièrement les ambitions des intellectuels et des écrivains. Parler de « pratique signifiante » plutôt que de « lit-térature », c'est élever celle-ci au rang d'un *faire*, d'une praxis dont le caractère révolutionnaire suit alors presque automati-quement.

Collectivisations

Jean-Joseph Goux a repris et développé ses principales thèses dans *Économie et Symbolique*[1], placé sous le double signe de Marx et Freud. Curieusement cependant, alors qu'il a proposé la théorie sans doute la plus aboutie de la production signifiante, il n'a jamais commenté de façon détaillée les œuvres véritablement exemplaires dans sa perspective : ni celle de Mallarmé (si ce n'est d'un point de vue théorique, l'image de la pièce de monnaie qu'on se passe de main à main en silence constituant ici une figure imposée), ni celle de Lautréa-mont, ni celle de Raymond Roussel, ni celle de Francis Ponge, pourtant très proche des écrivains de Tel Quel pendant un certain temps, ni enfin celles des écrivains réunis à l'enseigne de Tel Quel – alors que des textes comme *Nombres* ou *Lois* de Philippe Sollers sont souvent mis en avant par d'autres membres du groupe. J.-J. Goux reste fondamentalement un philosophe plutôt qu'un producteur de sens ou un praticien du signifiant[2]. Ses commentaires les plus brillants, il les écrit

---

1. J.-J. Goux, *Économie et Symbolique* Paris, Seuil, 1973.
2. On ne peut s'empêcher de relever un paradoxe à ce propos : alors que Goux ne cesse de dénoncer les effets idéologiques de la confiscation de la productivité signifiante par le sens ou par le signifié érigé au rang d'équivalent général analogue à l'argent, il n'entre jamais en matière sur sa propre opérativité ou « pratique signifiante », c'est-à-dire sur le fait

notamment sur Gide, critique encore presque classique, discret et ironique du monétarisme linguistique, mais dont on ne saurait dire qu'il s'engage pour une théorie de la production textuelle ou une pratique signifiante prolétarienne[1].

Où alors chercher les théoriciens qui se sont véritablement jetés dans le bain de la production signifiante ? Le cas le plus exemplaire, d'un point de vue à la fois théorique et pratique, me semble être celui de Jean Ricardou, qui aura longtemps servi de passeur entre le Nouveau Roman d'une part, dont il radicalise les enjeux et les procédures, et Tel Quel d'autre part. C'est dans son œuvre, à la fois critique et romanesque, que la question de la productivité s'est incarnée de la façon la plus systématique. J. Ricardou partage avec ses contemporains une solide aversion pour le réalisme, inlassablement dénoncé comme un artifice ou une convention de lecture. Il vient d'un horizon formaliste : la référence à Valéry est très présente chez lui[2]. De toute sa génération, il est probablement celui qui aura pris la théorie de la productivité du signifiant le plus à la lettre, c'est le cas de le dire. Il est celui qui aura été le plus loin dans la théorisation mais aussi dans la pratique de ce qui n'est plus alors une simple affaire de production mais bien d'*autogénération* du texte littéraire à partir d'un dispositif signifiant parfois minimal. Inventeur français de la « mort de l'auteur », Mallarmé affirmait que le poète devait « céder l'initiative aux mots[3] ». Cette injonction vaut comme mot d'ordre pour J. Ricardou, que ce soit dans ses romans ou dans ses travaux

---

qu'il a établi un certain nombre d'*équivalences* entre des champs et des démarches théoriques hétérogènes comme celles de Marx, Freud, Derrida, Saussure, etc., dont un mauvais esprit pourrait en somme considérer qu'ils sont prolétarisés par la subtilité ou la subtilisation à l'œuvre dans les analyses de Goux.

1. *Les Monnayeurs du langage*, Paris, Galilée, 1984.
2. Voir notamment « L'impossible Monsieur Texte », *Pour une théorie du nouveau roman*, Paris, Seuil, 1971, p. 59-90.
3. « L'œuvre pure implique la disparition élocutoire du poëte, qui cède l'initiative aux mots, par le heurt de leur inégalité mobilisés ; ils

critiques. Compte tenu de l'abandon aujourd'hui quasi généralisé d'une telle démarche, il est difficile de s'en représenter la rigueur et la virtuosité, et surtout le poids qu'elle a eu dans la configuration du champ littéraire et critique des années 1960 et 1970.

Le modèle le plus didactique de la démarche de J. Ricardou, c'est sans doute Raymond Roussel, origine logique de ce qu'il appelle précisément l'« activité roussellienne[1] ». Roussel, autrefois commenté par toute l'élite intellectuelle[2], est un des grands disparus du champ littéraire contemporain. Si les grands classiques du modernisme (Mallarmé, Proust, Valéry) s'y maintiennent sans trop de problèmes (mais peut-être aussi sans être vraiment lus), les autres (de Lautréamont au Nouveau Roman) ne semblent survivre, en général plutôt mal que bien, qu'en fonction de leur capacité de recycler l'auteur mort qu'ils ont été en auteur bien vivant, doté d'une solide biographie et si possible présent(able) dans les médias. Pour Roussel, c'est mission impossible, non seulement parce que sa schizophrénie (sur laquelle ses rares commentateurs semblent s'accorder) est difficile à réinvestir en termes (auto)biographiques même posthumes, mais surtout parce que peu d'œuvres sont aussi irrécupérablement contradictoires par rapport à l'ethos contemporain de l'expression de soi, aussi « machiniques », pour reprendre un terme popularisé dans les mêmes années par Gilles Deleuze et Félix Guattari – qui se sont aussi intéressés à Roussel.

---

s'allument de reflets réciproques comme une virtuelle traînée de feux sur des pierreries, remplaçant la respiration perceptible en l'ancien souffle lyrique ou la direction personnelle enthousiaste de la phrase » (*Crise de vers, Œuvres complètes, op. cit.*, p. 366).

1. « L'activité roussellienne », *in Pour une théorie du nouveau roman, op. cit.*, p. 91-117.

2. Signalons notamment, en plus de Ricardou, M. Foucault, *Raymond Roussel*, Paris, Gallimard, 1963 ; Ph. Sollers, *Logiques, op. cit.*, p. 124-132 ; J. Kristeva, *Semeiotiké. Recherches pour une sémanalyse, op. cit.*, p. 208-265, Michel Pierssens, *La Tour de Babil*, Paris, Minuit, 1976.

Dans *Comment j'ai écrit certains de mes livres*, publié significativement à titre posthume, Roussel a expliqué les procédés de fabrication de ses *Impressions d'Afrique*, de *Locus Solus*, de *L'Étoile au front* et de *La Poussière de soleils*, récits qui tiennent tous du conte ou du roman fantastique. Pour en rester aux *Impressions d'Afrique*, l'ensemble de l'œuvre serait sortie du bout de phrase suivant : « les lettres du blanc sur les bandes du vieux billard[1] ». Jeux du signifiant, jeux de lettres et de mots : le blanc d'une inscription à la craie devient blanc par opposition au noir (l'Africain), le billard se transforme en pillard, les bandes en « hordes de nègres », les lettres en missives, etc. De ces transformations qui toutes activent d'une manière ou d'une autre la « productivité » du signifiant, surgit ainsi un récit fantastique, exubérant, dont les surréalistes avaient déjà perçu le caractère enchanteur (mais non les ressorts textuels). C'est cela, l'« activité roussellienne »[2], dont Ricardou analyse et différencie systématiquement les différents procédés, les formes spécifiques de *générateurs* pour les reverser au compte d'une théorie générale de la productivité textuelle[3]. Celle-ci détermine de part en part le contenu des fictions rousselliennes, mais elle est également à l'œuvre, selon Ricardou, chez beaucoup d'autres auteurs : Flaubert, Proust ainsi que la plupart des écrivains réunis à l'enseigne du Nouveau Roman (notamment Alain Robbe-Grillet, Claude Simon et enfin lui-même).

---

1. *Comment j'ai écrit certains de mes livres*, Paris, Pauvert, 1963, p. 11 *sq.*
2. L'autre aspect de l'« activité roussellienne », également central dans la démarche de Ricardou, c'est ce qu'on pourrait appeler la productivité de la description. En proliférant, en se déboîtant de détail en détail, celle-ci s'autonomise, se libère de la tutelle du récit et devient elle-même le support ou le lieu de l'action, prend la place du récit. Elle subvertit ainsi, chez Roussel comme chez certains nouveaux romanciers, les conventions du récit réaliste et affirme l'autonomie absolue de l'écriture descriptive par rapport à la chose décrite.
3. Pour une synthèse de ces différentes procédures, on consultera notamment J. Ricardou, *Le Nouveau Roman*, Paris, Seuil, « Écrivains de toujours », 1973, p. 75-90.

« Inhumaine rigueur de la fabrique », écrit J. Ricardou, toujours à propos de Roussel[1]. On a beaucoup reproché la même inhumanité à ses propres romans (*L'Observatoire de Cannes*, *La Prise de Constantinople*, etc.) mais aussi à ses analyses critiques. Il est difficile de ne pas convenir de leur pertinence en ce qui concerne Raymond Roussel ou Claude Simon (qui a lui-même confirmé le caractère déterminant de « générateurs » dans certains de ses romans), mais l'idée d'une *Éducation sentimentale* ou de la *Recherche du temps perdu* autogénérées à partir du seul jeu du signifiant n'a pas manqué de susciter d'importantes résistances. Le débat – qu'on ne reprendra pas ici – porte essentiellement sur la portée des phénomènes analysés par Ricardou. Les phénomènes d'autogénération existent, attestés par des exemples pris dans de nombreux textes, ou encore par les célèbres *Anagrammes* (re)découverts par Saussure travaillant apparemment à sa propre subversion[2], mais sont-ils généralisables et surtout excluent-ils tous les facteurs « extérieurs » susceptibles d'éclairer le processus de production d'une œuvre, soit aussi tout ce qui est de l'ordre de la décision ou de l'intention d'un sujet ? Rien n'est moins sûr.

Il y a chez Ricardou un radicalisme de la production du texte sur lequel peu l'ont suivi, non seulement parce qu'appliqué aux plus grandes œuvres il n'est pas toujours convaincant, mais aussi sans doute parce qu'il a des conséquences politiques que le théoricien du Nouveau Roman reste un des seuls à avoir véritablement assumées. Passer du statut d'auteur plus ou moins inspiré à celui de travailleur du signifiant a été dans beaucoup de cas une simple affaire d'image de l'écrivain, avec la révolution se substituant (parfois très provisoirement) à d'anciennes muses. Mais à l'horizon d'un tel changement de régime, une autre question se profile, devant laquelle la plupart

---

1. « L'activité roussellienne », *loc. cit.*, p. 95.
2. Voir Jean Starobinski, *Les Mots sous les mots. Les anagrammes de Ferdinand de Saussure*, Paris, Gallimard, 1971.

de ceux qui se sont avancés dans cette direction ont en général reculé : celle d'un véritable communisme de l'écriture. Pourquoi l'auteur doit-il céder la place au producteur ? Précisément parce que celui-ci, contrairement à l'auteur, ne s'approprie pas les moyens de production (le langage). Il les remet en jeu, il les remet au service de la collectivité. Le « comment c'est fait » est une question démocratique et partant, toute la mouvance structuraliste l'a été. Le « comment c'est produit » est non seulement démocratique, mais en fin de compte « communiste ». Il implique que l'écrivain devenu simple producteur est le sujet d'une pratique qui pourrait être celle de tout le monde, ou plus exactement encore que sa « pratique signifiante » a pour but de se partager, d'être reprise par d'autres et que c'est même là son seul but. Pourquoi s'acharner à identifier des « générateurs iso-signifiants et hétéro-signifiés » (principe de l'homonymie), ou « hétéro-signifiants et iso-signifiés » (principe de la synonymie), ou encore « iso-signifiants et homo-signifiés » (principe de la polysémie), etc. ? Parce que ce sont les instruments théoriques permettant *à chacun* d'activer pour son propre compte la productivité du langage.

On touche ici à un autre aspect de l'opérativité de la « mort de l'auteur », parfaitement compatible avec celui mis en évidence au chapitre précédent. De même que l'auteur cède la place au commentateur, il doit s'effacer derrière le producteur, ou plus exactement les producteurs de sens, c'est-à-dire tout le monde. Là où était l'auteur, effet d'une logique de la propriété (du sens) et d'une économie de la rareté, doit advenir la foule anonyme des producteurs assurant à l'infini le partage du langage et rendant caduques toutes les institutions littéraires qui confèrent à l'auteur ses droits et son autorité. Les producteurs ne sont pas des auteurs ni des propriétaires du sens, ils sont sans autorité. Ricardou insiste à de nombreuses reprises sur ce point, moins dans ses articles théoriques ou critiques que dans un certain nombre d'interventions, notamment dans des colloques qu'il a animés. Dès l'ouverture du célèbre *Nouveau Roman : hier, aujourd'hui*, il souligne que la présence des écrivains concernés ne signifie aucunement que ceux-ci auraient le dernier mot en ce qui concerne leurs œuvres : « Une fois de plus, ce serait une rechute dans l'ornière de l'Expression ; cela reviendrait à admettre que l'auteur est propriétaire d'un sens préalable au travail du texte et qu'il lui serait possible de le délivrer, le cas échéant, d'une autre manière, par le biais de confidences parallèles[1]. » Ils sont là, mais ils sont morts. Ils sont là, mais en quelque sorte pas à titre individuel : l'exercice n'a pas dû être facile pour certains d'entre eux, qui redécouvriront progressivement les charmes de la propriété privée, puis de l'autobiographie.

Quelques années plus tard, lors d'un colloque consacré à Claude Simon, on lit les mêmes avertissements, d'autant plus nécessaires que le colloque est consacré cette fois à un seul auteur qui risque par conséquent de passer pour... un auteur : « Claude Simon ne serait donc pas considéré comme un auteur, mais comme un écrivain produisant des textes par rapport aux textes des autres, c'est-à-dire comme un scripteur pris dans des problèmes *d'intertextualité générale*[2]. » On retrouve ici la solidarité, déjà évoquée au chapitre précédent, entre la notion de mort de l'auteur et celle d'intertextualité, confirmée un peu plus loin dans les termes suivants : « L'intertextualité générale présente donc un avantage : elle élimine la notion d'œuvre qui expulsait fondamentalement les textes des autres[3]. »

Mais la position de Ricardou va au-delà d'une simple rhétorique de la « mort de l'auteur ». Il est probablement le seul théoricien de cette période à s'être aussi concrètement engagé pour une véritable redistribution de la production du sens. Certains débats au cours du même colloque consacré à Claude Simon en témoignent. À une intervenante doutant de ses

1. *Nouveau Roman : hier, aujourd'hui (1. Problèmes généraux)*, Paris, U.G.E., coll. 10/18, 1972, p. 12.
2. *Claude Simon. Colloque de Cerisy*, dirigé par J. Ricardou, Paris, U.G.E., coll. 10/18, 1975, p. 10.
3. *Ibid.*, p. 11.

propres talents ou capacités littéraires, Ricardou répond de la façon suivante : « Que l'on soit conduit à des aveux de ce genre montre à quel point on peut être victime de l'idéologie dominante, précisément, en matière de littérature. Je viens de le rappeler : l'une des institutions majeures chargées de la véhiculer est l'Université. Or sur quoi se construit cet édifice ? Sur une très singulière parcellisation du travail d'écriture. Il y aurait deux sortes de gens : les créateurs et les professeurs [...]. Le malheur, pour vous, il me semble, c'est que vous pensez si intensément à l'intérieur de cette dichotomie pratique/théorie que vous êtes induite d'une part à condamner trop vite vos propres possibilités d'écriture, d'autre part à vous installer trop vite dans la position de repli. La mise en cause de cette parcellisation conduit donc à une critique de vos deux positions : l'installation dans la position de pur professeur puisqu'il apparaît que l'écriture importe pour relancer la théorie ; le rejet de vos impossibilités d'écriture puisque le mythe du créateur sacralisé se trouve soumis au dynamitage. Cette mise en cause de ce que vous acceptez trop d'être constitue donc, vous le voyez, un encouragement pour faire ce qu'au fond de vous vous souhaitez. Bien sûr, ce que nous allons étudier ici, très précisément, c'est le travail de Simon, mais il me semble de grande importance que cela déclenche, au moins chez quelques-uns, la relance de leur propre désir d'écrire[1]. »

Ricardou – c'est explicite dans la suite de cet échange – part du principe qu'il existe chez tout le monde un « désir d'écrire » dont la société capitaliste et les institutions littéraires qui en sont l'effet (avec des auteurs-propriétaires) empêchent la réalisation. Personne ne dispose d'un droit de naissance ou d'une exclusivité en matière d'écriture, personne ne devrait être auteur, jouir de droits d'auteur, vivre de sa plume, puisqu'une telle position repose sur un principe d'exclusion, qu'elle procède d'une économie de la rareté. L'auteur existe parce que (presque) tout le monde renonce à l'être ou, plus exactement

1. *Ibid.*, p. 27-28.

dans les termes de Ricardou, est empêché de l'être. De même que le sens profite de l'écriture (J.-J. Goux), qu'il l'exploite, de même, pourrait-on dire, l'auteur exploite les non-auteurs volontaires ou involontaires, réduits pour une raison ou une autre à la passivité de purs lecteurs-spectateurs. Il ne s'agit donc plus de donner un sens plus pur aux mots de la tribu, comme le voulait Mallarmé, mais de redonner à la tribu l'initiative, le sens des mots et de leur productivité. Transformer les consommateurs passifs d'œuvres et de biens en producteurs actifs de sens, telle est véritablement et de façon revendiquée *l'utopie sociale* de Ricardou ou sa version de l'engagement révolutionnaire de l'écrivain : « Montrer à chacun qu'il peut écrire finit par déboucher sur le refus de l'exploitation sociale. Et je ne doute pas qu'il s'agisse là d'une des raisons de la terrible réticence, au plan idéologique, que rencontrent, ici et ailleurs, certaines de mes propositions[1]. »

Quelles sont les conséquences pratiques d'une telle position ? On relèvera tout d'abord que J. Ricardou s'est fait très discret à partir des années 1980, qu'il a renoncé beaucoup plus concrètement que la plupart de ses contemporains à se réconcilier avec son statut d'auteur – on attend toujours son autobiographie. Ce n'est pas non plus une coïncidence s'il s'investit systématiquement au cours des mêmes années et jusqu'à aujourd'hui dans un projet d'*atelier d'écriture*. Ce projet constitue déjà son horizon au moment du colloque sur Claude Simon, où J. Ricardou l'évoque dans les termes suivants : « Enseigner la littérature sera un jour, peut-être, enseigner à fabriquer du texte dans ce qu'on pourrait appeler des *ateliers d'écriture*. On y écrira du texte, mais en se demandant toujours quels procédés sont employés : l'enseignement sera une production de pratique et de théorie. Nous en sommes loin[2]. » Nous en sommes loin, hier comme aujourd'hui, du moins en ce qui concerne les universités et les autres institutions organisant

1. *Ibid.*, p. 30.
2. *Ibid.*, p. 34

le champ littéraire. Mais J. Ricardou aura justement mis toute son énergie à réaliser de tels ateliers : ce sont les « ateliers de textique » régulièrement proposés depuis bientôt trois décennies au Centre culturel de Cerisy-la-Salle, qui combinent écriture (collective), réflexion théorique, et même réécriture d'œuvres existantes (puisque même Mallarmé n'est pas toujours parfait et qu'il peut être « amélioré » !). Il va presque sans dire que, contrairement à la plupart des ateliers d'écriture proposés ailleurs (notamment aux États-Unis), les « ateliers de textique » n'ont pas permis jusqu'à ce jour l'éclosion d'un nombre important d'auteurs célèbres. De toute évidence, ce n'est pas leur but.

La mort du lecteur

Reprenons. L'enjeu est de recycler ou de rééduquer *à la fois* l'auteur et le lecteur en producteurs de texte ou de sens : l'auteur pour qu'il perde ses privilèges dans l'opération, pour qu'il se prolétarise, et le lecteur pour qu'il s'approprie les moyens de production, pour qu'il rompe avec sa passivité de lecteur-consommateur aliéné, amateur de réalisme et toujours prêt à succomber aux charmes indéfendables de l'identification (ce qui dans ce contexte veut dire à peu près la même chose qu'aliénation). Au bout de l'utopie sociale induite par la théorie littéraire, radicalisée par J. Ricardou, il n'y a plus de « division du travail », c'est-à-dire plus de différence entre le ci-devant auteur et le ci-devant lecteur. Écriture et lecture sont désormais les deux faces d'une même pratique, elles renvoient indissolublement l'une à l'autre. Lire un texte consistera toujours à le *réécrire*, et écrire est fondamentalement une activité de *(re) lecture* : à la fois de ce que l'on écrit soi-même[1], d'où

---

1. Relecture de ce que l'on écrit soi-même, puis plus simplement de soi : c'est par le biais de la réflexivité et du motif de la relecture que la psychanalyse s'engouffrera dans le champ ouvert par la théorie littéraire,

le privilège que la théorie littéraire accorde à la dimension réflexive de l'écriture ; mais aussi de relecture des autres textes, d'où l'importance et le caractère opératoire de la notion d'intertextualité. Détachée l'une de l'autre, écriture et lecture perpétuent le régime bourgeois de la littérature dans lequel l'auteur advient en (s')échangeant ou en communiquant avec un lecteur-consommateur, mais sans jamais lui donner accès à des secrets de fabrication qui tirent leur prestige et leur autorité de ce qu'ils restent précisément secrets. Un auteur sans secrets (de fabrication) pour son lecteur n'est plus un auteur et inversement le lecteur passif prend congé de lui-même par l'activation d'une capacité de réécriture refoulée dans le monde bourgeois.

La fusion de l'écriture et de la lecture dans une même pratique constitue un moment essentiel du discours théorique des années 1960 et 1970. On peut même dire – c'est là son opérativité – qu'elle en assure la cohérence au regard d'un certain nombre de notions clés ou de mots d'ordre déjà évoqués, comme celui de la mort de l'auteur ou celui de la réfutation de la fonction de communication (d'un contenu, d'un message) du discours littéraire. Elle est impliquée par la fameuse « intransitivité » du discours littéraire, sans cesse affirmée, martelée même. C'est une chose de reprendre la dichotomie romantique, puis mallarméenne, entre une parole « brute » et une parole « essentielle ». C'en est une autre de la justifier dans le cadre d'un discours théorique incluant un agenda politique révolutionnaire. On ne voit en effet pas comment un tel agenda pourrait s'en tenir strictement au « comment c'est fait ? » des formalistes. En d'autres termes, il y a bien un moment où le « pourquoi » et le « pour qui écrit-on ? » font

---

au point même d'effacer ce champ au profit de sa propre conceptualité. La notion de relecture permet en effet d'établir un certain nombre de parallèles entre la lecture et le travail de l'analysant, mis en quelque sorte à sa propre écoute par le texte qui occupe alors la place de l'analyste.

le lecteur
comme producteur
de l'œuvre

retour, pas forcément pour le plaisir de Sartre, puisque la réponse de ceux qui se sont regroupés à l'enseigne de la production textuelle a consisté en une sorte de court-circuit qui vient redoubler la dimension réflexive de l'écriture. On écrit non pas pour communiquer, pour transmettre un sens ou pour provoquer chez le lecteur une prise de conscience, mais pour transformer celui-ci en écrivain potentiel ; soit tout aussi bien pour se démettre d'une autorité, d'un pouvoir de fabrication en le partageant avec le premier venu. On sait que dans une idéale société communiste, le travail serait un droit et une obligation pour chacun. Il en va de même avec la réalisation du communisme de l'écriture : tous les lecteurs deviennent des « producteurs ». Il n'y a plus de tire-au-flanc se vautrant dans les charmes spectaculaires de l'identification, il n'y a plus de lecteurs-consommateurs qui n'ont envie que de lire, sans aucun souci de partage ou de réappropriation des moyens de production.

Du même coup, on comprend mieux pourquoi, de manière générale, la mouvance théorique des années 1960 et 1970 a pu se passer à peu près totalement d'une théorie de la lecture ou de la réception, contrairement par exemple à l'approche herméneutique développée en Allemagne sous l'impulsion de Hans-Robert Jauss et de Wolfgang Iser et connue sous le nom de *Rezeptionsästhetik* (esthétique de la réception). La valorisation de la production, appelée à devenir le lieu d'une pratique commune à l'auteur et au lecteur, ne laisse pas de place à une théorie de la lecture, sauf à concevoir celle-ci comme une (anti)-théorie de la non-lecture ou de l'illisibilité, ou alors comme une théorie de la lecture impliquant la réduction du lecteur à une fonction textuelle. Commençons par ce dernier point. Une des conséquences de la notion de réflexivité comme de celle de la production, c'est que le texte *incorpore* son lecteur ou sa lecture, selon une formule de Julia Kristeva[1]. Ces propositions seront systématisées grâce au recours à Mikhail Bakhtine.

1. *Semeiotiké, op. cit.,* p. 11-12.

L'intertextualité générale qu'on lui impute permet de considérer un texte comme une série analysable presque à l'infini d'effets de (re)lecture, comme un théâtre, une scène de lecture(s)[1].

De nombreux autres développements dans le champ de la théorie littéraire vont dans le même sens. Relevons en particulier un essai de Gérard Genette intitulé « L'utopie littéraire » où celui-ci affirme que le sens d'une œuvre est produit par son lecteur, et que par conséquent la poésie est faite par tous[2]. Genette retrouve ainsi au détour d'une analyse de Borges la formule de Lautréamont que l'on peut considérer comme le mot d'ordre initial en faveur d'un communisme de l'écriture, popularisé comme tel par les surréalistes et pieusement transmis d'un groupe d'avant-garde à l'autre, sans qu'on sache d'ailleurs très bien si Lautréamont a voulu dire quelque chose d'approchant. Mais se soucie-t-on du vouloir-dire dans un tel contexte ? Lautréamont lui-même devient en tout cas, notamment avec l'essai que lui consacre Marcelin Pleynet, un des terrains les plus propices à la vérification d'une théorie de la production du texte qui fait coïncider écriture et lecture, qui fait de tout texte l'écriture d'une lecture et inversement, dans un jeu de renvois parfois vertigineux : « Devenu "il" dans la lecture (qui n'est possible que si le "je" s'y introduit comme lecteur), "je" (le lecteur) ne pourra lire ce "il" (sujet de la lecture) que dans la mesure où la lecture et le sujet de la lecture ne feront plus qu'un, dans la mesure où "je" sera devenu *comme ce qu'il lit* ; lui-même écrit : écriture[3]. »

On observe donc une fois de plus que si l'auteur est mort, son cas n'est pas désespéré pour autant, charme des permutations. Il doit certes s'effacer derrière le lecteur, mais rien ne

1. *Ibid.*, p. 170 ; voir plus généralement l'ensemble du chapitre dont j'extrais ces quelques repères : « Le mot, le dialogue, le roman », *ibid.*, p. 143-173.

2. *Figures I*, Paris, Seuil, 1966, p. 132.

3. Marcelin Pleynet, *Lautréamont par lui-même*, Paris, Seuil, 1967, « Écrivains de toujours », p. 112.

l'empêche de ressusciter lui-même en lecteur et même en son propre lecteur, conformément aux impératifs de la réflexivité. Le tandem *écriture-lecture*, qui implique l'infinie réversibilité des deux pratiques, aura été un des dommages collatéraux de la mort de l'auteur les plus utiles ou les plus rentables pour la mouvance théorique-réflexive. Les formulations les plus précises à ce sujet sont encore une fois à chercher du côté de Tel Quel ; par exemple chez Philippe Sollers qui affirme dans *Logiques* que l'auteur est le lecteur de son propre livre, et que le lecteur est intégré au livre[1]. Dans le même ordre d'idées il écrit plus loin que « nous ne sommes rien d'autre en dernière analyse que notre système écriture-lecture[2] » et il évoque à propos de Dante la naissance continue du scripteur à l'intérieur d'une langue dont il se fait le lecteur[3].

L'incorporation à l'interne, et l'illisibilité à l'externe. Dès qu'il y a lisibilité, il y a communication, échange et donc redistribution des tâches. Le seul moyen d'échapper à l'échange, c'est de valoriser tout ce qui pourra être affecté du signe du non-échangeable et de la gratuité. Et le seul lieu qui permet une telle valorisation, c'est le texte littéraire ainsi promu au rang de bastion sinon unique du moins particulièrement avancé dans la lutte contre l'échange capitaliste : « L'illisibilité serait donc la qualité particulière d'un texte au regard de l'idéologie quant à lui aveugle. Illisibilité à différencier du non-lisible participant en raison de sa platitude à la lisibilité courante et de la sorte renvoyée au fond anonyme de l'"universel reportage". L'illisibilité devient alors le point fort de la lecture, l'obstacle que celle-ci doit vaincre, la surface résistante sur laquelle vient buter et se manifester la force inerte de l'idéologie, ce qu'une société éparse en chaque individu ne doit pas lire, ne peut pas lire[4]. »

1. *Logiques*, *op. cit.*, p. 17.
2. *Ibid.*, p. 249.
3. *Ibid.*, p. 47.
4. Jean-Louis Baudry, « Écriture, fiction, idéologie », *Théorie d'ensemble*, *op. cit.*, p. 140.

Barthes est sur la même longueur d'onde quand il souligne, dès les premières pages de *S/Z* (un livre dont la célébrité aura beaucoup contribué au discrédit du lisible), que « notre littérature est marquée par le divorce impitoyable que l'institution littéraire maintient entre le fabricant et l'usager du texte, son propriétaire et son client, son auteur et son lecteur. Ce lecteur est alors plongé dans une sorte d'oisiveté, d'intransitivité et, pour tout dire, de *sérieux* : au lieu de jouer lui-même, d'accéder pleinement à l'enchantement du signifiant, à la volupté de l'écriture, il ne lui reste plus en partage que la pauvre liberté de recevoir ou de rejeter le texte : la lecture n'est plus qu'un *referendum*. En face du texte scriptible s'établit donc sa contre-valeur, sa valeur négative, réactive : ce qui peut être lu, mais non écrit : le *lisible*. Nous appelons classique tout texte lisible[1] ». C'est sur cette opposition entre le lisible et le scriptible que Barthes greffe un peu plus tard, dans *Le Plaisir du texte*, celle plus célèbre et bénéficiant de la plus-value de la conceptualité psychanalytique, entre *textes de plaisir* et *textes de jouissance*[2].

Ailleurs Barthes s'en prendra à la lisibilité encore excessive du Nouveau Roman, qui « ne remue pas vraiment la langue[3] ». Il revient également sur ce qui lui apparaît comme la malédiction principale de cette culture de masse dont il a horreur : « un divorce évident, et terrible à mon sens, entre le lecteur et le scripteur : il y a d'un côté quelques scripteurs, ou quelques écrivains, et de l'autre une grande masse de lecteurs. Et ceux qui lisent n'écrivent pas. Le problème est là, n'est-ce pas ? Ceux qui lisent n'écrivent pas[4] ». Toute l'œuvre de Barthes pourrait être décrite comme une tentative d'échapper à la malédiction du lisible, qu'il faut toujours aussi entendre dans sa

1. *S/Z, op. cit.,* p. 10.
2. *Le Plaisir du texte, op. cit.,* p. 10-12.
3. Roland Barthes, Maurice Nadeau, *Sur la littérature*, Presses universitaires de Grenoble, 1980, p. 42.
4. *Ibid.*, p. 43.

perspective comme le déjà-lu. Le lisible triomphant, pur, ce sera la barbarie intégrale, l'apocalypse : « On peut dès lors avoir une vision apocalyptique de la fin du livre : le livre ne disparaîtrait pas – loin de là –, mais il triompherait sous ses formes les plus abjectes : ce serait le livre de la communication de masse, le livre de la consommation, disons *le* livre capitaliste au sens où une société capitaliste ne laisserait plus à ce moment-là aucun jeu possible à des formes marginales, où il n'y aurait plus aucune tricherie possible. Alors, à ce moment-là, ce sera la barbarie intégrale : la mort du livre correspondrait au règne exclusif du livre lisible et à l'écrasement complet du livre illisible[1]. »

Qu'est-il possible d'opposer à la vision apocalyptique de Barthes, dont on conviendra qu'elle n'est pas totalement impertinente au regard de ce que le champ littéraire est devenu trente ou quarante ans plus tard ? Comme chez Ricardou, la réponse est à chercher, semble-t-il, du côté de l'utopie : celle d'une société des amis du texte, évoquée dès *Le Plaisir du texte* et reformulée plus tard dans les termes suivants : « J'imagine donc une sorte d'utopie, où les textes écrits dans la jouissance pourraient circuler en dehors de toute instance mercantile et où, par conséquent, ils n'auraient pas ce qu'on appelle – d'un mot assez atroce – une grande diffusion [...]. Ces textes circuleraient donc dans de petits groupes, dans des amitiés, au sens presque phalanstérien du mot, et par conséquent, ce serait vraiment la circulation du désir d'écrire, de la jouissance d'écrire et de la jouissance de lire, qui feraient boule, et qui s'enchaîneraient en dehors de toute instance, sans rejoindre ce divorce entre la lecture et l'écriture[2]. » Mais contrairement à J. Ricardou, qui s'est donné avec les ateliers de textique les moyens de réaliser son utopie, celle-ci reste pour Barthes... une utopie, guère plus qu'une rêverie, un horizon ; faute peut-être de temps pour la réaliser (il disparaît l'année où paraît l'entretien avec

1. *Le Grain de la voix*, Paris, Seuil, 1981, p. 139.
2. *Sur la littérature, op. cit.*, p. 44.

Maurice Nadeau) mais surtout aussi faute de goût, d'esprit militant et du même coup de vocation pédagogique – car la révolution qu'il faut faire advenir a beau être textuelle plutôt que prolétarienne, elle reste essentiellement une affaire pédagogique.

De manière plus générale, on relèvera encore ceci à propos de Barthes : tout en prenant de façon parfois véhémente le parti de la production textuelle et du scriptible, il s'est moins engagé que d'autres non seulement dans sa théorisation mais aussi dans sa pratique. C'est une contradiction qui a souvent été relevée à son propos. De façon presque conjuratoire, il semble s'en prendre d'autant plus violemment au lisible qu'il reste non seulement beaucoup plus lisible que d'autres – classique même – mais qu'il continue également à commenter des textes lisibles plutôt que des textes de « jouissance », par définition illisibles (*S/Z* est un commentaire de *Sarrasine*, une nouvelle de Balzac). On peut en déduire que Barthes a toujours été au fond un classique, voire un antimoderne[1]. Une telle position ne rend certainement pas justice ni au « premier » Barthes (celui qui écrit *Critique et Vérité* ou sur Brecht), ni même à celui qui rêve d'une circulation restreinte et amicale des textes de jouissance. Elle souligne cependant le fait que l'adhésion de Barthes aux théories de la production du texte (ou de la textualité) n'a jamais été sans réserve, qu'elle s'est toujours doublée d'une sorte de lucidité mélancolique peu compatible avec l'espérance révolutionnaire et dont l'observation suivante rend exemplairement compte : « La modernité fait un effort incessant pour déborder l'échange : elle veut résister au marché des œuvres

1. Voir notamment Antoine Compagnon, *Les Antimodernes. De Joseph de Maistre à Roland Barthes*, Paris, Gallimard, 2005, p. 404-440, ainsi que Philippe Roger, *Roland Barthes. Roman*, Paris, Grasset, 1986, p. 127 *sq.* Thomas Pavel et Claude Brémond (*De Barthes à Balzac*, Paris, Albin Michel, 1998) voient même dans la contradiction entre le parti pris affiché de l'illisibilité et le goût de Barthes pour les classiques le symptôme d'un effondrement de la posture théorique et d'un retour vers une véritable culture de la lecture.

(en s'excluant de la communication de masse), au signe (par l'exemption du sens, par la folie) [...]. Et pourtant, rien à faire : l'échange récupère tout, en acclimatant ce qui semble le nier : il saisit le texte, le met dans le circuit des dépenses inutiles mais légales : le voilà de nouveau placé dans une économie collective (fût-elle seulement psychologique) : c'est l'inutilité même du texte qui est utile, à titre de potlatch. Autrement dit, la société vit sur le mode du clivage : ici, un texte sublime, désintéressé, là un objet mercantile, dont la valeur est... la gratuité de cet objet [...]. Pour le texte, il n'y aurait de gratuit que sa propre destruction : ne pas, ne plus écrire, sauf à être toujours récupéré[1]. »

Comment ne pas être récupéré, comment échapper définitivement à l'échange ? Barthes pose après beaucoup d'autres une question au moins aussi ancienne que l'histoire des avant-gardes et donne une réponse équivalant à un constat d'échec ou du moins à l'acceptation implicite d'un « clivage » ou d'un compromis, puisque la seule solution serait le silence, le renoncement absolu à l'écriture, même recyclée en production de sens. Toujours la lisibilité et l'échange (re)gagnent du terrain, non seulement parce qu'une certaine histoire de la société et du capitalisme va dans ce sens, mais aussi parce que la partie est en fait perdue d'avance. C'est l'aporie de tout projet d'art participatif mis au service d'une transformation de la société et de ses rapports de production, soit en l'occurrence au service d'une destruction des institutions littéraires et des partages qu'elles opèrent. Seule la reconversion de *tous* les lecteurs en producteurs de sens permettrait de concrétiser l'utopie d'un communisme de l'écriture. Il suffit d'un seul réfractaire à son propre désir d'écrire, et on peut être sûr qu'on le trouvera toujours. Il suffit d'un seul qui préférerait lire plutôt qu'écrire, d'un seul récupérateur, d'un profiteur passif, d'un seul pur lecteur en somme, et tout s'écroule. L'échange, la communication et le partage des tâches sont rétablis.

1. *Le Plaisir du texte, op. cit.*, p. 40-41.

Les situationnistes ont été confrontés au même problème, avec quelques années d'avance. Leur utopie d'un art intégralement participatif, qui n'est au fond qu'une généralisation de celle qu'on tente d'analyser ici, ne peut se réaliser que s'il n'existe plus ni spectacle ni spectateur. Elle exige que tout le monde devienne l'acteur ou le créateur de sa propre vie. Mais pour éviter que la vie réinventée ne vire à son tour au spectacle – comme c'est le cas avec le théâtre participatif ou les *happenings*, très en vogue au cours des années 1960 et absolument rejetés par les situationnistes –, la réinvention doit coïncider absolument avec la destruction du spectacle (de l'échange, du règne de la marchandise, etc.), c'est-à-dire avec une révolution aussi permanente que possible. Et c'est pour avoir reconnu qu'il ne pouvait qu'en être ainsi que les situationnistes ont franchi le pas, c'est-à-dire renoncé, dès le début des années 1960, à toute forme d'expression ou de représentation artistique. « Pour le texte, il n'y aurait de gratuit que sa propre destruction : ne pas, ne plus écrire, sauf à être toujours récupéré[1] » : Barthes et la plupart de ceux qui se sont passionnés pour une révolution du ou par le langage poétique s'inclinent ou reculent devant une telle évidence, car c'en est une. Il n'est pas si difficile de ne pas être récupéré, l'exemple du situationnisme le démontre. Mais les écrivains-théoriciens choisissent le compromis ou le clivage, ils ne sont pas prêts à renoncer à écrire, ni même à signer. Ils ont donc continué d'être des auteurs, avec les droits et les avantages afférents, leur légitimité étant même renforcée, rendue presque irréfutable par l'aura sacrificielle de leur disparition autoproclamée.

Mais avaient-ils le choix, auraient-ils pu faire autrement, franchir le pas, comme les situationnistes par exemple ? La voie explorée par J. Ricardou suggère que des solutions existent, que des pratiques alternatives de l'écriture sont imaginables en dehors des institutions configurant le champ littéraire. Mais l'alternative a sans doute ses limites, qui sont celles

---

1. *Le Plaisir du texte, op. cit.*, p. 42.

d'une production théorique se développant en boucle. De manière plus générale, il est beaucoup plus facile de passer à l'acte lorsqu'on se situe, comme les situationnistes, dans une perspective presque rousseauiste de rétablissement de l'immédiateté d'une communication authentique que lorsqu'on s'engage pour un communisme de l'écriture. Comment partager un désir d'écrire sans écrire, et comment écrire sans (re)devenir auteur, sans finir par être lu ? C'est une question à laquelle ceux qui se sont passionnés pour l'aventure de la révolution textuelle n'ont pas pu répondre.

Passages à l'acte

Ils ont bien tenté de le faire, une première et une dernière fois, au moment de Mai 68, ou en tout cas certains d'entre eux. Dans la perspective d'une histoire des pratiques artistiques, au sens large du terme, Mai 68 correspond en effet à un moment où leur « collectivisation » s'impose dans tous les domaines et selon des logiques semblables. Partout on s'en prend à l'art réduit à un produit de consommation, à la division du travail, à la sacralisation ou au mythe de l'auteur, à la signature considérée comme un principe de propriété privée. Conformément aux analyses situationnistes, il importe aussi d'en finir avec toute forme de spectacle, avantageusement remplacé par la réinvention par chacun de sa vie quotidienne[1]. En attendant d'y parvenir, il est conseillé de se montrer à l'Odéon fraîchement occupé et en train de devenir pour les artistes ce que la Sorbonne fut aux étudiants : le lieu d'une parole libre, collective et anonyme, du moins pour les anonymes.

Julian Beck, directeur du Living Theater et emblème d'un théâtre participatif, devient, entre l'Odéon et un peu plus tard Avignon, l'icône artistique de Mai 68, aux côtés d'un Jean-

---

1. Pour une description plus précise de cette période, voir Bernard Brillant, *Les Clercs de 68*, Paris, PUF, 2003, p. 257-306.

Jacques Lebel, infatigable importateur de *happenings* à l'américaine. Le théâtre verse ainsi pour une bonne décennie dans le registre de l'animation plus ou moins thérapeutique. Pendant ce temps, les cinéastes s'efforcent de faire dérailler le festival de Cannes tout en s'exhortant à organiser la diffusion de films dans les usines et à mettre leurs moyens de production au service du prolétariat. Chris Marker part tourner en usine[1]. Les peintres font la grève des expositions, certains d'entre eux décident que l'art doit aller au peuple et exposent eux aussi dans des usines. D'autres rejoignent les étudiants des Beaux-Arts en grève pour y créer l'« Atelier populaire » : un modèle immédiatement repris par d'autres[2].

Les écrivains et les intellectuels ne sont pas en reste. Dès les premiers affrontements, certains d'entre eux rendent public leur soutien à ce qu'ils identifient comme une « puissance du refus[3] ». Maurice Blanchot, Louis-René des Forêts, Pierre Klossowski, Nathalie Sarraute, Monique Wittig, Marguerite Duras, Michel Leiris, Jean Ricardou, Jacques Lacan, qui tous font partie à un titre ou à un autre des références de la mouvance théorique, en sont. Ils constituent pour l'instant un front assez hétérogène en compagnie d'une poignée d'existentialistes (dont l'inévitable Sartre), de survivants surréalistes et de quelques électrons libres. Les choses plus sérieuses commencent quelques jours plus tard avec la fondation, le 18 mai, d'un Comité d'action étudiants-écrivains (CAEE) dans lequel on retrouve en partie les mêmes, mais renforcés par d'autres qui viennent plus clairement encore de l'horizon théorique-réflexif, comme Maurice Roche, Jacques Roubaud ou Jean-Pierre Faye, qui a rompu avec Tel Quel et s'apprête à lancer la revue *Change*. L'initiative en revient une fois encore à Dyonis Mascolo, Maurice Blanchot et Jean Schuster, qui réactivent pour la circonstance des réseaux antigaullistes et des contacts

1. *Ibid.*, p. 282.
2. *Ibid.*, p, 299-300.
3. *Ibid.*, p. 188.

avec des écrivains engagés depuis longtemps pour l'autonomie de la littérature[1]. L'objectif du CAEE, pour dire les choses d'une formule, est d'aboutir à une « nouvelle définition économique et sociale du rapport de l'écrivain avec la société[2] ». Ce programme implique un certain nombre de considérations para-syndicales, mais se cristallise autour du thème du communisme de l'écriture ou de la pensée, qui est décidément dans l'air du temps. Ici comme ailleurs, la rédaction de textes collectifs sera donc à l'ordre du jour.

On occupe beaucoup en Mai 68, et il n'est donc pas étonnant que la principale action de gloire du CAEE semble avoir été de décider d'occuper l'Hôtel de Massa, siège d'une vénérable Société des gens de lettres, et d'y créer une nouvelle et révolutionnaire Union des écrivains. L'unité de cette nouvelle union sera cependant toute relative puisque son programme et son existence sont d'emblée contestés par Tel Quel qui, de façon un peu malheureuse, a choisi l'année 1968 pour conclure une alliance avec le Parti communiste et qui, dit-on, voit dans la mouvance du CAEE une menace pour son leadership sur l'avant-garde. Je n'entrerai pas ici dans le détail des querelles, qui n'ont rien d'essentiel[3]. Ce qui m'importe, c'est de relever qu'au niveau de ses premières déclarations (mais il n'y en aura guère d'autres), l'Union des écrivains est en phase avec les implications politiques de la mouvance théorique qu'on vient d'examiner. Elle s'interroge sur les moyens d'en finir avec le

1. En 1957 déjà, D. Mascolo et J. Schuster ont constitué un éphémère Cercle international des intellectuels révolutionnaires, puis créé en 1958 la revue *Le 14 juillet*, conçue comme instrument de résistance à la prise de pouvoir gaulliste. Entre 1960 et 1964, D. Mascolo et M. Blanchot tentent de regrouper une partie de ceux qu'on trouve au CAEE autour d'un projet de « Revue internationale », auquel participaient également Barthes, Italo Calvino, Pier-Paolo Pasolini, Alberto Moravia, Günter Grass, Hans Magnus Enzensberger, etc.
2. *Ibid.*, p. 268.
3. Voir sur ce point Bernard Brillant, *Les Clercs de 68, op. cit.*, p. 270-275 et Philippe Forest, *Histoire de Tel Quel, op. cit.*, p. 326-330.

système bourgeois de production-consommation de la littérature, elle se prononce pour la fin de la division du travail, pour le décloisonnement de la pratique littéraire (« Tous écrivains, aurait-on pu dire, comme on dirait aujourd'hui « tous blogueurs »). Elle veut créer des lieux de rencontre où les écrivains et les intellectuels se démettront de leur pouvoir et, selon la formule d'Alain Jouffroy, « s'efforceront d'établir de nouvelles formes de communication avec tous les travailleurs sans exception. Et aussi de changer les rôles[1] ».

Une fois, et une seule fois, des écrivains et des théoriciens, que l'on peut associer d'une manière ou d'une autre à la défense de l'autonomie de la littérature et pour certains d'entre eux à la valorisation de la production textuelle aux dépens de l'échange et de la communication, auront ainsi rejoint leur horizon politique, se seront confondus avec lui. Mais pour y faire quoi ? C'est une tout autre question. Pour qu'un horizon reste ce qu'il est, mieux vaut sans doute ne pas trop s'en approcher, ne pas l'occuper, même si les occupations sont du dernier mieux. D'une manière ou d'une autre on y disparaît, on s'y fond : soit parce qu'il y a véritablement passage à l'acte, renoncement au statut d'auteur et donc disparition effective de l'écrivain (mais il ne semble pas que cela soit beaucoup arrivé puisque la plupart d'entre eux, j'ai déjà eu l'occasion de le souligner, se sont bien *remis*) ; soit au contraire et, beaucoup plus vraisemblablement, parce que l'auteur reste ce qu'il est, parce qu'il continue de signer. Il signe même d'autant plus solennellement qu'il s'agit de son acte de décès, et tant pis si cela revient du même coup à signer la mort de l'utopie d'une littérature révolutionnaire non signée, anonyme et collective. Occuper, mais pour faire quoi ? L'aventure de l'Hôtel de Massa est en somme une pièce de plus à verser au copieux dossier de l'infortune des passages à l'acte dans l'histoire des avant-gardes.

---

1. Cité par Bernard Brillant, *Les Clercs de 68*, op. cit., p. 275.

On relèvera pour finir qu'il n'est pas insignifiant que Tel Quel, qui est quand même le principal agent de diffusion d'une théorie de la production du texte, n'ait pas participé à cette aventure. Au-delà des inévitables considérations tactiques qui ont joué leur rôle habituel, on peut faire à ce propos l'hypothèse que c'est précisément parce que Tel Quel a mis cette problématique au cœur de son expérience que le groupe s'est gardé de tout passage à l'acte. Ph. Sollers et les siens étaient en somme les mieux placés pour prendre la mesure du caractère nécessairement hâtif, naïf, rhétorique, pour ne pas dire opportuniste ou hypocrite, d'un tel passage à l'acte[1]. La question de la production du texte, de la révolution du et par le langage poétique, est *la* question de Tel Quel (dissidents compris) et on peut estimer que les membres du groupe ont été assez lucides sur ce point pour reconnaître qu'elle n'était pertinente que dans le cadre d'une conception autonome du champ littéraire. Dans cette perspective l'horizon d'un communisme de l'écriture *doit* rester un horizon ou un vecteur. On ne réalise pas la révolution du langage poétique à coups de permanences, d'ateliers, d'occupations et de descentes dans les usines pour y distribuer stylos ou caméras. Progrès en passages à l'acte assez lents.

---

1. L'Union des écrivains reste un rassemblement de circonstance, trop hétéroclite pour que ses déclarations d'intention puissent déboucher sur une politique littéraire révolutionnaire ou simplement commune et cohérente : comment mettre d'accord, pour prendre quelques noms parmi beaucoup d'autres, Maurice Blanchot, Jean-Pierre Faye, Jean-Paul Sartre, Marie Cardinal, Christiane Rochefort, Françoise Mallet-Joris et André du Bouchet ? Je sais qu'en Mai 68 le réalisme voulait qu'on demandât l'impossible, mais quand même.

CHAPITRE 3

Esthétique de la subversion

Équivoques de la « pensée 68 »

Le vilain mot a été lâché à la fin du chapitre précédent : il semble bien qu'il existe un rapport entre la mouvance théorique-réflexive et Mai 68, même si, comme on vient de le voir, ce rapport est complexe, ambigu ou même de l'ordre d'un malentendu. Compte tenu des vertus stigmatisantes du terme, il n'est peut-être pas inutile de tenter de faire la part des choses avant d'en arriver véritablement à l'objet de ce chapitre : la description de ce qu'on rassemble ici à l'enseigne d'une esthétique de la subversion.

L'aventure théorique-réflexive n'a pas toujours été calme. Elle a suscité de nombreuses polémiques et les attaques sont venues de tous les bords. Les batailles les plus connues, la théorie les a livrées sur sa « droite ». On pense ici, parmi d'autres, à l'emblématique affrontement entre Roland Barthes et Raymond Picard, parfois considéré comme une nouvelle version de la querelle des anciens et des modernes : Picard, auteur d'une monumentale thèse sur Racine parue en 1956, reproche au *Sur Racine* de Barthes[1] de tenir de l'imposture, d'être à la fois impressionniste et dogmatique et surtout d'être jargonnant – un reproche qu'il n'est ni le premier ni le dernier à adresser au théoricien. Barthes réplique avec *Critique et Vérité*, s'en prend aux définitions tautologiques de la littérature

---

1. *Sur Racine*, Seuil, 1963.

anti-humanisme
ou structuralisme

mises en avant par Picard et revendique le droit d'imposer à l'œuvre un métalangage de type théorique. D'autres polémiques ont été livrées à titre quasiment posthume, comme celle initiée par Luc Ferry et Alain Renaut avec leur *Pensée-68*, qui fait coïncider l'esprit de Mai 68 avec une mouvance (post) structuraliste dans laquelle Lacan, Derrida, Foucault et Bourdieu sont appelés à comparaître parce qu'ils se seraient reconnu une parenté d'inspiration avec le mouvement[1]. L'antiautoritarisme ? L'antihumanisme ? L'inculture ? C'est toujours – ou déjà – la faute à Barthes et à quelques autres, sinon à Mallarmé. De manière très générale, on peut dire que ce type de perception de la théorie s'est largement imposé aujourd'hui. Au regard du champ littéraire contemporain dans lequel l'auteur rechigne décidément à s'enthousiasmer pour sa mort ou pour son manque d'humanité, ou au regard de la configuration actuelle des études littéraires dominées par le retour à une histoire littéraire néo-positiviste, il apparaît que les tendances conservatrices hostiles à la théorie littéraire sont bel et bien parvenues à l'enterrer. La théorie a non seulement quasi disparu des universités, mais aussi de l'édition, dont il faut rappeler qu'elle a joué un rôle décisif dans son succès. L'édition – et ce n'était d'ailleurs pas la première fois – a en effet fonctionné comme un véritable contre-pouvoir face à l'université – Seuil contre Sorbonne[2]. Les lieux éditoriaux où il est possible de prolonger les réflexions propres aux années 1960-1980 sont devenus rares. Ils ont un statut clairement minoritaire ou marginal, ils font figure de survivances d'un temps révolu.

Cependant, les attaques venues d'une gauche plus classiquement marxiste n'ont pas manqué non plus au cours des années 1960 et 1970. Le contraire eût été étonnant, compte tenu de la réfutation quasi générale de la posture « engagée »

---

1. *La pensée 68. Essai sur l'antihumanisme contemporain*, Paris, Gallimard, 1985.
2. Voir sur ce point Régis Debray, *Le Pouvoir intellectuel en France*, Paris, Ramsay, 1979, « Folio », p. 91 *sq.*

par la mouvance théorique-réflexive. Un grand nombre des critiques « de gauche » ont mis la montée en puissance du (post)structuralisme sur le compte d'un moment de désenchantement ou de désillusion politique. Le structuralisme, ce serait déjà, deux décennies avant la chute du Mur de Berlin, une idéologie bourgeoise de la fin de l'histoire, privilégiant la stabilité des structures aux dépens de la dynamique de la dialectique et du matérialisme historique. Sans histoire, pas de praxis, et sans praxis pas de sujet, ni d'engagement du sujet, ni de lutte des classes, tout se tient.

Il faut dire que les structuralistes frappent fort contre l'histoire dans ces années-là, à commencer par Claude Lévi-Strauss qui attaque violemment le Sartre de la *Critique de la raison dialectique* : « Dans le système de Sartre, l'histoire joue très précisément le rôle d'un mythe[1] », assène-t-il aimablement. Rien d'étonnant donc si le camp marxiste contre-attaque. Jean Duvignaud évoque dans un article consacré à Claude Lévi-Strauss une fuite devant l'histoire[2]. Edgar Morin parle de regel ou de retour en arrière au regard des promesses du marxisme hétérodoxe issu de la « coupure » de 1956, celui qui s'incarne par exemple dans le groupe Socialisme ou Barbarie animé par Cornelius Castoriadis et Claude Lefort, qui comptent eux-mêmes parmi les critiques virulents du structuralisme[3]. Sartre est un de ceux qui a le plus à perdre dans cette aventure, il ferraille pour ne pas perdre pied et s'en prend avec aigreur au Foucault des *Mots et les Choses*[4]. Henri Lefebvre enfin met en

1. *La Pensée sauvage*, Paris, Plon, 1962, p. 336.
2. *Les Lettres nouvelles*, 62, 1958.
3. Edgar Morin, *Le Vif du sujet*, Paris, Seuil, 1969 et « Arguments, trente ans après », entretiens, *La Revue des revues*, 4, automne 1987, p. 19. Cornelius Castoriadis critique l'évacuation de l'histoire ainsi que le « scientisme » structuraliste : « alors que les gens sont de plus en plus opprimés au nom de la science, on veut les persuader qu'ils ne sont rien et que la science est tout » (*La Société française*, Paris, U.G.E., coll. 10/18, 1979, p. 226).
4. *L'Arc*, 30, 1966, numéro spécial Jean-Paul Sartre, p. 87-88.

rapport le succès du structuralisme avec l'avènement d'une société technocratique dont le but serait, là encore, la liquidation de l'histoire. Le structuralisme est ainsi interprété comme le reflet d'une modernité, oublieuse de l'histoire et des masses qui la font[1]. Dans un registre voisin, le marxiste anglais Terry Eagleton souligne la nature réactionnaire du structuralisme. Au nom de la structure, celui-ci ignorerait à la fois la littérature et le langage comme formes de pratique et de production. L'antihumanisme du structuralisme mettrait entre parenthèses le sujet humain, abolissant du même coup son potentiel en tant qu'acteur de l'histoire[2].

Si on considère ce qu'il en reste, on peut dire que les attaques venues du camp marxiste n'ont pas eu la même efficacité que celles provenant du camp conservateur, malgré une sorte de complicité objective avec celles-ci, notamment sur la question de l'antihumanisme. Elles n'ont pas imposé de consensus, elles n'ont pas conduit, à moyen ou à long terme, à une reconfiguration des pratiques dominantes dans le champ intellectuel ou littéraire, dont la conséquence aurait été la disparition du (post)structuralisme pour de *bonnes* raisons (selon ses détracteurs de gauche). À cela il y a au moins trois explications. Tout d'abord, il serait déplacé d'attendre de la triomphante restauration (néo-lansonienne, néo-kantienne, néo-humaniste, comme on voudra) qu'elle réhabilite les courants de pensée marxistes qui lui ont mené la vie dure depuis la libération jusqu'au début des années 1980. Il faut que le structuralisme meure, mais le marxisme aussi, ou *a fortiori*. Tel est le mot d'ordre, et il aura laissé peu de place à une pérennisation des critiques marxistes de la mouvance théorique-réflexive.

La deuxième explication – plus significative pour mon propos – met en cause la pertinence des arguments venus de

1. Voir notamment *Au-delà du structuralisme*, Paris, Anthropos, 1971.
2. *The Significance of Theory*, Londres, Basil & Blackwell, 1990, p. 17-19.

l'horizon marxiste. Si le (post)structuralisme a vraiment été le fer de lance idéologique d'une bourgeoisie technocrate et oublieuse de l'histoire, pourquoi cette bourgeoisie s'est-elle empressée de se débarrasser d'une telle aubaine idéologique en la faisant par exemple coïncider avec son repoussoir favori, la « pensée 68 » ? Et si la mouvance théorique n'avait pas été aussi bourgeoise que cela, si elle avait réellement eu une portée subversive ? Ne faut-il pas admettre que dans une large mesure, elle a dépassé le marxisme sur sa gauche, du moins sur le plan culturel (mais je ne suis pas sûr que tout cela se soit jamais joué sur un autre plan) ? Dans cette perspective, les querelles que lui ont cherchées Sartre, Lefebvre et les autres sont à considérer comme autant d'hommages contraints rendus à une pensée concurrente capable d'occuper le terrain politique ou révolutionnaire. Et sa montée en puissance s'explique alors moins par le désenchantement politique de la fin des années 1950 ou par l'avènement d'une société technocratique (n'est-elle pas là, en France, depuis des siècles ?) que par le réinvestissement de l'énergie politique-révolutionnaire dans des pratiques culturelles critiques.

Ce qui m'amène tout naturellement à la troisième explication : le poids politique de la mouvance théorique-réflexive est organiquement lié – on y revient toujours – à un large faisceau de *pratiques* littéraires et artistiques d'avant-garde, que ce soit dans le domaine de la littérature, des arts plastiques, du cinéma ou encore du théâtre. À la réalité de ces pratiques, à leur créativité et à leur nouveauté qui déterminent aussi leur capacité de s'imposer, de trouver un public, les discours revendiquant Marx et le sens de l'histoire n'ont à peu près rien à opposer. C'est un handicap sérieux, du moins au regard d'un contexte politique comme celui de Mai 68 dans lequel l'esthétisation de la politique ou, inversement, la politisation de l'esthétique ont joué un rôle très important, conformément d'ailleurs à une tradition française séculaire. Et cela ne manque pas non plus d'ironie puisqu'un des principaux reproches que les marxistes adressent aux structuralistes, c'est de faire l'impasse sur la question de la pratique.

Mais faut-il pour autant lier le destin de la mouvance théorique-réflexive à celui de Mai 68 ? Faut-il tenir l'une responsable de l'autre ? Dans son *Histoire du structuralisme*, François Dosse évoque le *come-back* de Sartre en mai 68 (il est le seul à avoir les honneurs de l'amphithéâtre de la Sorbonne occupée). Il relève de façon pertinente que s'il y a véritablement eu une « pensée 68 », ce n'est pas du structuralisme qu'il s'agit, mais beaucoup plus de celle du Sartre de cette époque ; ou encore – et de façon pas nécessairement compatible – de celle des situationnistes[1]. Certains structuralistes seront d'ailleurs copieusement conspués par les acteurs de Mai 68. On a également vu au chapitre précédent que le groupe Tel Quel, dans lequel s'incarne le (post)structuralisme littéraire, est tout sauf au centre des événements de Mai 68, qu'il boude les débats de l'Hôtel de Massa et qu'il est à l'époque plus ou moins aligné sur les positions d'un Parti communiste rarement considéré comme l'inventeur ou le détenteur de la « pensée 68 ». Force est d'en convenir : le théorique-réflexif et les pensées qui l'ont porté n'ont joué en Mai 68 proprement dit qu'un rôle mineur. Et indépendamment des circonstances motivant les engagements plus ou moins tièdes des uns et des autres, la principale cause de cette situation réside, me semble-t-il, dans le fait que c'est pour ainsi dire la vocation des théoriciens de *ne pas* descendre dans la rue, de ne pas céder aux charmes de la pratique immédiate.

Mais il n'en va pas de même au moment du reflux de la contestation, au moment de l'échec de l'insurrection à laquelle les composantes les plus radicales du mouvement de Mai en ont appelé. Ce que Luc Ferry et Alain Renaut identifient comme « pensée 68 » correspond beaucoup plus à une pensée

1. *Histoire du structuralisme*, vol. II, *op. cit.*, p. 136 *sq.* ; voir aussi, sur cet épisode, Patrick Combes, *Mai 68, les écrivains, la littérature*, Paris, L'Harmattan, 2008.

de l'après-68, soit précisément à un réinvestissement de l'énergie politique dans une série de pratiques culturelles qui prennent acte des impasses de l'« action directe », et partant de l'échec de ceux qui en ont été les maîtres à penser. S'il y a eu un *come-back* de Sartre en 1968, son second et rapide effacement n'en a été que plus remarquable. Ce changement d'horizon est essentiel : on passe du temps de la pratique, qui est celui de l'immédiateté et de la transparence, du « maintenant ou jamais », à celui de la « pratique théorique », qui a l'éternité devant elle. Dans cette perspective, la séquence 68 rejoue en accéléré l'oscillation caractéristique de l'histoire française des intellectuels déjà évoquée : celle entre l'engagement politique, le « passage à l'action » d'une part et le repli sur la négativité et la subversion interne de la culture d'autre part, qui déjà faisait dire à Mallarmé que l'époque traverse un tunnel et que celui-ci allait durer : « Le souterrain durera, ô impatient...[1] » En distinguant plus soigneusement entre Mai 68 et ses aprèscoups, on comprend également mieux pourquoi une mouvance théorique *antérieure* à Mai 68, et que personne ne saurait identifier sérieusement comme une des « causes » des événements de mai, peut bénéficier, dans l'après-coup des événements et du passage à l'action, d'un regain de popularité et d'une sorte de seconde vie moins académique encore que la première. La clé du passage de ce que j'ai appelé plus haut la période du « front commun » à des positionnements qui se veulent révolutionnaires, ce seraient bien les événements de Mai 68, sorte de « coupure épistémologique » interne à l'histoire de la théorie. En soi, c'est un moment qui n'a rien de théorique mais qui va redistribuer en profondeur les cartes et les raisons du théorique.

Le sens ou la fonction du théorique ne sont donc jamais donnés en tant que tels. Ils sont déterminés par ceux qui s'en servent, et beaucoup s'en sont servi, surtout après Mai 68, pour développer un discours dont l'intention était subversive, conformément à la tradition avant-gardiste qui prend au cours de cette

---

1. *Œuvres complètes*, *op. cit.*, p. 372.

seconde phase le pas sur le projet scientifique ou (néo)acadé-mique de la première moitié de la décennie 1960. Relevons à titre de contre-épreuve qu'il en a été autrement dans le monde anglo-saxon par exemple. On peut généraliser ici ce qui a été entrevu au premier chapitre à propos des prestiges de la réflexi-vité. L'histoire culturelle des États-Unis n'est pas marquée par les allers-retours entre esthétique et politique caractéristiques de l'histoire des avant-gardes françaises. L'art n'y est pas soumis au même impératif politique et inversement la culture poli-tique de ce pays n'accorde pas la même importance à la dimen-sion discursive-esthétique de la politique, spécialité française au plus tard depuis la Révolution : au regard de la *Factory* d'Andy Warhol par exemple, même la moins littéraire des avant-gardes françaises reste un exercice de rhétorique[1].

Significativement, le reflux du théorique n'a entraîné dans le monde anglo-saxon aucune restauration du même type qu'en France. Le théorique y a été au contraire usé ou débordé par une sorte de fuite en avant, par une réouverture sur le social, le politique et l'histoire qui s'est incarnée principalement dans les *gender studies*, les *cultural studies* et le *new historicism*[2]. Devenue beaucoup plus facilement hégémonique dans les uni-versités américaines qu'en France, la mouvance théorique et plus particulièrement sa composante déconstructrice (l'école de Yale) n'y a en revanche jamais bénéficié du même prestige politique que dans ses versions françaises. N'ayant pas vrai-

---

1. En forçant à peine les choses, on dira que même en tant que passage à l'acte, le Mai 68 français est resté théâtral, discursif, littéraire, comme ses ancêtres plus dramatiques du XIXe siècle. Il est resté une affaire de « parole libérée », reculant devant le passage à l'acte (notamment terro-riste) que connaîtront l'Allemagne ou l'Italie, et donc très éloigné aussi de son cousin américain, pragmatique et expérimental. C'est en tout cas parce que cette dimension discursive marque les événements de mai qu'à défaut d'avoir déclenché ceux-ci, la mouvance théorique-réflexive pourra jouer après coup les repreneurs et reconvertir la poésie de la parole quotidienne libérée en autant d'arts du discours (si ce n'est en paroles d'analysants).

2. Voir sur ce point François Cusset, *French Theory, op. cit.*

ment eu à s'imposer, comme en France, dans le contexte d'une université globalement conservatrice, elle a pu être assez facilement dépassée sur sa gauche, malgré une rhétorique généralisée de la subversion en fonction de laquelle la déconstruction de toute chose est virée au compte d'une opération micro-révolutionnaire. Aux États-Unis, la déconstruction tient lieu de subversion, et c'est sans doute parce que cette forme de « micro-subversion », qui consiste fondamentalement en une technique du commentaire très sophistiquée (« byzantine », disent les détracteurs), a surtout débouché sur de très confortables plans de carrière que la déconstruction n'a jamais eu aux États-Unis la même aura révolutionnaire que dans le vieux monde. Ses enjeux sont restés internes au monde académique, y compris sur le plan éditorial où presque tout s'est joué au niveau des presses universitaires. À cela s'ajoute la présence dans les mêmes universités d'une tradition marxiste forte. Ses représentants les plus connus (Terry Eagleton en Angleterre, Frederic Jameson aux États-Unis) ont été parfaitement capables de digérer la déconstruction ou de la remettre à sa place en développant dans le domaine des études littéraires des alternatives critiques crédibles. Personne, à ma connaissance, n'a jamais associé aux États-Unis la mouvance théorique-réflexive à une « pensée 68 ». Jerry Rubin, l'agitateur de Berkeley, et Paul de Man ne faisaient décidément pas partie du même monde.

La révolution rêvée mot à mot

Autour de Mai 68, puis surtout après, le théorique-réflexif a donc débouché – c'est mon hypothèse – sur un programme de subversion. Mais la subversion n'est pas une invention structuraliste ou poststructuraliste. Elle fait partie du cahier des tâches de l'avant-garde au plus tard depuis les dadaïstes et les surréalistes, qui se sont beaucoup appliqués dans ce domaine. Au regard de la très longue histoire des ennuis des écrivains avec la justice, des emprisonnements et vexations de toutes sortes qu'ils ont eu à subir, elle commence même beaucoup plus tôt. Pour tout dire, elle vient de la nuit des temps et d'une nuit tellement noire qu'il en fallait parfois bien peu, et même moins que rien, pour passer pour subversif. Depuis bientôt deux siècles, les choses ont heureusement – ou malheureusement – changé, avec ce résultat paradoxal pour l'écrivain à intention subversive qu'il est de plus en plus difficile d'être subversif et de payer de sa personne. Il y a bien longtemps que l'on n'embastille plus Voltaire, ni même Sartre, mais il n'est pas sûr que ce soit une bonne nouvelle pour le prestige de la littérature ou pour son efficacité symbolique.

C'est pourquoi l'histoire des avant-gardes fut aussi celle d'une surenchère dans les façons de *payer de sa personne*. À ce titre, elle tient en un certain nombre de variantes qui se laissent toutes ranger entre d'une part la solution de l'engagement politique (nécessairement radical, sinon à quoi bon ?), choisie avec ambivalence par les surréalistes puis avec nettement plus d'enthousiasme par Sartre et à sa suite de nombreux autres, et d'autre part une position sacrificielle, parfois d'ailleurs compatible avec un engagement politique. Celle-ci implique souvent des façons plus littérales de payer de sa personne, elle est réductible à un « ceci est mon corps » qui aura pris les formes les plus diverses : mythologies du « poète maudit » au XIXe siècle, avec syphilis, alcool et drogues à son cahier des charges, drogues encore au XXe siècle, avec *Le Grand Jeu* ou Antonin Artaud que sa maladie constitue en « suicidé de la société », expériences-limites avec Bataille, puis reprise (ou parodie ?) de telles positions, avec par exemple les mutilations pratiquées par les actionnistes viennois, etc.[1] Tous ont entendu payer de leur personne, comme c'est encore le cas de Guy Debord dont tout l'art aura consisté

1. Voir sur ce point Vincent Kaufmann, *Ménage à trois. Littérature, médecine, religion*, Lille, Presses universitaires du Septentrion, 2007 ainsi que *Poétique des groupes littéraires. Avant-gardes 1920-1970*, Paris, PUF, 1997.

à se constituer en exemplaire « ennemi de la société », selon sa propre expression, à se mettre en scène comme tel, mais aussi à payer de sa personne ou plutôt de la soustraction de sa personne au spectacle pour accréditer une telle mise en scène.

La mouvance théorique-réflexive monte en puissance au moment où cette histoire brille de ses derniers feux (en particuliers ceux du situationnisme), au moment où les différentes techniques de provocation et les « actions » inscrites au cahier des tâches des avant-gardes les plus diverses subissent une certaine usure due notamment à leur spectacularisation, dirait-on d'un point de vue situationniste. Elle prend acte de la fin de cette histoire, de ses répétitions et de ses impasses. À ce titre, elle se constitue dans ou comme un effet critique, d'une part, par rapport à la mythologie de l'engagement politique, d'autre part, par rapport à son envers sacrificiel. Dans toutes ses versions, elle déconstruit, implicitement ou explicitement, les traditionnelles oppositions entre « l'auteur et l'œuvre », entre « la vie et l'œuvre » ou encore celle entre le monde de l'action et celui de la contemplation poétique, oppositions dont procède ce qu'en termes derridiens on pourrait définir comme une métaphysique avant-gardiste de l'engagement de l'écrivain, quelle qu'en soit la forme. Là où il n'y a plus de vie pour lester l'insoutenable légèreté du texte, là où il n'est plus possible d'opposer *simplement* la vie et l'écriture, c'est toute une pensée de la rédemption de la littérature par la vie qui se retrouve disqualifiée[1]. La mouvance théorique-réflexive a obstinément brouillé ou périmé la possibilité de telles oppositions, ce qui lui permet d'évacuer également la nécessité de cet impératif avant-gardiste quasi séculaire : payer de sa personne. Il n'y a plus d'opposition entre la vie et le texte puisque la vie elle-même

---

1. Rédemption de la littérature par la vie : cette tradition constitue l'envers complice de la *grande* tradition moderniste occidentale de la rédemption de la vie par l'art analysée par Leo Bersani (avec notamment les étapes Baudelaire, Proust et Joyce). Voir *The Culture of Redemption*, Cambridge, Mas., Harvard University Press, 1990.

est, selon les différentes versions qui ont cours, prise dans un dispositif symbolique ou sémiotique (Kristeva), ou encore dans une archi-écriture (conformément à la perspective derridienne).

La vie est traversée par le langage ou même par l'écriture. On remarquera une nouvelle fois dans un tel contexte la fonction stratégique de la psychanalyse, notamment lacanienne. En faisant coïncider la question du sujet avec celle du langage (« Le signifiant, c'est ce qui représente le sujet pour un autre signifiant », dit Lacan), elle rabat également la vie sur le langage (et réciproquement), pour autant qu'il n'y a de sujet que vivant. Il n'y a pas de vie sans parole, et il n'est donc plus nécessaire de choisir l'une contre l'autre, ou l'une pour rédimer l'autre. Payer de sa personne consistera, au pire, à payer un analyste, mais ce n'est pas obligatoire. La psychanalyse, à laquelle ses détracteurs marxistes n'ont cessé de reprocher ses effets de démobilisation, aura ainsi été, entre 1968 et 1974 (soit entre *Semeiotiké* et *La Révolution du langage poétique*, pour prendre les deux ouvrages emblématiques de Julia Kristeva) le principal levier d'une politisation de la mouvance théorique-réflexive qui permet à celle-ci de se profiler sur le terrain de la pratique. Elle opère un partage entre ses versions scientifiques en voie d'académisation et ses versions avant-gardistes auxquelles elle fournit la plateforme nécessaire à une légitimité pratique : un nouveau sujet taillé dans le langage, capable d'élever l'« action restreinte » de Mallarmé au rang de pratique politique et même, on va le voir, au rang d'une sorte d'archi-politique. Signe de cette inflexion de la théorie vers une pratique (théorique), le célèbre colloque organisé par Tel Quel autour d'Artaud et de Bataille : emblématique tournant, retour au sujet (à des sujets), retour à des figures tutélaires de l'avant-garde, politisation à outrance, jusqu'à la parodie, provocation des acteurs théoriques venus de l'université[1]. Au niveau des études littéraires, on observe l'apparition, avec le tournant psy-

---

1. *Artaud, op. cit.* et *Bataille, op. cit.* Voir aussi sur ce point les commentaires de Philippe Forest, *Histoire de Tel Quel, op. cit.*, p. 432 *sq.*

chanalytique, de nombreuses lectures réhabilitant le biographique, interdit d'étude aux temps du structuralisme dur : non pas pour en revenir au bon vieux temps de « l'homme et l'œuvre », mais plutôt pour établir une *continuité* entre la vie et l'œuvre, toutes deux considérées comme des textes ou des dispositifs symboliques ou textuels se relançant réciproquement[1].

Le service ainsi rendu par la psychanalyse ne permet pas seulement une réconciliation de la vie et de l'œuvre, désormais situées sur un même plan. Un tel recours vaut plus généralement comme dispense de passage à l'acte, il donne ses lettres de noblesse à la subversion en tant qu'activité *symbolique*. Qui n'a jamais entendu un psychanalyste expliquer que la réalisation des désirs est moins importante que le fantasme, ou qu'en tout cas aucun désir (sexuel) n'est réalisable sans armature fantasmatique ? En dehors du fantasme, point de salut. Il en va d'ailleurs de même du rêve, dont Freud affirmait bien qu'il était la *réalisation* d'un désir (et non pas l'expression d'un désir à réaliser). Nous sommes devenus plus prudents que le Freud de *La Création littéraire et le rêve éveillé* en ce qui concerne l'assimilation du texte littéraire au rêve (éveillé) ou au simple fantasme – théorie littéraire oblige. Il n'empêche que c'est bien une dispense de passage à l'acte que la caution psychanalytique fournit au « sujet écrivant » en même temps qu'un « lieu » pour une pratique qui sera présentée sinon comme révolutionnaire du moins comme subversive. Où s'établir ? Non pas dans les usines, ni même devant les usines pour y distribuer des tracts, mais éventuellement sur les divans des analystes ou dans des textes à fonction auto-analytique, et de toute façon dans le langage lui-même qui est le matériau de

---

1. Les travaux de Deleuze et de Guattari sur Proust et Kafka, qui vont s'attacher notamment à la correspondance de l'un et l'autre écrivain, sont emblématiques de cette nouvelle façon de concevoir les rapports entre texte et vie. Ils seront suivis par de nombreux autres critiques qui, tout en préservant les acquis de la mouvance théorique-réflexive, sortiront des paramètres (post)structuralistes par la porte d'un retour au biographique.

base d'une subversion générale opérée pour le compte de tous. Dans ce sens, la mouvance théorique-réflexive aura déclenché une nouvelle « révolution rêvée », même si l'expression doit être entendue dans un sens très différent du titre de Michel Surya[1] : une révolution désormais rêvée *mot à mot*.

On peut sourire après coup de cette autre révolution rêvée, disparue corps et biens de nos radars. On peut la considérer comme décidément minuscule, pour reprendre un titre de Pierre Michon, un écrivain qui compte parmi les principaux représentants de la génération postrévolutionnaire ou post-théorique, celle qui aura notamment à se poser la question de savoir comment se remettre d'un tel rêve. On peut la considérer comme byzantine, pédante, jargonneuse et surtout rester scep-tique devant sa prétention à l'efficacité des micro-organismes qui finissent par triompher des monstres extraterrestres (ou du moins capitalistes), comme ceux de *La Guerre des mondes* de H. G. Wells. Il n'empêche qu'elle a eu le mérite de maintenir pendant un certain temps la littérature dans la sphère des débats publics et même polémiques. Elle a fait en sorte qu'on se passionne pour elle en même temps que pour la langue. À l'aune de l'absence de passion qui caractérise aujourd'hui la « chose littéraire » (que plus personne n'oserait d'ailleurs appeler ainsi à l'âge de l'*ego-marketing* appliqué), on se dit que si le théorique-réflexif a été une chimère ou une erreur, il fait décidément partie de celles qu'il faut de temps en temps regretter de ne plus faire. Cela vaut bien un inventaire, dont chacun décidera s'il doit rester posthume.

Le code et sa dénonciation

Beaucoup de ceux qui se sont réclamés du structuralisme – linguistique ou littéraire, peu importe compte tenu des che-vauchements et des proximités – ont sans doute pratiqué la

1. Michel Surya, *op. cit.*

subversion comme Monsieur Jourdain la prose : sans le savoir. Et beaucoup auraient été étonnés, sinon effrayés, si on leur avait dit, au début des années 1960, que non seulement leur discipline serait à l'avenir la « science-pilote », au moins dans le domaine des sciences humaines, mais encore qu'avec elle les fondements d'une « pratique révolutionnaire » étaient en train d'être posés. Comment expliquer une telle évolution, qui n'a d'ailleurs pas eu lieu dans les mêmes termes dans d'autres pays, à partir de recherches souvent austères ? Quel rapport entre l'analyse structurale du récit telle que la propose Barthes vers 1966, les schémas actanciels dérivés des recherches de W. Propp, ou encore le carré sémiotique de Greimas[1] et, pour faire vite, le président Mao Zedong ? Mon propos est d'examiner dans les pages qui suivent comment on passe concrètement d'un projet scientifique ou académique de modélisation de la littérature (l'époque du « front commun ») à celui d'une « révolution culturelle ». Quelles sont les opérateurs d'une telle inflexion, quels sont les éléments discrets d'une syntaxe de la subversion, comme on l'aurait dit en ce temps ?

Il existe un terme qui permet de réunir en une même problématique une part essentielle des recherches qui ont été menées à l'enseigne du structuralisme : celui de *code*. L'activité essentielle des structuralistes, du moins dans le domaine de la littérature, a consisté à identifier des codes à partir desquels les œuvres singulières sont produites. Ce terme est à comprendre dans un double sens au moins. Par analogie avec son sens génétique, il a tout d'abord une vertu programmatique. Tout texte littéraire est dans cette perspective une combinaison de programmes isolables les uns des autres. Un récit par exemple obéit à un code narratif, dont les fameux schémas actanciels qu'on vient d'évoquer constituent une description possible. Il comporte également un code discursif, dont G. Genette a identifié les composants dans son non moins

---

1. Voir ci-dessus Chapitre II, notes 1 et 2 p. 103.

célèbre *Discours du récit*[1] : tout récit est une combinaison de choix faits au niveau de sa structure temporelle, de sa structure modale (c'est la question du « point de vue ») et enfin de sa « voix », de sa structure énonciative (c'est la question du « qui parle », que la psychanalyse et la déconstruction viendront compliquer à souhait). Et s'il est possible de parler à ce propos de code, c'est parce que toute combinaison narrative repose sur un nombre limité de choix possibles. Enfin, un récit exécute également un code ou un programme sémantique dont le carré sémiotique de Greimas constitue une sorte de prototype. Le code sémantique jouera par ailleurs un rôle d'autant plus essentiel dans le domaine de la poésie que les codes requis par la narration en sont la plupart du temps absents.

Bien entendu les modèles théoriques se sont multipliés dans ce domaine. Dans *S/Z*, consacré à une lecture précise et exhaustive du *Sarrasine* de Balzac, Barthes ne distingue pas moins de cinq codes, dont la cohérence et la scientificité n'ont pas manqué d'être contestées. Le code sémantique y est redoublé par un code symbolique, le bon vieux code actanciel se divise en un code herméneutique et un code proaïrétique et Barthes ajoute encore un code qu'il définit comme culturel (et qu'on pourrait également qualifier d'idéologique)[2]. On observe ainsi une sorte d'inflation des codes qui, dans le cas de Barthes, précède de peu l'abandon de toute allégeance à une systématicité de type théorique ou scientifique. En changeant un peu d'échelle, on mentionnera encore un code au moins dont la fonction programmatrice est évidente : le code générique. La prise en compte du genre littéraire comme code et l'examen de l'évolution des genres, qui seront par exemple au cœur de certains travaux de G. Genette[3], ont constitué une des directions de recherche les plus fécondes de la mouvance

1. Voir *Figures III*, Paris, Seuil, 1972.
2. *S/Z*, *op. cit.*
3. *Introduction à l'architexte, op. cit* ; *Fiction et diction*, Paris, Seuil, 1991.

structuraliste et surtout permis, non sans ironie, d'en sortir pour revenir à des paramètres historiques[1].

Le code constitue donc un élément essentiel de la connaissance des procédés de fabrication ou de production du texte. L'engouement pour la question de la production et celui pour l'identification des codes sont à la limite une seule et même chose puisque la production est déterminée ou programmée par un ou plusieurs codes disponibles. En d'autres termes encore, on dira que la réponse au typique « comment c'est fait ? » servant de mot d'ordre à la mouvance structuraliste, c'est toujours un code (ou plusieurs), c'est-à-dire un principe de production généralisable et à ce titre objet par excellence du discours théorique. Lorsque celui-ci échangera les codes contre les singularités, il se condamnera à disparaître assez rapidement.

Mais si le terme de code a connu une telle fortune, c'est parce que très souvent on ne s'en est pas tenu à son sens « génétique ». Le code, c'est aussi, par exemple, l'obscur objet du désir des agents secrets. Sa connaissance est non seulement source de savoir-faire, mais aussi de pouvoir. Connaître, maîtriser le code donne du pouvoir, et notamment celui d'en abuser ou de le détruire. Dans ce second sens, le code n'est plus seulement une règle ni même un secret de fabrication, mais également la cheville ouvrière d'un imaginaire de la subversion ou de la transgression d'un ensemble de lois propres au discours dont on dira qu'elles constituent l'*idéologie*, à condition de ne jamais apparaître comme telles et de fonctionner précisément comme un code secret. Il y a de l'idéologie parce qu'il y a du code invisible, dissimulé comme tel, soit tout aussi bien *naturalisé*, comme on l'a beaucoup dit. L'idéologie est un code caché, et révéler celui-ci, ce sera donc toujours le *dénoncer*.

---

1. Le transit de la théorie à l'histoire par la question du genre a été également une des caractéristiques de la *Rezeptionsästhetik* allemande, développée autour de Hans-Robert Jauss. Voir en particulier dans cette perspective les nombreux travaux de Rainer Warning portant sur des genres précis (le roman, le comique, le lyrisme, etc.).

Au moins à ce titre, il faut le relever, la mouvance théorique-réflexive rompt beaucoup moins avec le marxisme qu'on l'a prétendu, puisque le marxisme a pensé l'idéologie comme quelque chose qu'un effet de vérité ou de conscience (de classe) peut et doit effacer ou renverser.

Les structuralistes, toutes tendances et disciplines confondues, ont été de grands dénaturalisateurs – François Dosse l'a relevé et Antoine Compagnon le dit d'une autre manière en plaçant la théorie sous le signe d'un combat contre la doxa[1]. Décoder, dénoncer, dénaturaliser fut leur grande affaire, et ceci d'autant plus qu'en identifiant le code, on tient en général également ce qui échappe à celui-ci, voire ce qui le subvertit. La scène primitive, c'est une nouvelle fois ici celle du passage des jeunes futuristes russes à la théorie, à ce qui va devenir le formalisme, c'est-à-dire le passage d'une esthétique de la *surprise* (du non codé) à l'identification de tous les codes (notamment narratifs). En France, les pratiques dé-codantes des dadaïstes conduisent à l'esthétique surréaliste de la (rencontre-) surprise. En Russie, le futurisme, à bien des égards comparable au dadaïsme, conduit également à la théorisation de la rupture avec le code, à une valorisation, sur le plan esthétique, de la surprise. Le mot de passe, on l'a déjà évoqué, c'est *l'ostranenie* de Chklovski. C'est minimal, ce n'est pas encore un programme politique, qu'il aurait été impossible aux formalistes de formuler dans le contexte d'une révolution bolchevique peu favorable aux expériences avant-gardistes, c'est le moins qu'on puisse dire. On peut même faire l'hypothèse que dans un tel contexte, la théorisation formaliste, avec ses apparences scientifiques ou académiques, représente un compromis permettant d'échapper, dans un premier temps du moins, à une injonction politique nécessairement destructrice. On devient en somme formaliste en Russie parce qu'il est peu conseillé d'y devenir surréaliste et on sait que pour beaucoup de ceux qui ont été associés au mouvement, cette prudence n'a pas suffi.

1. *Le Démon de la théorie*, *op. cit.*, p. 13 *sq*.

Il n'empêche que c'est une première impulsion qui est donnée et qui va produire de nombreux effets au cours du XXᵉ siècle.

Avant d'en revenir au contexte français, il faut évoquer une fois de plus le cas de Bakhtine, l'autre grand passeur (avec Jakobson) entre Russes et Français. Dans la France de la fin des années 1960, il s'impose, avec l'aide de Julia Kristeva, grâce à deux notions : celle de *carnavalesque* qu'il développe à propos de Rabelais[1] et celle de *roman polyphonique* (il joue Dostoïevski contre le caractère monologique du récit épique ou de Tolstoï)[2]. Or, dans une œuvre composée de multiples facettes, avec notamment toute une réflexion plutôt sociolinguistique sur le dialogique, sur l'altérité, mais aussi et antérieurement par exemple sur la dialectique héros-auteur, ces deux notions sont justement celles dont l'ascendance formaliste est la plus claire. En d'autres termes, ce sont celles qui se tiennent au plus près d'une problématique du code et de sa subversion. Pourquoi Bakhtine s'intéresse-t-il au carnavalesque ? Parce que c'est fondamentalement un principe de retournement des codes, un principe de subversion de l'ordre du discours, et ceci dès ses origines médiévales. Le carnaval, c'est l'occasion pour le peuple de renverser, de façon symbolique et pendant une période limitée, toutes les hiérarchies instituées – codées si l'on préfère – entre le pouvoir et les dominés, entre le noble et le trivial, entre le haut et le bas, entre le sacré et le profane, etc. Ce renversement général des valeurs culmine dans l'élection d'un roi du carnaval qui remplace temporairement l'autorité en place.

La dimension symbolique de la subversion carnavalesque est évidemment décisive puisque c'est ce qui en assure le caractère transférable au domaine de la littérature : le carnaval, c'est de la littérature appliquée, et la littérature, c'est du

---

1. *L'Œuvre de François Rabelais et la culture populaire au Moyen Âge et sous la Renaissance*, Paris, Gallimard, 1965.

2. *Problèmes de la poétique de Dostoïevski*, Lausanne, L'Âge d'homme, 1970.

carnaval stylisé, de la subversion symbolique au carré. Quant à la polyphonie (la multiplication des voix dans une même œuvre romanesque), elle est aussi un principe de dénaturalisation du code, c'est-à-dire un procédé qui fait apparaître le code en tant que tel par effet de multiplication : rien de tel qu'un deuxième code pour faire sortir le premier du bois, pour en faire apparaître l'arbitraire ou l'artificialité. La polyphonie, dira-t-on, suspend le code en le théâtralisant, en le désignant-dénonçant comme tel. On remarquera à ce propos – charmes de la théorie considérée comme un hypertexte – qu'une théâtralisation de la polyphonie nous ramène également à la dynamique de la réflexivité qui peut être définie dans cette perspective comme un effet de mise en scène ou en abyme du code, nécessaire à sa dénonciation.

Telle est la configuration initiale dont les structuralistes français vont hériter, mais qu'ils vont aussi radicaliser ou politiser, puisque rien ne les astreint à la prudence que les formalistes russes et Bakhtine ont dû s'imposer pour survivre. Dans un contexte déjà longuement balisé par les pratiques de l'avant-garde (Nouveau Roman, Nouvelle Vague, etc.), il leur est possible de faire de la question du code une question politique désormais centrale. Toute la théorie littéraire, ou plus exactement son succès, est liée à cette intuition qui insiste dès les années 1950 : rien de neuf dans le champ politique ne peut venir des vieux codes dont l'usage ne fait que reconduire le vieux monde. Bref, aucune subversion ne serait possible sans une critique systématique des codes constitutifs de l'idéologie dominante.

À ce titre, on dira que les structuralistes ont été subversifs avant d'être structuralistes. Du moins est-ce vrai pour ceux qui ne le sont pas non plus restés très longtemps, ceux qui n'ont fait que traverser le structuralisme tant que celui-ci offrait les meilleures armes en matière d'identification et de dénonciation des codes. C'est une nouvelle fois le parcours de Barthes qui s'impose ici comme l'exemple le plus parlant. Il évolue dans les années 1950, qui sont celles du *Degré zéro de l'écriture*, des *Mythologies* et d'une part importante des *Essais critiques*, entre Sartre et Blanchot, soit entre un désir d'engagement politique et le souci de l'autonomie de la littérature auquel vient s'ajouter, avec la référence à Brecht et à Robbe-Grillet, la critique des codes dominants. Le structuralisme vient dans un second temps et tient lieu pendant quelques années d'arme absolue en ce qui concerne la critique et la subversion des codes. Ce sera encore le cas au moment où paraît par exemple la *Théorie d'ensemble* de Tel Quel : « Rien ne provoque plus de résistance que la mise à jour des codes de la littérature [...] ; on dirait que ces codes doivent à tout prix rester inconscients, exactement comme l'est le code de la langue ; aucune œuvre courante n'est jamais langage sur le langage (sauf dans le cas de certains relais classiques), au point que l'absence de niveau métalinguistique est peut-être le critère sûr qui permet de définir l'œuvre de masse (ou apparentée) ; faire du langage même un *sujet* et cela à travers le langage même, constitue encore un tabou très fort (dont l'écrivain serait le sorcier) : la société semble limiter également la parole sur le sexe et la parole sur la parole[1]. »

On notera une nouvelle fois au passage la « solidarité objective » de la question de la réflexivité et de celle, typiquement structuraliste, du code. Mais ce qui m'importe dans le cas de Barthes, c'est que la question du code *précède* la systématisation structuraliste. Il aura fallu quelqu'un comme Barthes (même s'il est loin d'être le seul héros de l'aventure théorique) pour faire basculer l'activité structuraliste aussi clairement du côté d'une critique des codes dominants. C'est une position qui, en ce qui le concerne, a toujours été là. La preuve en est évidemment *Mythologies* : Barthes devient Barthes en se constituant, presque d'emblée, en l'ennemi des stéréotypes, toutes formes confondues. C'est parce que les stéréotypes ou le langage stéréotypé existent qu'il faut la littérature, ou plus

---

1. « Drame, poème, roman », *in* Tel Quel, *Théorie d'ensemble, op. cit.*, p. 39.

exactement l'écriture, la stylisation, le nouveau, le non-stéréotypé, l'*ostranenie* des formalistes pour y échapper. Il y a chez Barthes un désir presque originel de subversion des codes dominants (mais un code peut-il être autre chose que dominant ?), qui le conduit très vite, avant qu'il ne s'engage dans l'aventure de Tel Quel, à collaborer à une revue clairement de gauche comme *Arguments* plutôt qu'à la *NRF*[1]. De ce point de vue au moins, l'œuvre de Barthes est, de *Mythologies* au *Plaisir du texte* en passant par la période structuraliste, d'une grande cohérence.

Comme ce fut déjà le cas avec les ancêtres formalistes, l'aventure de la théorie a ainsi tenu, dans un premier temps, en un parti pris pour le nouveau et du même coup un combat contre la répétition. Les instruments théoriques peuvent changer, mais Barthes reste sur ce point aussi obstiné du temps du *Plaisir du texte* qu'il l'était du temps de *Mythologies*. La « jouissance » et les textes qui en procèdent, valorisés aux dépens du trop classique plaisir, y sont liés au nouveau, à l'exceptionnel, alors que l'idéologie – et en particulier l'« idéologie dans son essence » que représente le « langage capitaliste » – se définit au contraire comme répétition ou encore comme « empoissement »[2]. Ce dernier terme a l'avantage de rendre compte de la répulsion quasi physique de Barthes pour le langage codé, attendu et répétitif, une répulsion qu'il hésite de moins en moins à afficher en s'éloignant de la théorie. Avec l'âge, le temps qui passe et la relève du marxisme par la psychanalyse, les arguments politiques s'effacent derrière ceux d'une subjectivité à la recherche de sa souveraineté, en voie

1. Entre 1960 et 1967, soit au cours de cette phase de l'aventure théorique que je crois pouvoir placer sous le signe d'un front commun, la *NRF* a publié un nombre important d'« acteurs » de la mouvance théorique, avec une bienveillance qui étonne même au regard des divergences ultérieures : Blanchot bien entendu, qui est un des contributeurs les plus réguliers de cette décennie, mais aussi Butor, Sollers, Foucault, Genette, etc. Parmi les absents de marque on trouve précisément Barthes.
2. *Le Plaisir du texte*, op. cit., p. 48 et 65-66.

d'émancipation par rapport à la politique ; mais, au fond, il n'a pas changé.

L'héritage formaliste est également particulièrement évident dans la plupart des justifications esthétiques et politiques du Nouveau Roman (que Barthes est un des premiers critiques à saluer). La valeur d'une œuvre, disaient les formalistes, se mesure à sa nouveauté. Celle-ci consiste en une capacité de casser les habitudes de lecture et de contraindre l'œil à s'arrêter sur des objets échappant aux codes. À ce titre, les formalistes comptent parmi les inventeurs d'une esthétique valorisant la singularisation, avec toutes les impasses potentielles auxquelles conduit une volonté de singularisation tentant de s'affranchir du code[1]. L'art et la littérature deviennent, dans cette perspective, un instrument au service de la destruction de l'automatisme perceptif ou, si l'on préfère, au service d'un blocage de ce qui est immédiatement perceptible en tant que code. La fonction la plus essentielle d'une image poétique

---

1. Voir T. Todorov, *Théorie de la littérature*, *op. cit.*, p. 14-15. L'impasse apparaît avec la radicalisation du refus de tout code, avec la difficulté et même l'impossibilité de lui échapper *entièrement*. Que serait une œuvre affranchie de tout code ? Une œuvre sans doute illisible, et ce n'est pas pour rien que dans la mouvance « textualiste », l'illisibilité a été élevée au rang de qualité révolutionnaire. Ou alors une œuvre immédiatement réencodée, obéissant d'autant plus aveuglément à un nouveau code qu'elle n'en est pas consciente (code de l'absence de code). Ce serait déjà l'exemple de l'écriture automatique surréaliste, emblématique code de l'affranchissement de tout code et c'est peut-être, à l'époque qui nous retient ici, une des clés de ce qu'il faut quand même appeler l'échec *esthétique* de la mouvance théorique-réflexive la plus radicale, si tant est qu'un tel échec se mesure à la capacité, en l'occurrence problématique, d'une esthétique à se transmettre, à susciter des reprises, des détournements, des appropriations. On ne lit plus guère le Nouveau Roman aujourd'hui, mais que dire alors des « récits » publiés entre 1965 et 1980 par Ph. Sollers, J.-P. Faye, M. Roche, J. Thibaudeau, G. Scarpetta, etc. ? On dira que le but d'une telle esthétique était de produire de l'interruption, de ne pas se transmettre, de rester justement illisible et qu'à ce titre elle a été le contraire d'un échec.

– mais aussi bien de la littérarité en général – n'est pas de nous faciliter la compréhension de son sens, mais de créer une perception particulière de l'objet qu'elle représente, ce qui implique également une perception de son caractère construit. Elle est créatrice de vision nouvelle et non de reconnaissance.

On a parfois l'impression que les représentants du Nouveau Roman – auxquels leurs cadets de la mouvance textualiste reprocheront précisément leur formalisme – reprennent ce programme tel quel. Tout le Nouveau Roman semble tenir dans une capacité de rendre perceptibles les codes du roman, de passer d'un état de transparence romanesque où les codes restent invisibles à un état d'opacité, d'exhibition-résistance des codes dont le renversement est en fin de compte l'unique objet du roman. Au cahier des charges du Nouveau Roman, on trouvera ainsi régulièrement le renversement du code « personnage » (par perte de cohérence et d'identité sémantique par exemple), du code « description » (notamment par effet d'inflation, par rupture de l'équilibre « classique » entre narration et description), du code chronologique (on tourne en rond), du code de non-contradiction entre les événements racontés, etc. Il s'agit là d'un ensemble de renversements qui sont systématiquement mis au service d'un renversement « supérieur », opérant la synthèse de ceux qu'on vient de mentionner : celui de la représentation, que le romancier se doit de faire apparaître dans sa fausse naturalité. Tout le Nouveau Roman tient ainsi dans un processus de parasitage des codes narratifs qui permet de faire apparaître la réalité représentée dans un roman comme une *illusion référentielle*. Si tel roman nous donne l'impression d'être réaliste, c'est parce que nous sommes les victimes ou les complices d'une idéologie bourgeoise fondée non seulement sur des représentations spécifiques du monde, mais aussi et surtout sur la naturalisation des codes qui sont à l'origine de ces représentations.

Telle est, selon Jean Ricardou notamment, la fonction *critique* de la littérature, une fonction qui s'incarne dans le Nouveau Roman bien sûr, mais aussi et avant lui dans toute une série d'œuvres dont la grandeur se mesure à l'aune de leur capacité de dénaturalisation des codes narratifs et romanesques (Swift, Sterne, Diderot, Flaubert, Proust, Kafka, etc.) : « Si, donc, comme on l'a maintes fois noté, la littérature nous fait mieux voir le monde, nous le révèle, et, d'un mot, en accomplit la critique, c'est dans l'exacte mesure où, loin d'en offrir un substitut, une image, une représentation, elle est capable, en sa textualité, de lui opposer un tout autre système d'éléments et de rapports. Toute tentative naturaliste qui [...] voudrait substituer à l'objet décrit le simulacre d'un objet quotidien se trompe deux fois. Elle méconnaît d'une part, nous l'avons vu, l'action productrice de la littérature, et d'autre part ce corollaire : sa fonction critique[1]. » Cette formulation, on le notera, a ceci de particulier qu'elle constitue une synthèse de presque tous les aspects du théorique-réflexif tel que nous l'avons interrogé jusqu'ici : l'autonomie de la littérature (capable d'opposer au monde un autre système de rapports), la productivité liée à cette autonomie (la littérature produit sa propre réalité, linguistique, et montre comment elle le fait) et enfin sa fonction critique de dénonciation des codes.

Le travail d'identification et de dénonciation des codes est revendiqué explicitement par les écrivains regroupés à l'enseigne du Nouveau Roman, mais aussi par d'autres écrivains et des théoriciens, comme une pratique *discrète* de la subversion. Dans une certaine mesure, c'est d'ailleurs une tautologie, du moins dans la perspective de ceux qui la pratiquent. On ne voit pas très bien comment pourrait fonctionner une subversion indiscrète, publique, s'affichant comme telle et par conséquent déjà prise dans les codes dominants, condamnée à les répéter. Elle est donc nécessairement discrète, confiée aux bons soins de critiques et d'écrivains qui sont bien dans ce sens des agents secrets ou des *hackers* à la recherche de codes à démonter ou dénoncer. Formalisme, jeux de mots

1. « Fonction critique », *in* Tel Quel, *Théorie d'ensemble, op. cit.*, p. 255-256.

163

et de lettres pour les uns, activité de taupe pour les autres, qui récusent le modèle sartrien de la subversion-persuasion, qu'il s'agisse du grand amphithéâtre de la Sorbonne en Mai 68 ou des tonneaux de Billancourt quelques jours plus tard. C'est Jean Ricardou encore qui le dit de la manière la plus explicite, lors du colloque de Cerisy consacré au Nouveau Roman : « La subversion est moins quelque chose qui se dit, que quelque chose qui se fait. Nul besoin de s'adresser à qui que ce soit, oratoirement, pour être subversif, il suffit parfois de transformer un certain nombre d'éléments dans un champ idéologique donné, c'est ce que font nos textes. Avec la mise en circulation de nos textes, le champ idéologique se trouve déplacé : c'est là un acte de subversion. L'idée de "s'adresser à" fait intervenir aussi la notion de public. Or cette notion de public est entièrement liée à l'organisation sociale actuelle de la littérature qui veut qu'un écrivain, pour pouvoir vivre, ait un éditeur et des droits d'auteur. Lorsque Sartre, pour subvertir, parle et s'adresse à un public, il prolonge comme écrivain le schéma idéologique qui a fait malgré tout, ne l'oublions pas, la réussite de sa carrière[1]. »

Donnons ici, avec Ricardou toujours, un dernier exemple de la portée subversive que les « décodeurs » prêtent à leurs opérations, à la critique discrète de l'idéologie littéraire dominante : « À son niveau, le Nouveau Roman a mis en cause le système idéologique Expression-Représentation qui s'appuie sur l'idée d'un sens institué dont le romancier serait en quelque façon le propriétaire. Or c'est sur l'appropriation d'un pays par un autre, précisément, que s'appuie le système colonialiste. En produisant des textes face auxquels une lecture liée à l'Expression-Représentation se montre impuissante, le Nouveau Roman se trouvait mettre en cause les manières de penser appartenant à une idéologie de propriétaires. La publication de *La Question* et celle, conjointe, du Nouveau Roman est donc en mesure de

1. *Nouveau Roman : hier, aujourd'hui*, vol. 1, U.G.E, coll. 10/18, 1972, p. 384-385.

s'articuler dès qu'on abandonne le dogme représentatif[1]. »
Alleg, Robbe-Grillet et Ricardou, même combat (anticolonia-
liste), pourrait-on conclure. On pourra sourire d'une équation
mettant en rapport les combats d'un homme emprisonné, torturé, qui a payé de sa personne, et des opérations de subversion
des codes romanesques dominants. Je préfère, pour ma part,
souligner la particularité de ce contexte politique. La France est
après tout, au moment où le Nouveau Roman émerge, un pays
en guerre civile (inavouée), marqué par une violence d'État
considérable, soumis à la censure. C'est une des clés pour comprendre pourquoi, dans ce pays, le théorique-réflexif se présente
beaucoup plus facilement et immédiatement que dans d'autres
pays occidentaux comme une activité de subversion. À l'ombre
de la violence d'État, de la répression et d'une liberté d'expression pour le moins tronquée, les opérations les plus discrètes
passent du côté de la résistance et de la subversion, comme en
hommage aux origines résistantes des Éditions de Minuit.

Contre la représentation

Jean Ricardou évoque ci-dessus le système « Expression-
Représentation ». Nous avons déjà examiné ce qu'il en était du
côté de l'expression, qu'il revient à l'auteur mort ou, du
moins, congédié de faire tomber en désuétude. La question de
la représentation, elle, est bien à virer au compte d'une problématique du code et de sa subversion. Le fait qu'une représentation soit perçue comme réaliste serait en effet un simple
code, un arbitraire idéologique naturalisé et donc masqué, qu'il
est alors logique de qualifier également, comme cela a très

1. *Ibid.*, p. 387. Rappelons que *La Question* est un récit d'Henri Alleg
dans lequel l'auteur raconte comment il a été torturé en Algérie par les
forces de sécurité françaises. Paru en 1958 aux Éditions de Minuit, éditeur de la plupart des nouveaux romanciers, le récit d'Alleg sera immédiatement interdit en France.

souvent été le cas, d'illusion référentielle. On peut dire que sur son versant pratique, toute la mouvance théorique-réflexive – en particulier le Nouveau Roman mais également les textes qui s'écrivent au cours des années 1960 autour de Tel Quel – aura fait de l'illusion référentielle sa bête noire. Elle se sera acharnée à casser les codes romanesques qui font qu'une représentation nous paraît réaliste ou crédible. Et sur son versant théorique, elle aura passé beaucoup de temps à dénoncer l'illusion référentielle, à montrer quels étaient les codes qui rendent celle-ci possible. C'est l'enjeu notamment du célèbre article de Barthes sur l'« effet de réel », c'est-à-dire l'introduction dans un récit de détails « réalistes » qui n'auraient d'autre fonction que de produire cette illusion référentielle[1]. Dans le même ordre d'idées, Philippe Sollers évoque l'illusion réaliste comme une « duperie constante et monumentale [...] qui est celle de la méconnaissance de la lettre et du caractère central de cette lettre par rapport à nous[2] ». Gérard Genette est sur la même longueur d'onde, qui rappelle notamment ce que le refus du réalisme doit à Valéry et à sa marquise[3].

La dénonciation de la représentation littéraire comme une illusion référentielle déterminée idéologiquement prend place dans un réseau cohérent de concepts et de partis pris. Elle s'appuie sur l'hyper-conventionnalisme linguistique des structuralistes, c'est-à-dire sur une radicalisation de la question de l'arbitraire du signe telle que Saussure l'a posée. Elle accentue le découplage du signe par rapport au référent, programmé par la « coupure » saussurienne consistant à passer du couple signe/référent au couple signifiant/signifié, qui laisse le référent dans l'ombre et qui implique fondamentalement une conception autoréférentielle du langage. Celui-ci signifie non

---

1. « L'effet de réel », *Communications* n° 11, 1968, p. 84-9. Voir sur ce point les commentaires très éclairants – et critiques – d'Antoine Compagnon (*Le Démon de la théorie, op. cit.*, p. 122 *sq.*)
2. *Logiques, op. cit.*, p. 245.
3. « Frontières du récit », *Figures II*, Paris, Seuil, 1969, p. 49.

pas par renvoi à la réalité mais crée sa propre réalité par un système interne de renvois et d'oppositions. Cette propriété autoréférentielle du langage est à son tour détournée ou radicalisée par la théorie littéraire, ou du moins par les théoriciens s'attachant à la critique de l'illusion référentielle. Du langage se référant à lui-même pour signifier, on passe en effet au langage parlant de lui-même, et de celui-ci on passe à la littérature ne parlant *que* d'elle-même, à l'exclusion de toute référence à la réalité : retour à « l'absente de tout bouquet » qui était déjà au cœur de la poétique de Mallarmé.

L'acharnement contre l'illusion référentielle semble donc surdéterminé, compte tenu du contexte théorique dans lequel il s'inscrit[1], mais celui-ci suffit-il à expliquer, justement, l'acharnement ? Le prestige de la subversion de l'illusion référentielle tient-il simplement de la conviction théorique qui veut que le langage soit autoréférentiel, avec toutes les ambiguïtés et les impasses liées à une telle conviction ? A-t-on vu d'autres débats philosophico-linguistiques déboucher sur un mot d'ordre aussi massivement repris ? Je n'en suis pas sûr. Rappelons que les acteurs du Nouveau Roman, et *a fortiori* ceux qu'ils reconnaissent à un titre ou à un autre comme des prédécesseurs (de Sterne à Roussel), n'ont pas attendu la vogue structuraliste pour subvertir les codes de l'illusion référentielle. La conceptualisation structuraliste du penchant autoréflexif de la littérature s'apparente ainsi à la justification théorique rétrospective d'une position en dernière instance idéologique-politique que je suis tenté de définir également, en la situant dans un contexte un peu plus large, comme *iconoclaste*, *anti-spectaculaire* ou encore comme relevant plus généralement d'une pensée misant sur la force ou le pouvoir de la *négativité*.

J'ai déjà eu l'occasion de le souligner : entre la mouvance théorique-réflexive et les situationnistes, le courant n'est pas

1. Pour plus de précisions sur la généalogie de l'anti-référentialisme radical de la mouvance théorique-réflexive, je renvoie également à Antoine Compagnon, *Le Démon de la théorie*, *op. cit.*, p. 103-145.

passé. Les rapports des uns aux autres ont été faits d'indifférence, d'ignorance et occasionnellement, du côté de Debord et des siens, de mépris affiché. C'est très compréhensible, compte tenu des positionnements intransigeants des acteurs de l'époque et de leur tendance à cultiver les petites différences : on se fâchait alors pour beaucoup moins que pour ce qui différenciait un groupe comme Tel Quel des situationnistes. En même temps, et avec un début de recul historique, une telle ignorance réciproque ne laisse pas d'étonner. Rétrospectivement, ce sont plutôt les proximités qui frappent, soit aussi une façon non seulement d'appartenir à un même temps, à une même histoire, mais également une façon de *faire* ce temps, d'en imposer les paramètres essentiels. Cette convergence concerne notamment les partis pris anti-spectaculaires des uns et des autres. Les thèses de Debord sur le spectacle sont bien connues, ainsi que l'art (ou l'anti-art) – en particulier cinématographique – qui s'en déduit. Elles n'ont certes jamais été reprises sous cette forme par la mouvance théorique-réflexive, mais celle-ci est bien, dans presque toutes ses composantes, sur une ligne anti-spectaculaire. Avec J.-J. Goux, on dira que cette mouvance est également *iconoclaste*[1], comme on peut d'ailleurs aussi l'affirmer de Debord (et dans son cas même dans tous les sens du terme). Rappelons à ce propos que selon J.-J. Goux, les figures tutélaires de l'iconoclasme moderne, ce sont bien Nietzsche, Marx et Freud, inamovibles piliers du « poststructuralisme » et tous trois présents à un titre ou à un autre dans *La Société du spectacle*[2]. Ce sont les grands dénonciateurs modernes de

1. *Les Iconoclastes*, Paris, Seuil, 1978.
2. C'est évident pour Marx, c'est démontrable pour Freud, détourné à plusieurs reprises dans *La Société du spectacle* qui transfère notamment le « wo es war, soll ich werden » de Freud sur le plan social et économique, la révolution consistant en somme à remplacer un inconscient spectaculaire par une conscience anti-spectaculaire. Et si Nietzsche est moins présent, on a quand même relevé que c'était dans son œuvre que la notion même de spectacle apparaissait pour la première fois. On se gardera bien entendu de réduire le spectacle au visuel ou à l'image, comme d'autres

dimension anti-spectaculaire

l'image et plus radicalement encore de la *réalité telle qu'elle se donne à voir*. Il y a non seulement de l'imaginaire (de la méconnaissance), des images qui font illusion, de l'idéologie, mais c'est pour ainsi dire la quintessence du visuel de nous tromper ou de faire écran à une vérité identifiée au concept, au symbolique, ou encore au travail théorique, dont le but est toujours, et quel qu'en soit l'objet, de saisir un *au-delà des apparences*[1]. Dans le domaine qui nous intéresse ici, cet au-delà sera par exemple identifié en termes de code, comme on vient de le voir. Pourquoi lit-on et surtout pourquoi théorise-t-on ? Pour identifier ou percer les codes cachés derrière la réalité visible, derrière ce qu'un texte donne « à voir ». Le visible ne compte pas, et il justifie du même coup toutes les méfiances que le théorique-réflexif entretient par rapport à des phénomènes comme l'imagination ou l'identification (de l'auteur ou du lecteur à des personnages par exemple).

Le rapprochement a ses limites. La condition d'une destruction du spectacle, pour Debord, c'est la révolution, la vraie, faite de soulèvements violents, d'insurrections et de guerres civiles – du moins est-ce là son horizon. Dans la mouvance théorique-réflexive, on se contente de parasiter les codes qui ne concernent qu'un petit maillon (faible ?) du spectacle. Il y avait peu de chances que les deux mondes se rencontrent. Ce qui m'importe ici, c'est de souligner que le théorique-réflexif comporte une dimension anti-spectaculaire ou iconoclaste et qu'à ce titre il se définit comme un positionnement politique

le réduisent aux médias (audiovisuels). Mais si la notion renvoie à l'essence du capitalisme en même temps qu'à l'ensemble des processus par lesquels il se met en scène (à son idéologie), il n'en reste pas moins que la critique du spectaculaire implique également une dimension iconoclaste, une volonté de détruire les images (on s'en convaincra en examinant la dialectique image/voix dans les films de Debord) ou encore une volonté de leur échapper (on s'en convaincra avec ses œuvres autobiographiques).

1. Voir aussi sur ce point Martin Jay, *Downcast Eyes, The Denigration of Vision in Twentieth-Century French Thought*, Berkeley, University of California Press, 1993.

LA FAUTE À MALLARMÉ

antiréaliste, nécessairement en porte à faux avec la position stalinienne (Aragon) ou existentialiste (Sartre). Sa ressource est le refus des apparences visibles, il consiste en un travail de négation du monde tel qu'il se présente, une *négativité* qui voue la réalité à l'illusion. Et si une telle position peut être qualifiée de politique, c'est non seulement parce qu'elle dispute à la mouvance sartrienne son monopole politico-littéraire, mais encore parce que la négativité dont elle procède est fondamentalement productrice de *pouvoir* dans le champ littéraire ou intellectuel. On peut parler dans ce sens d'une politique de la négativité, et celle-ci correspond à un pouvoir de dénonciation des apparences, à une capacité de se situer au-delà (ou au-dessus) de l'illusion réaliste ou référentielle.

La fascination exercée par ce pouvoir de dénonciation est à mon sens une des clés du succès du théorique-réflexif. Dans tout théoricien aura sommeillé une sorte d'Hercule Poirot capable de déjouer les sortilèges bourgeois de la représentation, un aventurier de la traversée du miroir revenu témoigner de l'autre scène. Et les hiérarchies qui s'établiront peu à peu dans le domaine de la théorie, avec les structuralistes sérieux (Greimas par exemple, mais aussi Lévi-Strauss) cédant les premiers rôles aux « poststructuralistes » (notamment aux États-Unis), sont fonction de la complexité avec laquelle les différents discours concernés font miroiter un au-delà de la représentation. Le prestige de ces discours est lié à la complexité de ce qu'ils élaborent à titre de négativité. Tant qu'il s'agit de la « littéralité » du texte (sa dimension signifiante), comme dans le Nouveau Roman ou chez le Ph. Sollers des années 1960, les choses sont encore relativement simples et exigent surtout des talents de cruciverbiste. Il y aura ainsi des virtuoses de la « lettre », mais peuvent-ils vraiment rivaliser avec une J. Kristeva qui réinvente la négativité en terme de « *chora* sémiotique », ou avec les derridiens brouillant indéfiniment les cartes de la mimesis et de son origine ? Les déconstructeurs sont dans cette perspective des super-décodeurs, ils s'en prennent en quelque sorte à un code supérieur (et donc

170

plus prestigieux) : l'ensemble de la configuration philosophique codée par la métaphysique occidentale.

En forçant un peu le trait, on dira que toute théorie de la littérature est par définition antiréférentielle, travaillée par la négativité, et qu'il n'existe pas de théorie réaliste de la littérature. Mais, objectera-t-on, qu'en est-il alors d'un Lukács et de sa *Théorie du roman*, du recours à l'herméneutique de la *Rezeptionsästhetik* de Jauss et d'Iser, de Bakhtine, de théoriciens de la littérature marxistes comme Terry Eagleton ou Frederic Jameson et de bien d'autres encore ? Bien entendu les (post)structuralistes n'ont pas le monopole de la réflexion, mais il ne suffit pas de penser, même bien, pour faire de la théorie littéraire. Le cas de T. Eagleton est ici exemplaire : son marxisme en fait beaucoup plus un critique des théories (notamment autoréférentielles) qu'un théoricien. De la même manière, si le groupe de la *Rezeptionsästhetik* n'a jamais été paré des prestiges de l'aventure théorique, si les rapports entre Allemands et Français sont restés ambivalents, c'est parce que la *Rezeptionsästhetik* est revenue, via l'herméneutique et le retour à l'histoire, à une certaine forme de réalisme. Et l'incontestable prestige d'un Bakhtine est peut-être justement lié à sa capacité de faire miroiter une synthèse entre l'autoréférentialité de l'œuvre et sa détermination sociale. Encore faudrait-il examiner de près si cette synthèse a bien eu lieu ou si elle n'est pas l'effet de certaines interprétations, notamment celles (françaises) qui l'ont tiré du côté de l'autoréférentialité. On observera à ce propos que la meilleure connaissance de son œuvre, favorisée notamment par la publication en 1981 par Todorov du *Principe dialogique*[1], n'a pas vraiment contribué à une relance de la réflexion théorique en France. On relèvera aussi

---

1. Tzvetan Todorov, *Mikhaïl Bakhtine. Le principe dialogique*, Paris, Seuil, 1981. À la limite, c'est même plutôt le contraire : le livre de Todorov est à mettre au compte d'une histoire des façons de *sortir* de la théorie littéraire, comme d'ailleurs sa *Critique de la critique,* paru un peu plus tard (*op. cit.*).

que c'est précisément sur ce terrain que le collectif Change a pris ses distances les plus systématiques avec ses rivaux et ses prédécesseurs, c'est-à-dire en récusant la constellation textualiste et autoréflexive. Mais il l'a fait au prix d'un renoncement au théorique, voire d'une perte de visibilité dans le champ de l'avant-garde théorique. Il manque au monde réel ou au réalisme la *séduction* du théorique, qui est toujours aussi celle d'un pouvoir construit en boucle, de façon réflexive.

Du point de vue de la mouvance théorique-réflexive, il y a donc des greffes qui ne prennent pas, et d'autres qui prennent, parce qu'elles sont solidaires de l'antiréalisme de la théorie. Parmi ces dernières, on relèvera une fois de plus celle de la psychanalyse, un des principaux leviers d'une relance du théorique après 1968. Il y a beaucoup de raisons qui expliquent le succès de la psychanalyse au cours de cette période et un certain nombre d'entre elles n'ont rien à voir avec la littérature. Mais si la psychanalyse – notamment lacanienne – est compatible avec la théorie littéraire, c'est parce qu'elle procède bien du même iconoclasme (la critique de l'imaginaire de Lacan venant renforcer celle de Freud), de la même méfiance pour le réalisme et surtout d'un antiréférentialisme encore plus radical, puisqu'avec elle, c'est non seulement le référent qui est congédié, mais également le signifié. En simplifiant ici à l'extrême les appareils conceptuels très sophistiqués qui se sont mis en place autour de ces questions, on dira que le désir est précisément au sujet parlant ce que le code est au texte littéraire : quelque chose qui échappe au visible, une autre scène, comme le disait déjà Freud, mais qui détermine le visible ou le conscient. Le désir est en somme le code du sujet, et c'est pourquoi les représentations propres à ce sujet relèvent d'une « réalité psychique » *intérieure* au regard de laquelle la réalité « extérieure » est secondaire[1].

---

1. Dans un article intitulé « Le réalisme et la peur du désir », Leo Bersani arrive à des conclusions semblables en ce qui concerne le réalisme, qu'il considère comme un système produisant du refoulement, incapable

L'iconoclasme, le refus du spectaculaire et surtout la négativité sont aussi les clés permettant de comprendre la proximité, au cours des années 1960 et 1970, de la mouvance théorique et de Maurice Blanchot, du moins dans l'esprit de beaucoup de leurs lecteurs, alors que celui-ci n'a jamais recouru au moindre concept structuraliste ni joué les chasseurs de code. Au-delà de ses tout premiers romans, pour lesquels on a parfois convoqué la catégorie du réalisme fantastique (ce qui n'est déjà pas si réaliste), le parti pris narratif et critique de Blanchot sera résolument antiréaliste, anti-spectaculaire, peut-on dire, renforcé au niveau biographique par son refus de paraître dans l'espace public et dans les médias. On le vérifiera par exemple avec les complexes procédures de distorsion ou de déstabilisation de la représentation romanesque dans ses récits, ou avec sa capacité d'effacer, dans ses articles critiques, la singularité et donc la réalité de l'expérience des écrivains qu'il commente au profit d'un mythe (d'une théorie) de la littérature. Rappelons enfin que dans les différents textes qu'il a consacrés à Mai 68, Blanchot adopte des positions curieusement proches de celles des situationnistes[1]. Plus généralement, Blanchot est un écrivain qui a incontestablement *fasciné* nombre de ses lecteurs. Je fais l'hypothèse que cette fascination est liée à la capacité de Blanchot à raturer sans cesse ce qu'il donne à voir, ou encore à *donner quelque chose à ne pas voir*. Toute fascination procède – aussi – d'un aveuglement.

Le même constat s'applique à la mouvance derridienne, qu'il s'agisse de ses composantes françaises ou américaines,

---

d'ouverture aux signes du désir qui restent « non structurables et discontinus (republié dans Roland Barthes, Philippe Hamon, Michael Riffaterre, Leo Bersani, Ian Watt, *Littérature et Réalité*, Paris, Seuil, 1982, « Points », p. 55).

1. Voir notamment *La Communauté inavouable*, Paris, Minuit, 1984, p. 52 *sq.*, ainsi que « La parole quotidienne », *L'Entretien infini*, Paris, Gallimard, 1969, p. 355 *sq.* (article consacré à Henri Lefebvre).

dans laquelle on aura consacré beaucoup de temps à déconstruire les paramètres philosophiques du réalisme et à leur opposer une productivité de l'écriture définie comme mimesis originelle, comme une force de production *ex nihilo* de la représentation, précédant tout référent. C'est l'enjeu de l'importante lecture que Jacques Derrida a consacrée à Mallarmé, et plus particulièrement à un texte en prose intitulé *Mimique*[1] : il s'agit d'un court texte sur un mime, qui « imite » en l'absence de tout modèle, et dont le geste vaut clairement pour celui de l'écriture. Il faut également évoquer dans cette perspective la démarche très proche de Paul de Man et de ceux qui se sont réclamés de lui, selon lesquels l'objet par excellence de toute lecture est quelque chose comme le *point d'aveuglement* du texte – sa *blindness*, ce qu'un texte ne voit pas et ne donne à voir que sous forme d'un aveuglement destiné de surcroît à contaminer le regard du lecteur – d'où aussi cette figure imposée de toute lecture déconstructrice selon laquelle la lecture échoue nécessairement sur sa propre impossibilité ou son propre aveuglement[2].

1. « La double séance », *in La Dissémination*, Paris, Seuil, 1971. Le texte de Mallarmé fait partie du recueil intitulé *Crayonné au théâtre* (*Œuvres complètes*, *op. cit.*, p. 293-351). Parmi les réflexions de la mouvance derridienne sur la représentation, signalons encore l'important ouvrage collectif *Mimésis Desarticulations*, Paris, Aubier-Flammarion, 1975, qui réunit des contributions de Jacques Derrida, Philippe Lacoue-Labarthe, Jean-Luc Nancy, Sylviane Agacinski et Sarah Kofman. On notera aussi que c'est essentiellement par le biais d'une problématique de la mimésis « originelle » que la mouvance girardienne – présente surtout aux États-Unis – trouve également une place dans le paysage théorique. Le désir mimétique permet en somme à Girard et à ceux qui l'ont suivi d'éviter le reproche d'instrumentalisation de la littérature ou, si l'on veut, de réalisme. On doit à Mikel Borch-Jacobsen les articulations les plus convaincantes entre le monde derridien et le monde girardien (voir en particulier *Le Sujet freudien*, Paris, Aubier-Flammarion, 1982).

2. *Blindness and Insight : Essays in the Rhetoric of Contemporary Criticism*, *op. cit.*

Notons enfin à titre de conclusion que les seules démarches qui se sont clairement profilées comme théoriques au-delà de l'âge d'or des années 1960-1970 sont elles aussi antiréférentialistes, et que c'est sans doute à cet antiréférentialisme qu'elles doivent leur dimension théorique, dont elles tirent leur force de séduction[1]. Il nous reste aujourd'hui la théorie du champ littéraire de Bourdieu et beaucoup y recourent. Mais n'est-ce pas parce qu'il s'agit d'une théorie fondamentalement antiréaliste, qui suppose un au-delà « stratégique » de la représentation (en l'occurrence le positionnement de l'écrivain dans un champ donné, régi par les « règles de l'art », par ses codes) ? La théorie du champ littéraire socialise le code ou le désir de l'écrivain, mais il y a toujours – ou de nouveau – un code (qui décide de telle appartenance spécifique au champ littéraire), un désir (de carrière), et l'un et l'autre sont *a priori* invisibles, pour ne pas dire inconscients. Il y a là de quoi occuper de nouvelles générations de Hercule Poirot[2].

---

1. Leur séduction, ou plus exactement leur capacité de se transmettre, de faire école : de même qu'il existe des althussériens, des lacaniens, des derridiens, il existe des « bourdieusiens » ou encore des luhmanniens en Allemagne (voir note suivante). Le théorique est même essentiellement fait pour *se* transmettre et donc il doit se construire, *réflexivement*, pour pouvoir le faire. La réflexivité, soit tout aussi bien l'antiréférentialisme, peut se définir dans cette perspective comme l'inclusion d'une stratégie de transmission dans le discours.

2. On pourrait aussi évoquer à ce propos, dans un contexte allemand, l'œuvre de Niklas Luhmann (1927-1998). On sort avec celle-ci du domaine de la théorie littéraire. Les ambitions de Luhmann sont nettement plus globales (mais l'ambition globale, c'est aussi une des caractéristiques de la théorie). Il conçoit un « système-art », mais aussi un « système-communication » et un « système-société ». Particularités de tous ces systèmes : ils sont autoréférentiels, comme il cherche à le démontrer dans *Die Gesellschaft der Gesellschaft* (Frankfurt, Suhrkamp, 1997). On le vérifiera notamment avec la théorie du langage développée par Luhmann. Au-delà d'un nouveau lexique à apprendre, le lecteur habitué aux débats (post)structuralistes s'y retrouvera en pays connu.

Transgressions

Des codes au Code : l'histoire de la théorie littéraire et de ses deux phases (le front commun puis le tournant révolutionnaire) peut encore se décrire comme le passage d'une critique des codes régissant le discours littéraire à une dénonciation ou déconstruction du code des codes, à savoir le langage lui-même. Elle commence avec les astuces formelles du Nouveau Roman, qui laissent le langage en tant que tel intact, et se termine avec le prestige des exercices glossolaliques d'Artaud. Entretemps, ce n'est plus seulement une certaine conception de la littérature qui est dénoncée comme bourgeoise, mais c'est le langage lui-même qui est devenu « fasciste ». Ce n'est pas le plus enragé des théoriciens qui l'affirme, mais le doux Barthes en personne, dans sa leçon inaugurale au Collège de France, et même un peu plus tôt dans *Le Plaisir du texte*. Le langage est fasciste, terroriste, policier, il faut y échapper et c'est par la littérature, en écrivant ou en lisant qu'on y parvient, à condition de savoir se confronter à l'imprévisibilité de la jouissance ou du moins à celle des « textes de jouissance » plutôt qu'à la prévisibilité de sa propre demande (de son imaginaire) et des « textes de plaisir » qui la supportent[1]. C'est en

---

1. *Le Plaisir du texte, op. cit.*, p. 12. Citons également ici un long passage de *Leçon* (Paris, Seuil, 1978, p. 14-15) : « La langue, comme performance de tout langage, n'est ni réactionnaire, ni progressiste ; elle est tout simplement : fasciste ; car le fascisme, ce n'est pas d'empêcher de dire, c'est d'obliger à dire. [...] Dès qu'elle est proférée, fût-ce dans l'intimité la plus profonde du sujet, la langue entre au service d'un pouvoir. En elle, immanquablement, deux rubriques se dessinent : l'autorité de l'assertion, la grégarité de la répétition. D'une part la langue est immédiatement assertive : la négation, le doute, la possibilité, la suspension de jugement requièrent des opérateurs particuliers qui sont eux-mêmes repris dans un jeu de masques langagiers ; ce que les linguistes appellent la modalité n'est jamais que le supplément de la langue, ou ce par quoi, telle une supplique, j'essaye de fléchir son pouvoir implacable de constatation.

somme l'*ostraniene* des formalistes russes devenue non seulement vecteur de subversion mais aussi de *perversion*, qu'il faut désormais considérer, du moins dans la perspective de Barthes, comme la vérité ou la réalité de la subversion. La psychanalyse est passée par là : la perversion, ce sera le dernier stade de la subversion désormais soustraite à une phraséologie révolutionnaire en passe de devenir ringarde.

Il est beaucoup question de perversion dans *Le Plaisir du texte*. Au regard du « fou ne puis, sain ne daigne, névrosé je suis » posé presque d'emblée dans cet essai[1], elle est apparemment la seule solution honorable, ce qui se fait de mieux en matière de subversion post-politique ou encore de « subversion subtile », opposée plus loin dans le même livre non seulement

---

D'autre part, les signes dont la langue est faite, les signes n'existent que pour autant qu'ils sont reconnus, c'est-à-dire pour autant qu'ils se répètent ; le signe est suiviste, grégaire ; en chaque signe dort ce monstre : un stéréotype : je ne puis jamais parler qu'en ramassant ce qui *traîne* dans la langue. Dès lors que j'énonce, ces deux rubriques se rejoignent en moi, je suis à la fois maître et esclave : je ne me contente pas de répéter ce qui a été dit, de me loger confortablement dans la servitude des signes : je dis, j'affirme, j'assène ce que je répète [...]. Dans la langue, donc, servilité et pouvoir se confondent inéluctablement. Si l'on appelle liberté, non seulement la puissance de se soustraire au pouvoir, mais aussi et surtout celle de ne soumettre personne, il ne peut donc y avoir de liberté que hors du langage. Malheureusement, le langage humain est sans extérieur : c'est un huis clos. On ne peut en sortir qu'au prix de l'impossible : par la singularité mystique, telle que la décrit Kierkegaard, lorsqu'il définit le sacrifice d'Abraham, comme un acte inouï, vide de toute parole, même intérieure, dressé contre la généralité, la grégarité, la moralité du langage ; ou encore par l'*amen* nietzschéen, ce qui est comme une secousse jubilatoire donnée à la servilité de la langue, à ce que Deleuze appelle son manteau réactif. Mais à nous, qui ne sommes ni des chevaliers de la foi ni des surhommes, il ne reste, si je puis dire, qu'à tricher avec la langue, qu'à tricher la langue. Cette tricherie salutaire, cette esquive, ce leurre magnifique, qui permet d'entendre la langue hors-pouvoir, dans la splendeur d'une révolution permanente du langage, je l'appelle pour ma part : *littérature*. »

1. *Ibid.*, p. 13.

au militantisme classique et à son langage stéréotypé (fasciste), mais également aux stratégies frontales classiquement destructrices de l'avant-garde[1]. La perversion, dans ce sens, c'est une « science de la jouissance du langage[2] ». Il s'agit d'ouvrir par le texte (écrit ou lu, peu importe) « la brèche de la jouissance, de la grande perte subjective, identifiant alors ce texte aux moments les plus purs de la perversion, à ses lieux clandestins[3] ». La subversion est désormais moins une affaire de dénonciation des codes que de déstabilisation du langage, court-circuité en tant que moyen de signification ou de communication et dans une perspective plus lacanienne en tant que « lieu de la loi ». Il s'agit d'en jouer et d'en jouir. Le pervers, qui vise l'atopie et non plus l'utopie[4], fait du langage un usage gratuit, asocial et clandestin. Il écrit ou lit des « textes de jouissance » parés des prestiges de l'illisibilité, et il cherche les failles et les défaillances, signes de modernité et de subversivité, dans les « textes de plaisir » plus classiques[5]. Cette version érotisée de la

1. *Ibid.*, p. 86-87.
2. *Ibid.*, p. 14.
3. *Ibid.*, p. 93.
4. De l'utopie à l'atopie, c'est un chemin qu'il est également possible de mesurer à l'aune du destin de Fourier dans l'histoire des avant-gardes françaises. Index prestigieux d'un désir de transformation de la société chez les surréalistes comme plus tard encore chez les situationnistes (mais plutôt chez Vaneigem que chez Debord), Fourier glisse chez Barthes du côté de la pratique (perverse) de l'écriture. C'est ainsi toute la dimension programmatique de ses écrits qui est neutralisée, mais celle-ci n'a peut-être jamais existé, rétorquerait Barthes (voir son *Sade, Fourier, Loyola*, Paris, Seuil, 1971).
5. La « subversion subtile », dans cette perspective, est moins une affaire de catégorie de textes que d'attitude par rapport à (presque) n'importe quel texte, y compris les « textes de plaisir » (lisibles) qu'il faut lire contre eux-mêmes. Même un texte critique peut devenir écriture, « texte de jouissance », si le lecteur est assez pervers pour se faire le voyeur du plaisir de son auteur : « Comment lire la critique ? Un seul moyen : puisque je suis ici un lecteur au second degré, il me faut déplacer ma position : ce plaisir critique, au lieu d'accepter d'en être le confident

« grève devant la société » chère à Mallarmé (nettement plus doué, lui, pour la mélancolie que pour la perversion) radicalise et surtout sexualise la question de l'intransitivité du langage poétique. Celui-ci est toujours à lui-même sa propre fin comme l'est également la jouissance perverse, soustraite à la finalité de la reproduction[1], et donc il procède d'une telle jouissance[2]. À un niveau plus sociologique, on dira qu'elle est dans l'air du temps. Paré des prestiges encore sulfureux de la perversion, le théorique-réflexif gagne en séduction, surtout auprès de théoriciens en général très normalement névrosés.

La position du Barthes du *Plaisir du texte* permet en somme d'être pervers sans vraiment l'être (« névrosé je suis »), de la même manière que les théories de la production du texte conféraient au ci-devant écrivain une irréfutable aura prolétarienne sans qu'il lui fût nécessaire pour autant de descendre dans la rue et de trop se mêler à la foule. Car s'il est vrai, comme Barthes l'affirme, que la perversion implique un rapport de transgression au langage identifié à la Loi (au Père), il s'agit quand même, dans les propositions du *Plaisir du texte*, d'une perversion plutôt confortable, taillée sur mesure pour les producteurs de texte. Le propre du véritable pervers n'est-il pas en effet d'oser un passage à l'acte qui fait que ni la langue ni sa transgression ne sont plus son problème – sa jouissance se fondant notamment sur l'immédiateté du scopique[3] ? Au

---

– moyen sûr pour le manquer –, je puis m'en faire le voyeur : j'observe clandestinement le plaisir de l'autre, j'entre dans la perversion ; le commentaire devient alors à mes yeux un texte, une fiction, une enveloppe fissurée. Perversité de l'écrivain (son plaisir d'écrire est *sans fonction*), double et triple perversité du critique et de son lecteur, à l'infini » (*ibid.*, p. 31).

1. *Ibid.*, p. 40.
2. Dans *Sur la littérature. Entretien avec Maurice Nadeau, op. cit.*, l'équivalence entre intransitivité et perversion sera explicite (p. 41).
3. Piera Aulagnier-Spairani, Jean Clavreul, François Perrier, Guy Rosolato, Jean-Paul Valabrega, *Le Désir et la Perversion*, Paris, Seuil, 1967 (voir notamment Jean Clavreul, « Le Couple pervers »).

cours de ces années de reflux politique, la mouvance théorique-réflexive aura ainsi survécu en s'appropriant, grâce aux bons offices du Docteur Lacan bien inspiré par Bataille, une problématique de la *transgression*, qui devient un des maîtres mots de la seconde phase de l'aventure théorique-réflexive. De l'imaginaire politico-policier qui vouait le théoricien à percer et dénoncer les codes de la bourgeoisie, on passe ainsi à une politique de la transgression de la langue elle-même érigée en loi et en principe d'oppression, en père politique : « Le texte est (devrait être) cette personne désinvolte qui montre son derrière au *Père Politique* », écrit encore Barthes[1].

Au tournant de la décennie, la théorie littéraire, ou du moins certaines de ses versions, gagnent sur le terrain de la sexualisation du théorique ce qu'elles perdent en rigueur formelle, d'une part, et en ambition politique, d'autre part. Le langage poétique, matière première de la théorie littéraire, est désormais branché, par Barthes et d'autres, sur la jouissance et la sexualité. Il était le lieu d'une micro-révolution prolétarienne, d'un communisme de l'écriture. Il est désormais celui de la levée du refoulement et des jouissances perverses. On maintient ainsi la possibilité du théorique, mais en branchant celui-ci sur l'agenda de l'époque en matière de libération des mœurs. Quant aux époques ultérieures, elles n'entendront la leçon que d'une oreille. Elles ont gardé la perversion, aujourd'hui industrielle et banale, mais en oubliant soigneusement de la connecter à la question du langage. Cela laisse beaucoup de place à la littérature para-pornographique, mais sans doute peu à une littérature perverse et *a fortiori* subversive. Mais qui se soucie aujourd'hui d'être subversif ?

---

1. *Le Plaisir du texte, op. cit.*, p. 84.

Le prolétaire sémiotisé

Si *Le Plaisir du texte*, avec son insistance sur le terme de perversion, donne parfois l'impression d'une sorte de velléitarisme de la transgression, c'est aussi parce que le théorique n'est désormais plus vraiment au centre des intérêts de Barthes, parce qu'il tient un peu du *lipp-service* à l'intention de ses complices. Ce qui veut dire encore, si on suit les hypothèses d'Antoine Compagnon sur ce point, que le théorique est en passe de devenir chez Barthes un effet de couverture d'une position devenue imperceptiblement antimoderne ou du moins d'une ferveur révolutionnaire extrêmement tiède[1] ; une façon de dire à ceux pour qui l'aventure théorique continue qu'il est des leurs, tout en prenant la tangente. Car pour d'autres, la question du langage et de sa transgression n'a cessé, dès 1968, de prendre de l'ampleur et de l'importance au niveau théorique.

C'est notamment le cas de Julia Kristeva, qui donne des impulsions décisives, avec *Semeiotiké*[2] puis *La Révolution du langage poétique*[3], à la réorientation « révolutionnaire » du théorique-réflexif (qui perdra justement dans l'opération une partie de sa dimension réflexive, on va le voir). Avec le passage de la dénonciation des codes (bourgeois) de la littérature à une subversion générale de la langue par des moyens de littérature, ce sont aussi les ambitions politiques de la mouvance théorique qui changent. Il n'est plus question de subversion subtile ou discrète, mais bien de faire du texte (à distinguer comme l'eau du feu de l'œuvre littéraire) le dispositif essentiel d'un combat mené contre les fondements mêmes de la société, à savoir le symbolique, au sens lacanien du terme où il se

1. Antoine Compagnon, *Les Antimodernes : de Joseph de Maistre à Roland Barthes, op. cit.*
2. *Ibid.*
3. *Ibid.*

confond avec le langage. Même si dans un premier temps d'autres perspectives théoriques sont également convoquées pour imposer l'idée d'une « sémiotisation » du social[1], la conceptualité lacanienne s'avèrera la plus efficace – ou la plus séduisante – dans ce registre. Elle rendra à la théorie littéraire un service inestimable (de plus) en réduisant, via le concept de symbolique, le social (l'ordre, la loi, le pouvoir, etc.) au langage. Quoi qu'il en soit, le combat théorique ne se livre désormais plus au nom de l'autonomie de la littérature, mais au nom du caractère politiquement ou socialement englobant du texte, ou encore au nom de son caractère de modèle : « Puisque la pratique (sociale : c'est-à-dire l'économie, les mœurs, "l'art", etc.) est envisagée comme un système signifiant "structuré comme un langage", toute pratique peut être étudiée en tant que modèle secondaire par rapport à la langue naturelle, modelée sur cette langue et la modelant[2]. »

Toute pratique sociale étant structurée comme un langage, le texte devient le terrain où s'effectue la critique ou même la destruction du social, autant dire le terrain de la révolution. Plus exactement encore il sera celui d'une archi-révolution clairement posée comme condition de possibilité de la « véritable » révolution : « Aussi voit-on de nos jours le texte devenir le terrain où se *joue* : *se pratique* et *se présente* le remaniement épistémologique, social et politique[3]. » Il n'y a donc pas de révolution si celle-ci ne s'en prend pas également – et simultanément – aux structures symboliques de la société qu'elle entend renverser. Fissurer le symbolique, comme le dira de son côté Barthes, tel est l'enjeu politique du « travail de la signifiance » (ce terme renvoie à la façon dont le texte

1. Notamment celles développées par Iouri Lotman et l'école de Tartu, dont J. Kristeva a pris connaissance en russe bien avant que Lotman ne soit traduit en français (*La Structure du texte artistique*, Paris, Gallimard, 1973).
2. *Semeiotiké, op. cit.*, p. 27.
3. *Ibid.*, p. 16.

« travaille le signifiant ») : « Ce travail, justement, met en cause les lois des discours établis, et présente un terrain propice où de nouveaux discours peuvent se faire entendre. Toucher aux tabous de la langue en redistribuant ses catégories grammaticales et en remaniant ses lois sémantiques, c'est donc aussi toucher aux tabous sociaux et historiques, mais cette règle contient aussi un impératif : le *sens* dit et communiqué du texte (du phéno-texte structuré) *parle et représente* cette action révolutionnaire que la *signifiance* opère, à condition de trouver son équivalent sur la scène de la réalité sociale. Ainsi, par un double jeu : dans la matière de la langue et dans l'histoire sociale, le texte se *pose* dans le réel qui l'engendre : il fait partie du vaste processus du mouvement matériel et historique s'il ne se borne pas – en tant que signifié – à s'autodécrire ou à s'abîmer dans une fantasmatique subjectiviste[1]. »

Ce passage fait partie d'un texte d'introduction, largement programmatique. Pour que toutes les promesses qu'il contient soient tenues, il faudra attendre l'ouvrage-somme de Julia Kristeva, *La Révolution du langage poétique*. On relèvera cependant que l'inflexion essentielle de la seconde phase de l'aventure théorique y est donnée d'emblée, en particulier avec les distances que J. Kristeva prend avec la question de l'autonomie ou de l'autoréflexivité de la littérature. L'« autodescription » ou la réflexivité ne suffit plus à faire du texte le lieu d'une pratique révolutionnaire. Il est temps de prendre congé du Nouveau Roman, au profit des pratiques textuelles qui seront celles de la mouvance Tel Quel et de ses satellites volontaires ou non. Ou plus exactement, la question de l'autoréflexivité se complique avec la radicalisation politique agendée par Tel Quel. Le sens du texte, écrit J. Kristeva, doit réfléchir ou représenter ce que sa signifiance opère, c'est-à-dire la transgression du symbolique (des structures sociales imposées par le langage). En d'autres termes, il existe une performativité de la subversion textuelle en fonction de laquelle

1. *Ibid.*, p. 9

un texte n'est subversif que s'il figure la transgression du symbolique qui le constitue. Il lui revient de dire ce qu'il fait et inversement. « Je dis la révolution que le travail de la signifiance est en train de faire », telle serait la fonction subversive du texte, dont il faut encore préciser, dans les termes de Kristeva, qu'elle n'opère qu'« à condition de trouver son équivalent sur la scène de la réalité sociale ». Ce qui veut dire que le texte ne doit pas se boucler réflexivement sur lui-même, mais se constituer dans un rapport dialectique à une réalité sociale qu'il lui revient de produire ou de modifier. À cette condition, le texte fait partie de plein droit du « mouvement matériel et historique », ce qui constitue plutôt une bonne nouvelle pour tous les écrivains peu enthousiasmés par le militantisme classique.

Les instruments théoriques permettant de penser dans un premier temps le « travail de la signifiance », ce sera la linguistique encore, notamment dans le domaine du discours poétique, placé sous le signe de la « paragrammatisation »[1]. Et dans le domaine du narratif, c'est Bakhtine qui joue un rôle essentiel : la valorisation du dialogique (Dostoïevski) aux dépens du monologique (Tolstoï) devient un enjeu majeur. La ligne de fracture passe entre le 1 et le 2. Du côté du monologique, du 1, il y a non seulement Tolstoï et un certain nombre d'autres écrivains, en particulier tous ceux qui affectionnent le genre épique, mais il y a aussi Dieu, le discours théologique, religieux, dogmatique, scientifique, historique, bref, tout discours qui se fonde sur la croyance en l'existence d'un sens propre du langage, postulant dans les termes de Derrida un « signifié transcendantal » ou un effet de présence à soi (une

---

1. Voir « Pour une sémiologie des paragrammes », *Semeiotiké, op. cit.*, p. 174 *sq.* L'idée centrale est ici que non seulement tout texte poétique renvoie à un autre texte (ce serait le dialogique), mais que toute unité textuelle (phonétique, sémantique, syntagmatique) renvoie elle aussi à une autre unité. Ces unités sont ainsi prises dans des rapports de surdétermination qui serait la caractéristique propre du « processus signifiant », défini encore comme infinitisation du code.

couverture ou un refoulement de l'écriture par la voix, par l'intentionnalité, par le sens[1]). Du côté du dialogique, du 2, ou plus exactement du 0-2, il y a le simulacre, le double, le carnavalesque, la satire ménippée, le roman polyphonique, la répétition et la parodie. Bref, on s'y retrouve du côté de la véritable littérature, celle qui est consciente d'elle-même, réflexive, et qui a seule la capacité de transgresser le 1, soit tout l'édifice symbolique qui fait tenir une société.

Le dialogique bakhtinien au sens où l'entend J. Kristeva, c'est la littérature valorisée dans sa fonction de transgression du symbolique. Celle-ci passe par la neutralisation de toute position extérieure au discours, de toute transcendance, qu'il s'agisse de Dieu ou de la figure de l'auteur (qui en tient lieu). Le discours dialogique est par définition sans origine (sans référence possible à l'Un), il est un processus de perpétuelle réduplication de lui-même qui tient aussi de l'autodestruction. Il suppose que toute écriture lit une autre écriture, qu'elle se lit elle-même et se construit dans une genèse destructrice dans laquelle elle emporte Dieu (le 1) mais aussi l'auteur ou le sujet conscient pensé comme source du discours. « Celui qui participe au carnaval est à la fois acteur et spectateur : le sujet y est anéanti. La structure de l'auteur comme anonymat s'effectue dans un discours subversif qui conteste les lois du langage (0-1), et donc l'autorité, la loi, etc. Dans ce sens, le roman polyphonique sera une "lutte à mort" contre le christianisme, et du même coup une exploration de ce que le christianisme refoule : le langage dans son incontrôlable polyphonie, mais aussi le sexe et la mort[2]. »

Il est possible que Dostoïevski eût été surpris d'apprendre qu'il était aussi subversif, mais il n'aurait sans doute pas été

---

1. Ce sont là, de façon très schématique, les enjeux principaux des ouvrages avec lesquels Jacques Derrida investit la scène du théorique en 1967. Voir *La Voix et le phénomène*, op. cit. ; *De la grammatologie*, op. cit. et *L'Écriture et la Différence*, op. cit.

2. *Semeiotiké*, op. cit., p. 159-162.

le seul. Quoi qu'il en soit, il faudra attendre *La Révolution du langage poétique* pour mieux comprendre les rapports entre la polyphonie littéraire, le sexe et la mort, et à ce moment-là Dostoïevski aura cédé la place à Mallarmé, Lautréamont, Bataille, Artaud ou Joyce, qui sont à la pointe de la subversion de la culture bourgeoise. Toutes les analyses proposées par J. Kristeva dans cette somme sont structurées par une opposition centrale : celle entre le symbolique (soit tout aussi bien le social, conformément à la perspective structuraliste[1]) et le sémiotique, ou plus exactement la « chora sémiotique », qui se définit essentiellement comme déstabilisation, effraction ou subversion du symbolique. Cette opposition peut aussi s'interpréter comme un remaniement très complexe de celle, beaucoup plus ancienne, entre la fonction de communication du langage et sa fonction poétique, entre la parole brute et essentielle selon Mallarmé, star de cette révolution, aux côtés de son énigmatique et météorique contemporain Lautréamont. Du côté du symbolique, on trouvera donc sans surprise la signification, le sens, la mimesis, mais aussi, puisque nous évoluons ici dans un contexte massivement psychanalytique, le sujet, ou plus exactement le sujet identifié au « thétique », à une position où il se pose et s'identifie en tant que tel, condition de possibilité de la *propositionnalité* et donc du symbolique[2].

Pas de symbolique sans sujet considéré dans sa fonction ou phase thétique et réciproquement, pourrait-on dire. Le sémiotique, à l'œuvre dans le langage poétique, se définira, lui, comme le *procès* de cette articulation, dans un double sens : celui d'une dénonciation et celui d'une levée du refoulement,

---

1. *La Révolution du langage poétique, op. cit.*, p. 70.
2. « Toute énonciation est thétique, qu'elle soit énonciation de mot ou de phrase : toute énonciation exige une identification, c'est-à-dire une séparation du sujet de et dans son image, en même temps que de et dans ses objets ; elle exige au préalable leur position dans un espace devenu désormais symbolique, du fait qu'il relie les deux positions ainsi séparées pour les enregistrer ou les redistribuer dans une combinatoire de positions désormais ouvertes » (*ibid.*, p. 41-42).

186

d'un retour sur ce qu'il a fallu refouler pour que le thétique et le symbolique puissent advenir. Le sémiotique, dans cette perspective, se définit comme l'investissement du langage (du symbolique) par la jouissance, c'est-à-dire par le processus primaire (au sens freudien du terme), par un retour des pulsions, notamment de mort. Il y a du langage poétique-révolutionnaire parce que celui-ci se constitue en lieu de subversion du symbolique, selon une dialectique de la loi et de la transgression[1]. Le sémiotique dénaturalise le sujet et le thétique en les faisant apparaître comme l'effet d'un procès de refoulement déterminé socialement et politiquement. Mallarmé avec Freud : la parole essentielle, c'est le retour du processus primaire et du principe du plaisir dans le langage, alors que la parole brute est du côté du processus secondaire et du principe de réalité. D'un côté, la logique, la non-contradiction, la séparation sujet-objet, le sens, la fonctionnalité ; de l'autre, la musicalité de la langue, le jeu

---

1. L'affirmation de la dialectique de la loi et de sa transgression est stratégique par rapport à des positions théoriques concurrentes, en particulier celles de Derrida et de Deleuze, tous deux épinglés pour leur peu de goût pour la dialectique. En ce qui concerne Deleuze, c'est le modèle de la schizoanalyse développé avec Felix Guattari dans *L'Anti-Œdipe* (Paris, Minuit, 1972) qui est réfuté, et donc l'équivalence entre texte et psychose ou la valorisation de la folie comme point de fuite par rapport au symbolique et au social, que Deleuze et Guattari systématiseront un peu plus tard avec l'exemple de Kafka. Contrairement au schizo deleuzien, l'écrivain-sémioticien n'est pas fou mais lucide et capable de dialectique, c'est-à-dire de réinscrire lui-même dans le texte une position thétique « secondaire ». La destruction du symbolique est inscrite dans son cahier des tâches, mais il ne se laisse pas emporter, comme le psychotique, par cette destruction. Avec Derrida, les distances sont plus difficiles à prendre dans la mesure où le premier étage de l'édifice théorique de Kristeva, à savoir *Semeiotiké*, doit encore beaucoup aux thèses du philosophe, avec qui Tel Quel ne rompt qu'en 1972. Mais au niveau théorique, le différend porte bien sur la question de l'hétérogénéité du sémiotique par rapport au symbolique, dont seule une pensée dialectique (et non déconstructrice, comme celle de Derrida, qui replierait infiniment le même sur l'autre et inversement) serait à même de rendre compte.

du signifiant, la contradiction, la destruction du sens par effet de multiplication et la défonctionnalisation de la langue investie par la jouissance. Telles sont les clés théoriques nécessaires à la compréhension de la révolution du langage poétique initiée par Lautréamont et Mallarmé.

Le procès tel qu'il est à l'œuvre dans le texte, c'est donc le chaînon manquant qui permet d'articuler politique et subjectivité, politique et littérature. Il est non seulement ce que le sujet refoule pour exister comme tel, mais également ce que le capitalisme refoule : « Le texte opère pour le sujet ce que la révolution politique doit opérer pour la société[1]. » C'est pourquoi la signifiance, c'est-à-dire la mise en acte du procès dans et par le langage, se définit à la fois comme jouissance et comme révolution : comme dérèglement de la censure sociale qui impose au langage une logique du sens et de la signification[2]. Il faut insister sur ce point : la signifiance *est* le lieu de la révolution ou sa mise en acte, elle n'en est pas un équivalent symbolique et encore moins une simple représentation. La révolution du langage poétique telle que l'entend Kristeva est bien celle que le langage poétique *opère*, elle n'a rien à voir avec les révolutions telles qu'on en a pris l'habitude dans l'histoire de l'esthétique moderne (l'impressionniste, la cubiste, etc.). À ce titre, et même si Tel Quel et d'autres groupes qui font partie de la même mouvance ont mis beaucoup d'énergie à s'en différencier, elle n'est pas sans rapport avec la « révolution surréaliste » qui attendait à peu près les mêmes services de la seule pratique de l'automatisme.

Dans cette perspective, *La Révolution du langage poétique* a constitué non pas la tentative la plus originale, mais sans doute la plus systématique et aussi, ceci expliquant cela, la dernière, de donner à la vieille intuition d'une révolution opérée à même le langage poétique un fondement théorique abouti. Pour que cela fût le cas, il restait à donner à la dialec-

1. *Ibid.*, p. 14.
2. *Ibid.*, p. 15 et 47.

tique de la loi et de la transgression (du langage) un fondement social et politique. C'est tout l'intérêt de la version structuraliste (lacanienne) de la psychanalyse sur laquelle J. Kristeva prend appui. Via la notion de symbolique et de sa dissolution ou subversion par le sémiotique, l'« art-pulsion de mort » devient *l'équivalent* du meurtre fondant la société (selon le Freud de *Totem et Tabou*). Avec lui, et donc avec l'artiste en position de bouc émissaire, d'exclu de la société, se répète le sacrifice initial par lequel le symbolique (la société) advient. Le texte dans lequel l'« art-pulsion de mort » s'incarne est donc l'équivalent d'un sacrifice intervenant à une limite au-delà de laquelle il y a de l'asymbolique. Il reproduit l'engendrement du symbolique dont il constitue le dehors hétérogène : « comme l'inceste et la bestialité, il est aux extrêmes du code, il en reproduit le fondement et le refoulé ». Il devient ainsi le dépositaire de la négativité sociale, on peut même dire qu'il en a désormais le monopole. Dans une société bourgeoise sécularisée et déritualisée, le retour du sémiotique concernera en effet directement et exclusivement les structures du langage (puisque le socio-symbolique s'y réduit), qu'il revient au langage poétique de subvertir[1].

Changement d'échelle : la micropolitique textuelle devient la condition de possibilité de la grande politique et plus particulièrement de la révolution prolétarienne. Ou du moins en devient-elle l'interlocuteur, le partenaire obligé : « le matérialisme dialectique, qui veut transformer le monde, parle à un nouveau sujet *et ne peut se faire entendre que de lui*[2] ». La bonne vieille taupe doit se brancher sur la signifiance pour y voir clair, c'est-à-dire sur un « sujet insaisissable parce que transformant le réel, qui joue le procès contre l'identification, le rejet contre le désir, l'hétérogène contre le signifiant, la lutte contre la structure[3] ». La véritable subversion consiste à

1. *Ibid.*, p. 69-80 pour toutes les citations de ce paragraphe.
2. *Ibid.*, p. 160 (je souligne).
3. *Ibid.*, p. 161.

« joindre la contradiction hétérogène, dont le texte possède le mécanisme, à la critique révolutionnaire de l'ordre social établi : c'est précisément l'intolérable pour l'idéologie dominante[1] ». Sans accès au procès de la signifiance (à l'hétérogène, à la dissolution du socio-symbolique), le prolétariat reste enfermé dans une problématique de la production et ses luttes ne peuvent que la répéter. Sans révolution du langage poétique, les révolutionnaires sont en somme condamnés à faire de l'ouvriérisme, terme toujours péjoratif par lequel on reproche à certains courants du gauchisme une fétichisation de la classe ouvrière. La conscience de classe passe par une révolution culturelle qui arrache le prolétariat à son installation dans les structures de la production et des identifications avec ses appareils, par une sorte de sémiotisation du prolétariat : « Ce que la théorie marxiste dialectique envisage donc par le concept de "conscience de classe *prolétarienne*" n'est pas une conscience de classe, pour autant que celle-ci "repose exclusivement sur l'évolution du processus moderne de production", par l'introduction en elle de la négativité qui change la production d'une totalité en l'infinité d'un procès. Si le prolétaire obtient une telle pratique signifiante du procès socio-symbolique, ce n'est que lorsqu'il dépasse sa condition de producteur[2] ».

1. *Ibid.*, p. 170.
2. *Ibid.*, p. 388. La citation à l'intérieur de la citation renvoie à Georg Lukacs, *Histoire et Conscience de classe*, Paris, Minuit, 1960. Relevons, sur la question de la critique de la production opérée non seulement par la théorie mais également par le texte lui-même, par le sémiotique considéré comme négativité, dépense ou sacrifice textuel, une proximité qui est restée un simple point de convergence : celle entre les thèses de Kristeva et celles développées à propos de la pratique poétique par Jean Baudrillard dans *L'Échange symbolique et la mort* (Paris, Gallimard, 1976, notamment p. 283-343), ouvrage dans lequel la critique de la centralité de la question de la production dans le discours marxiste est essentielle. Certes, les instruments conceptuels de Baudrillard ne sont pas les mêmes, et il n'est pas question chez lui de Mallarmé ou de Lautréamont, mais des *Anagrammes* de Ferdinand de Saussure (publiés par Jean Starobinski,

On peut douter que le dépassement de la condition de producteur par le prolétaire s'assimilant au procès de la signifiance n'ait jamais été autre chose qu'un horizon ou une sorte d'index révolutionnaire destiné à donner à une construction théorique sa crédibilité. Le prolétaire sémiotisé aura été le Godot de la révolution du langage poétique : certains ont été le chercher dans les usines et lui ont proposé, autour de Mai 68, des ateliers d'écriture ou lui ont placé des caméras entre les mains. Mais, au bout du compte, il n'est pas venu, on l'a attendu et attendu, sans savoir à quoi il pouvait bien ressembler, puis on a cessé de l'attendre, avec d'abord peut-être un peu de la tristesse de Mallarmé qui regrettait que sa production restât vaine pour les ouvriers venus construire un chemin de fer. Puis la tristesse elle-même a été oubliée, on est passé à autre chose.

Les Mots sous les mots. Les anagrammes de Ferdinand de Saussure, op. cit.). Mais ceux-ci constituent un autre cas exemplaire de sémiotisation du langage, d'autant plus prestigieux qu'on le doit à l'inventeur de la linguistique moderne pris ainsi en flagrant délit d'auto-subversion. Et l'analyse de Baudrillard fait également des *Anagrammes* un cas exemplaire de dépense ou d'activité sacrificielle, une des seules possibles dans une société placée sous le signe de la (re)production, fermée à la violence sacrificielle. À l'origine de cette convergence on mentionnera une référence commune à Bataille, incontournable comme penseur de la dépense et du caractère sacrificiel de la pratique poétique. Via le Bataille penseur de la dépense et du *potlatch*, il serait d'ailleurs également possible de rapprocher à nouveau la pratique du sacrifice textuel de l'expérience situationniste ou pré-situationniste, qu'on définira dans cette perspective comme une négativité passée non pas dans le texte mais dans la vie quotidienne. Toujours cet air de famille des avant-gardes…

CHAPITRE 4

Conclusion : considérations médiologiques

Début et fin

Les marxistes des années 1960 et 1970 ont mis la théorie littéraire, et plus précisément sa part structuraliste, sur le compte de l'avènement d'un capitalisme technocratique oublieux de l'histoire et de la lutte des classes, toutes deux évacuées grâce aux vertus de la structure et de la synchronie. À cause de la mouvance théorique-réflexive, la littérature aurait cessé d'être une pratique impliquant un sujet historiquement situé et engagé. Elle serait devenue elle-même technocratique, c'est-à-dire une simple technique, un savoir auquel n'accèdent que des élites spécialisées dans la production byzantine de formes sophistiquées et de jeux de mots, destinés à ne s'adresser qu'à un maigre public.

Sans surprise, ces critiques rejoignent partiellement celles du camp « humaniste » qui a régulièrement incriminé le théorique-réflexif comme un des principaux fossoyeurs d'une véritable culture littéraire, accessible sinon aux masses, du moins à un grand nombre. Elles aboutissent en tout cas à un même constat : que ce soit à cause de son allégeance à un capitalisme technocratique ou à cause de son extrémisme avant-gardiste et antihumaniste, le théorique-réflexif serait responsable du fait que la littérature n'est plus ce qu'elle était et, plus grave, qu'elle n'est plus ce qu'elle devrait être.

J'espère avoir montré, après d'autres, que de tels reproches manquent en grande partie leur cible. Pendant un certain nombre d'années, la constellation théorique-réflexive a contribué à passionner les débats autour de la littérature et à mettre celle-ci au centre de l'actualité culturelle, voire politique, en permettant à beaucoup de (re)découvrir au passage des œuvres de tout premier plan, en leur donnant plus généralement le goût de la lecture ou encore un sens de la langue, voire un plaisir à jouer avec elle. C'est Barthes, Foucault et Derrida qu'on achetait alors massivement, pas Lagarde et Michard. Et si on y inclut les variantes inspirées par la psychanalyse, on ne peut pas dire non plus que la théorie ait fait l'impasse sur la subjectivité, bien au contraire. Au niveau des études littéraires, aucun autre dispositif n'a fait autant de place à celle-ci, aucune autre tendance ne s'est efforcée de la penser de façon aussi systématique et approfondie. C'est même là une des explications de son éphémère succès, avant le rappel à l'ordre académique et le retour d'une histoire littéraire néo-positiviste, qui porte une responsabilité beaucoup plus lourde dans la désaffection actuelle dont souffrirait la culture littéraire. Cette nouvelle histoire semble en effet incapable de transmettre quelque chose comme le « plaisir du texte » évoqué par Barthes ou, plus précisément, un plaisir de la lecture qui a aussi été un plaisir de l'appropriation, de l'usage des textes, ou encore de leur actualisation[1]. Ce qui entraîne sans doute un certain nombre de malentendus et de « forçages », mais dans la mesure où ceux-ci sont inévitables, je ne suis pas sûr que ce soit grave.

On dira encore dans cette perspective que le pari du théorique-réflexif, du côté de l'écriture comme du côté de la lecture, a été un pari sur une rupture avec ce que Jacques Rancière décrit comme une pédagogie abrutissante, une transmission à l'identique (celle de l'histoire littéraire notamment), et donc aussi un pari sur le « maître ignorant », dont le paradoxe, abordé une première fois dans *Le Maître ignorant. Cinq*

---

1. Selon le terme avancé par Yves Citton dans son intéressante mise au point : *Lire, interpréter, actualiser. Pourquoi les études littéraires*, Paris, Éditions Amsterdam, 2007.

leçons sur l'émancipation intellectuelle[1], est reformulé de la manière suivante dans un essai plus récent : « L'élève apprend du maître quelque chose que le maître ne sait pas lui-même. Il l'apprend comme effet de la maîtrise qui l'oblige à chercher et vérifier cette recherche. Mais il n'apprend pas le savoir du maître.[2] » Symptôme ou preuve que ce pari a été tenté : les innombrables reproches d'inculture ou d'*ignorance* adressés aux commentateurs qui se sont situés dans la mouvance théorique, y compris parfois aux plus célèbres d'entre eux : ils ignorent l'histoire, les sources, les intertextes, ils forcent le sens des textes, ils sont coupables d'anachronisme, de contresens, etc. Mais à l'arrivée ce sont eux qu'on lit et eux qui lisent.

De toute façon, avec le temps, ces critiques sont de moins en moins convaincantes. Le théorique-réflexif est une aventure abandonnée depuis près d'un quart de siècle par la plupart de ceux et celles qui l'ont initiée, vécue ou reprise à leur compte. Certes, il en reste, mais ils sont peu nombreux aujourd'hui et ce serait leur prêter une influence sidérante que de faire comme s'ils étaient responsables de la configuration actuelle du champ littéraire. Il faut donc convenir que non seulement on ne nous a pas donné beaucoup de raisons au cours des vingt dernières années de nous (re)passionner autrement pour la littérature, mais qu'en outre une telle situation ne semble pas près de changer. L'encéphalogramme de la culture littéraire contemporaine paraît assez plat, du moins en France, et contrairement à ce que certains prétendent, je ne suis pas tout à fait sûr que le cadavre bouge encore.

Faut-il pour autant conclure au non-lieu ou même à la réhabilitation du théorique et du type de littérature dont il a favorisé l'émergence, la lecture et la pratique ? Pour ce faire, il faudrait être convaincu que l'histoire repasse les plats, ce qui n'est pas mon cas. Je ne voudrais pas conclure ce dossier sans tenter

---

1. Paris, Fayard, 1987.
2. *Le Spectateur émancipé*, Paris, La Fabrique, 2008, p. 20.

la critique / de la théorie litt. / sert un "expédient / facile" / pour / expliquer / u changement / de culture / litt.

d'élucider le rôle joué par la théorie littéraire dans ce qui aura incontestablement été un changement d'époque ou de culture littéraire, ni sans avoir essayé de situer la théorie par rapport à un tel changement. Ce n'est pas de la faute à Mallarmé et à ses lointains héritiers si la littérature est devenue ce qu'elle est, j'ai insisté sur ce point. Mais cela ne veut pas dire que ce que l'on continue d'appeler la « culture littéraire » n'a pas changé considérablement au cours des dernières décennies. Le constat fait par les uns et les autres est donc juste, mais c'est sur les causes du « rien n'est plus comme avant » que les divergences apparaissent. Dans cette perspective, l'incrimination de la mouvance théorique-réflexive tient lieu d'expédient facile pour ne pas entrer en matière sur les autres raisons, plus profondes, d'un changement de culture littéraire. Elle permet même de faire parfois comme s'il s'agissait d'une évolution réversible, comme si un retour à l'âge d'or du préthéorique était possible. Mais le souterrain durera, ô impatients...

Ces raisons profondes, je voudrais les aborder ici non pas frontalement, avec le risque de m'en tenir à des généralités, mais en continuant de réfléchir à ce qu'a été l'aventure de la théorie et plus précisément encore en considérant celle-ci comme le *symptôme* d'un basculement. La théorie prend acte de quelque chose, met en acte quelque chose à quoi elle résiste en même temps. Elle correspond à un moment de transition, elle est une réaction à un changement qu'elle contribue à précipiter, telle est mon hypothèse. Rien d'étonnant alors s'il lui arrive d'être identifiée comme la cause d'une évolution, considérée comme négative ou même catastrophique, de la culture littéraire : on sait qu'on confond souvent le symptôme avec les causes du mal. Et rien d'étonnant non plus si elle a été associée à Mai 68, pour le meilleur ou le pire. Mai 68 est en effet devenu, avec le temps, un symptôme indéfiniment réinterprété, un moment de rupture ou de transition, un faisceau d'événements assez multiples pour que les uns y voient une fin (celle du communisme orthodoxe, du militantisme classique, etc.) et d'autres un début (celui de l'individualisme, de l'hédonisme, etc.). Une fin, un début : je voudrais suggérer dans ces dernières pages que c'est justement cela que fut aussi la mouvance théorique.

Basculement

Michel Foucault est le premier à formuler le diagnostic, je l'ai relevé dans l'introduction de ce livre[1] : la théorie est, dans ses termes, le chant du cygne du privilège politique de l'écrivain, une réaction « exaspérée » contre une perte d'autorité. Le constat est clair, et même plus convaincant aujourd'hui qu'il ne l'était il y a trente ans. Mais il reste à l'expliquer. Pourquoi l'écrivain perd-il ses privilèges et son autorité à ce moment-là ? Pourquoi pas dix ans plus tôt ou vingt ans plus tard ? Foucault, curieusement, ne dit rien à ce sujet, ce n'est pas tout à fait un hasard. On peut faire l'hypothèse que s'il ne le fait pas, c'est parce que malgré sa lucidité et les distances qu'il prend par rapport à sa propre période « littéraire » (celle de son livre sur Raymond Roussel, de sa contribution à *Théorie d'ensemble*[2], etc.), il continue de faire partie de la même configuration culturelle et médiatique que celle dont relève le théorique-réflexif. Malgré les inflexions de son travail, Foucault n'a de toute évidence pas cessé d'être un « théoricien » en 1977 et encore moins un auteur. Comme la théorie littéraire, son œuvre appartient de plein droit à une culture du livre et de l'imprimé ou, plus précisément, à une culture de la chose écrite. Il ne s'agit en effet pas d'une simple question de support, mais bien de la valorisation de l'écriture et des opérations intellectuelles que celle-ci permet ou, en d'autres termes, d'une forme spécifique d'autorité conférée par le pouvoir de disposition de la pensée inhérent à l'écriture. Je pense, donc j'écris, et inversement. Et surtout je ne pense, de façon critique,

1. Voir ci-dessus *Introduction*, note 2, p. 12.
2. « Distance, aspect, origine », *op. cit.*, p. 11-24.

réflexive, qu'en écrivant. En dehors de l'écriture et du livre, point de salut ou, plus exactement, point d'autorité.

Le théorique-réflexif serait, dans cette perspective, un symptôme de la crise dans laquelle plonge, dès les années 1960, la culture du livre et de l'imprimé – une crise dont on peut dire, quatre ou cinq décennies plus tard, qu'elle est sans fin, qu'elle a commencé et qu'elle ne s'est plus jamais arrêtée. Ce n'est pas une question de marché, bien entendu. On vend plus de livres aujourd'hui qu'il y a quarante ans, et on en vendait sans doute plus dans les années 1960 qu'au cours de la précédente décennie. La question de l'autorité de la chose écrite est indépendante du marché. Plus exactement, le rapport de causalité entre les deux choses est sans doute même négatif lorsqu'il s'agit de pensée et de littérature : plus le livre devient une simple marchandise, plus il s'en produit, et moins il conserve l'autorité que lui a conférée auparavant pendant des siècles une économie de la rareté. Il n'est plus, comme au Moyen Âge, le support d'une parole divine ni, comme ce fut le cas entre le XVIe et le milieu du XXe siècle, le lieu d'une autorité interne, artistique, professionnelle, pour aller très vite. Dévaluation, passage de l'autorité interne – celle du « grand auteur » – à celle du public et du marché ou, dans les termes de P. Bourdieu, passage du « capital symbolique » de l'écrivain en marge du marché au capital tout court de l'auteur de best-sellers (si possible)[1].

Bien entendu, cette « marchandisation » du livre, dont le caractère problématique continue d'être mis en évidence aujourd'hui par les discussions souvent polémiques autour de la nécessité d'un prix unique du livre, ne date pas des années 1960. Elle prend son envol dans la seconde moitié du XIXe siècle au plus tard, elle est donc contemporaine d'auteurs comme Flaubert, Baudelaire ou Mallarmé, qui comptent parmi les inventeurs français du modernisme et de la résistance à la culture industrielle ou de masse. Mais les années 1960 consti-

1. *Les Règles de l'art, op. cit.*

tuent un temps très significatif dans l'histoire de l'industrialisation de la culture. Ce sont des années de croissance économique forte au cours desquelles s'impose en Europe une société de consommation et de loisirs. Elles sont marquées par une culture du divertissement qui prend peu à peu la place de la culture « pédagogique-nationale », inventée autrefois du côté des Lumières – les hommes du livre par excellence – et relayée un siècle plus tard par les dispositifs éducatifs nationaux et l'émergence des intellectuels. La culture se démocratise et s'individualise, les auteurs se multiplient, le livre de poche triomphe, on invente les techniques d'impression offset, l'édition bascule de plus en plus de l'artisanat vers l'industrie, puis de celle-ci vers sa financiarisation, aujourd'hui presque achevée avec la constitution de quelques grands groupes soumis aux mêmes critères de rentabilité par leurs actionnaires que n'importe quelle autre entreprise. Pour les « grands auteurs », c'est tout sauf une bonne nouvelle : ils seront rapidement trop nombreux pour être grands, et surtout ils perdent peu à peu la main au profit de l'autorité du public. Le prix à payer de l'autorité convertie en rentabilité, c'est en fin de compte l'absence d'autorité.

Cette évolution, faut-il le rappeler, est indissociable de la montée en puissance de l'audiovisuel, du basculement de la graphosphère dans la vidéosphère, que Régis Debray fait coïncider non pas avec l'invention de la télévision (dès les années 1930), mais avec le passage du noir et blanc à la couleur (à la fin des années 1960)[1]. Ce passage est emblématique de l'émancipation de l'audiovisuel par rapport à d'autres dispositifs médiatiques et culturels ainsi que de la montée en puissance d'une culture du divertissement avec laquelle la télévision devient en quelque sorte elle-même, c'est-à-dire au service d'une célébration de plus en plus réflexive de son propre potentiel spectaculaire. Il la consacre du même coup comme

1. Voir *Cours de médiologie générale, op. cit.*, ainsi que *Vie et mort de l'image*, Paris, Gallimard, « Folio », 1992.

medium dominant ou hégémonique. L'autorité – celle des intellectuels mais aussi celle des politiciens – sera de moins en moins liée à la chose écrite et de plus en plus à l'image télévisuelle : passage, toujours selon Debray, de l'intellectuel-auteur dont Sartre a été l'archétype, à l'intellectuel médiatique, dont l'autorité se mesure au nombre d'apparitions sur les plateaux de télévision[1].

En deux ou trois décennies, l'autorité de la chose écrite s'efface ainsi derrière celle de l'image télévisuelle, elle-même beaucoup plus directement liée, via l'Audimat, aux exigences du marché qu'autrefois le livre. On dira que de tels changements ont surtout des incidences sur la politique et éventuellement sur le statut des intellectuels, mais qu'elles n'empêchent pas la littérature de rester ce qu'elle est. On pourrait considérer qu'après tout, le propre de l'esthétique est de ne pas être réductible à des formes d'autorité et des jeux de pouvoir avec lesquels la littérature s'efforce justement de garder ses distances. Mais toutes les analyses proposées dans ce livre suggèrent au contraire que le prix payé par la littérature pour assurer son autonomie (relative ou « absolue »), c'est la nécessité constante d'assurer sa légitimité, d'inventer et de mettre en scène des justifications, des principes d'autorité qu'elle se prête en quelque sorte à elle-même. Un tel impératif entraîne non seulement une concurrence interne entre différentes formes d'autorité conférées par la chose écrite – c'est le niveau où se situent les analyses que Bourdieu consacre au champ littéraire – mais également une situation de concurrence avec d'autres médias – hier la télévision, aujourd'hui les médias numériques.

Concurrence avec la vidéosphère, donc, ou plutôt assujettissement progressif de la chose écrite à celle-ci. On évoquera dans cette perspective la façon dont les médias audiovisuels ont peu à peu déterminé non seulement le statut de la littéra-

---

1. *Le Pouvoir intellectuel en France*, Paris, Ramsay, 1979, et Paris, Gallimard, « Folio », 1985, ainsi que *I.F., suite et fin*, Paris, Gallimard, 2000.

ture, en organisant notamment l'irrésistible *come-back* de l'auteur dont la fonction tend aujourd'hui à se résumer à ses passages dans les studios, mais également des contenus compatibles avec ce statut – l'autofiction par exemple. Obligé de squatter en permanence les médias, l'auteur a en tout cas perdu l'habitude et le goût de mourir, il n'a vraiment plus de temps pour cela. Et de quoi peut-il parler en effet lorsqu'il est consacré par la télévision, présent en chair et en os sur les plateaux, si ce n'est de lui-même et de préférence encore de sa chair, de ses os et de ses injections et déjections les plus variées ? Entre l'hégémonie médiatique exercée par l'audiovisuel et le triomphe contemporain de l'autobiographie, au sens large du terme, il existe un rapport difficile à réfuter.

On vérifiera également l'inversion du rapport de force entre écriture et image télévisuelle avec l'évolution des émissions littéraires analysée par Patrick Tudoret[1]. Du temps de la « paléo-télévision » (des origines à la fin des années 1960), la télévision était encore clairement au service des (grands) auteurs, se rendait chez eux, s'en tenait respectueusement à des entretiens avec les maîtres et ne rechignait pas devant des séances de lecture de textes. Avec l'avènement de la « néo-télévision », qui coïncide à peu près avec les débuts de la couleur et donc avec le moment identifiable comme le début de la vidéosphère selon Debray, le rapport de force s'inverse. C'est désormais à l'écrivain de se rendre à la télévision et de faire bonne figure dans des formats typiquement télévisuels de type *talk-show*, dont l'émission *Apostrophes* animée de 1975 à 1990 par Bernard Pivot reste l'exemple le plus célèbre et surtout celui qui aura pesé le plus sur le champ littéraire français. L'inversion sera complète avec le passage plus récent à la « sur-télévision » (ou « télé-divertissement ») : *talk-shows* encore, mais sur n'importe quoi sauf la littérature, dans lesquels l'« écrivain » est sommé de briller, éventuellement à coups de pitreries et de

---

1. *L'Écrivain sacrifié. Vie et mort de l'émission littéraire*, Paris, Bord de l'eau/INA, 2009.

moqueries, comme les autres invités (acteurs, sportifs, politiques, chanteurs, etc.), du moins s'il tient à être réinvité.

On notera encore que cette nouvelle fonction de l'« auteur » n'implique plus nécessairement qu'il sache écrire et encore moins qu'il sache bien écrire (presque au contraire, pourrait-on dire) et que c'est là une opportunité que beaucoup n'ont pas manqué de saisir. Le livre est devenu un ticket d'entrée pour les plateaux de télévision, dont la fréquentation assidue constitue, inversement, la meilleure carte de visite pour forcer la porte des éditeurs. C'est très bien ainsi sans doute, les droits démocratiques incluent ceux de tout le monde à l'expression. On ne saurait réserver celle-ci à une élite revendiquant le monopole du (beau) style. Le problème, qui n'a pas échappé à Richard Millet par exemple[1], c'est que cette belle démocratisation de l'expression l'entraîne aussi vers une consternante insignifiance. Devenir auteur est devenu aussi banal que de passer à la télévision, ce qui est normal puisque c'est à peu près la même chose. Mais du même coup l'auteur, qui est le produit de cette banalité, risque de ne dire que des choses banales.

Pour conclure ce rapide tableau des raisons de la crise d'une culture de la chose écrite, et pour prévenir toute nostalgie, signalons qu'avec la montée en puissance des médias numériques interactifs (le web 2.0, pour faire vite, en attendant le 3.0), les choses ne semblent pas vraiment s'arranger. Nous manquons de recul pour mesurer comment Internet affecte à son tour l'autorité de la chose écrite. Mais le moins qu'on puisse dire, à en croire les réactions de certains intellectuels qui ont tout misé sur la précédente médiasphère et sa confortable unilatéralité, c'est que les choses ne vont pas vraiment améliorer. À l'horizon de la culture du livre, il y a désormais, avenir radieux selon les uns et cauchemar selon les autres, la généralisation, légale ou non, du copier-coller, la substitution de l'hypertexte au discours analytique (du *clic* aux pages pieusement tournées), le remplacement de l'auteur individuel par des

1. *Le Désenchantement de la littérature, op. cit.*

auteurs « collectifs » avec lesquels les studios de télévision risquent de sérieux engorgements (c'est l'effet wiki) et, de manière générale, – et c'est sans doute le pire pour tout détenteur d'une autorité intellectuelle – une hyper-démocratisation de la « fonction-auteur » (c'est l'effet blog)[1]. Tous producteurs de textes, de sons, d'images : quelque chose qui est identifié – et critiqué – dès les années 1960 au titre de société de communication semble ainsi parvenir à ses fins sur tous les tableaux et connaître une sorte d'apothéose dans laquelle il est très douteux que la littérature ait quoi que ce soit à gagner.

Résistances

On peut se demander ce que le web 2.0 vient chercher dans des considérations sur la mouvance théorique des années 1960 et 1970. J'y reviendrai de façon plus précise ci-dessous. Il m'importait de décrire auparavant l'ensemble d'une évolution, de repartir de ce que le champ littéraire – français – a fini par devenir aujourd'hui pour mieux comprendre une configuration qui commence à se mettre en place quelques décennies plus tôt et à laquelle le théorique-réflexif n'aura cessé de *résister*. Cette résistance, précisons-le tout de suite, a été en partie *aveugle*. Elle est loin de toujours procéder d'une analyse lucide de la

---

1. Que cette démocratisation constitue une des principales menaces qui pèse sur une culture « classique » de la chose écrite, dans laquelle les places et les tâches sont clairement différenciées et l'autorité assignable, on s'en convaincra par exemple avec la lecture de *Internet, l'inquiétante extase* d'Alain Finkielkraut et de Paul Soriano (Paris, Mille et une nuits, 2001). La chose la plus inquiétante avec Internet, c'est que le réseau détruit toute forme d'autorité classique de l'intellectuel. Cela ne veut pas dire que toute forme d'autorité disparaisse : celle des programmateurs, des inventeurs de logiciels et de sites interactifs, au contraire, ne cesse de croître. L'inquiétante extase est au fond une inquiétante transcendance, une forme d'autorité où le pouvoir de la chose écrite est remplacé par celui de créer des algorithmes.

société spectaculaire qui est en train de se mettre en place. C'est une résistance qu'il est possible d'interpréter tout aussi bien en termes de refoulement, comme une volonté de ne pas voir ce qui arrive à la littérature avec l'avènement progressif de la vidéosphère et celui d'une culture de divertissement. Un tel constat n'a rien de négatif. Je crois que c'est au contraire l'ambiguïté de sa résistance qui fait l'intérêt de la théorie littéraire.

Une chose frappe en tout cas lorsqu'on parcourt de nouveau aujourd'hui les classiques de la théorie littéraire : l'absence presque totale de réflexion menée sur le contexte culturel et médiatique dans lequel elle prend place et sur les évolutions conséquentes qui sont en train de s'y produire. Un lecteur débarquant de la planète Mars pourrait traverser la quasi-totalité de cette production théorique et ignorer au bout du compte qu'il existait en ces temps-là quelque chose comme des médias audiovisuels en passe de devenir hégémoniques, ou que se développait, à tous les niveaux, ce qu'on a pris l'habitude de décrire comme une société de communication et de divertissement[1]. Il y a bien des ennemis à combattre et à abattre, comme la culture bourgeoise, le capitalisme et parfois la société ou le symbolique en tant que tels. Mais c'est cette géné-

1. Soyons justes, il y a des exceptions et, parmi elles, il faut évoquer une fois de plus R. Barthes qui, de *Mythologies* au *Plaisir du texte* a constamment tenté d'identifier les paramètres du contexte culturel et politique plus général de ses propres partis pris. On relèvera cependant que la plupart des réflexions plus générales de Barthes sur la culture présupposent une opposition peu originale entre une culture de masse (dans laquelle prend place notamment ce mauvais objet par excellence que constituent les stéréotypes) et une culture avant-gardiste recyclée mélancoliquement en culture mandarinale dans *Le Plaisir du texte* (voir ci-dessus *Introduction*, note 1, p. 12) ; et ceci au moment même où, objectivement, la notion de culture de masse cesse d'être pertinente et qu'elle commence à s'effacer derrière la fragmentation de la culture petite-bourgeoise et individualisée. La culture de masse serait, dans cette perspective, une sorte de repoussoir de la culture avant-gardiste, gardienne du temple de l'écrit.

ralité qui est problématique. Alors qu'elle trouve dans un projet de subversion culturelle sa raison d'être, la mouvance théorique-réflexive s'en tient à un agenda curieusement désincarné, à un « ennemi » tellement massif qu'il en devient abstrait. Il y a la représentation, qu'il faut subvertir de toute urgence parce qu'elle est bourgeoise, mais on ne trouve rien sur les moyens médiatiques concrets – notamment audiovisuels – que cette bourgeoisie se donne pour imposer son spectacle ou s'imposer comme spectacle[1]. On condamne par principe le sens et l'échange érigés en clés de voûte du capitalisme avec, comme antidote, la mise en avant de la production (l'abstraite valeur d'usage) ou l'éloge de l'illisibilité, mais on ne dit rien de la montée en puissance des pratiques concrètes de consommation culturelles, comme si le monde se divisait définitivement et exclusivement entre les lecteurs de Françoise Sagan et ceux de la revue *Tel Quel*, avec les uns et les autres qui n'auraient jamais rien fait d'autre de leur vie que de lire. On décrète la mort de l'auteur, mais on ignore Bernard Pivot et *Apostrophes* (avant de regarder quand même un peu, puis de moins en moins honteusement avant de s'y précipiter). Il y a dans la mouvance théorique-réflexive une veine anti-spectaculaire, j'ai essayé de le montrer au chapitre précédent, mais cette veine reste étrangement myope sur les paramètres généraux du spectaculaire. On peut en déduire qu'elle se constitue également sur

---

1. Ces moyens, ce sont bien sûr ceux de la télévision, mais il faut également relever à ce propos le peu d'intérêt de la mouvance théorique-réflexive pour le cinéma, resté une sorte de parent pauvre confié aux bons soins des *Cahiers du cinéma*. C'est d'autant plus surprenant lorsqu'on pense aux façons dont la mouvance théorique-réflexive s'arrime aux événements de Mai 68, et au fait que le cinéma a certainement été auprès de ses centaines de milliers d'acteurs la pratique artistique la plus investie. Relevons aussi le paradoxe suivant : au moment où la mouvance théorique-réflexive théorise la mort de l'auteur, celle des *Cahiers du cinéma* s'organise au contraire autour de la notion de « cinéma d'auteur », s'engage pour une politique ou du moins une théorie de l'auteur. N'est-ce pas le signe d'un basculement de l'autorité vers l'audiovisuel ?

un refoulement du spectaculaire et de ses conséquences. Tout se passe, en fin de compte, comme si elle s'opposait à quelque chose dont en même temps elle ne veut rien savoir.

Quels sont les paramètres de cette résistance ? Pour répondre à la question, il suffit de passer en revue la quasi-totalité des opérateurs du discours théorique-réflexif analysées dans les précédents chapitres. À commencer par celui de l'autonomie : ceux qui l'ont défendue souhaitaient en découdre notamment avec la posture sartrienne de l'engagement. C'est certain, mais avaient-ils le choix ? N'était-ce pas parce que l'écrivain engagé avait *de toute façon fait son temps*, parce que son autorité avait du plomb dans l'aile et, avec elle, l'autorité de l'intellectuel en général, qu'il était devenu urgent de réaffirmer l'autonomie de la littérature, exclusivement, au prix d'un renoncement à tout le reste ? Cette autonomie serait ainsi beaucoup plus menacée par le déclassement de la chose écrite entraîné par la montée en puissance de l'audiovisuel que par l'engagement sartrien, qui présupposait au contraire une autorité forte du livre, au moins à titre de vœu pieux.

Graphosphère contre vidéosphère, la bataille est perdue d'avance, on l'a vu depuis. Elle signifie que celui qui écrit cède son *leadership* aux habitués des plateaux de télévision ou, en d'autres termes, que la chose écrite se subordonne peu à peu à l'image télévisuelle. De cette inversion d'un rapport de force, l'émission *Apostrophes* fut l'exemplaire vecteur : avant Pivot le bien nommé, avec des personnalités comme Pierre Dumayet ou Pierre Desgraupes, la télévision est encore au service de la littérature. Après Pivot, c'est le contraire[1]. C'est aussi ce contexte qui donne rétroactivement tout son sens à la revendication de l'autonomie de la littérature. C'est justement parce que celle-ci est en train de perdre à la fois son prestige et son autonomie qu'il faut réaffirmer l'un et l'autre, quitte à faire l'impasse sur tout autre contenu que cette affirmation.

1. Voir Patrick Tudoret, *op. cit.*

Le théorique-réflexif se constitue ainsi comme une stratégie de résistance à un déclin. Sous ses airs conquérants, il consiste en une position défensive, une position de repli. Jamais la littérature ne semble s'être si bien portée que sous son aile, jamais elle n'a été l'objet de considérations aussi brillantes et sophistiquées, mais c'est au prix d'une sorte de protectionnisme ou d'isolationnisme. Elle est *à part*, elle ne cesse de se penser elle-même et semble du même coup creuser indéfiniment sa propre tombe, consciemment et avec enthousiasme. De ce point de vue, l'affirmation de Blanchot selon laquelle la littérature va vers sa propre disparition est non seulement cohérente, mais nécessaire. Privé d'efficacité symbolique, le théorique-réflexif fait de nécessité vertu et retraduit un déficit d'autorité en autorité du funéraire, inverse une impuissance en prestige de l'impouvoir. Et la réflexivité, tous genres confondus, est dans cette perspective un emplâtre sur une jambe de bois. On réaffirme d'une part l'autonomie et le prestige de la littérature, mais le prix à payer est élevé : il consiste à la dispenser de parler d'autre chose que d'elle-même. Elle sera désormais rivée réflexivement à sa propre affirmation.

Foucault a perçu qu'il y avait là une impasse, et c'est pourquoi il n'a pas attendu le naufrage. Il a également raison de relever que cette autonomie sans cesse mise en avant est en fait d'emblée minée de l'intérieur puisqu'elle exige des cautions scientifiques (fournies notamment par la linguistique et, un peu plus tard, par la psychanalyse). J'ai insisté dans ce livre sur la dimension avant-gardiste de l'aventure de la théorie littéraire, que l'on a trop souvent réduite à ses versions académiques. Mais il faut se demander, inversement, pourquoi cette aventure a eu, au cours des années 1960 et 1970, une dimension académique, pourquoi elle est passée par des disciplines scientifiques, par des cautions universitaires et par l'autorité d'un certain nombre d'institutions ; pourquoi, en somme, et contrairement aux mouvements surréalistes et situationnistes par exemple, la mouvance théorique-réflexive *n'a pas été autonome*. Pour répondre, on en revient une fois encore à la question du déclin de l'autorité de la chose écrite. Le théorique-réflexif, ce serait beaucoup moins la littérature autonome et faisant autorité qu'un projet consistant à conjurer une perte d'autorité et d'autonomie. Et la réalisation de ce projet exige, ironiquement, des relais académiques ou disciplinaires. Rien d'étonnant alors si c'est dans les universités, notamment américaines, que le théorique-réflexif a connu ses plus beaux succès, si c'est là qu'il est vraiment parvenu à faire autorité[1].

Il vaut également la peine de revenir rétrospectivement sur la mort de l'auteur. Elle se présentait comme le fer de lance du combat contre une culture bourgeoise de l'appropriation ou de la propriété culturelle privée. Dans un monde meilleur, il n'y aurait plus d'auteurs, nous serions tous des producteurs de sens, des *rabkors* du signifiant. Et si cette utopie n'était rien d'autre que la traduction et plus exactement l'inversion de la perception du *déclin* de la figure du grand auteur, désormais soumis à la concurrence de l'image ? Est-ce le structuralisme qui a précipité la chute de Sartre ou est-ce l'avènement d'une société de communication retirant à l'auteur ses privilèges en la matière ? Le théorique-réflexif serait ainsi à la fois une stratégie de résistance et de précipitation, une stratégie de la résistance par la précipitation ou l'accélération. Puisque l'étoile de l'auteur commence à pâlir, proclamons-en l'imposture et sacrifions-le pour que personne ne s'aperçoive que bientôt le roi sera nu[2]. Le théorique-réflexif joue le prestige de l'auteur

1. Cette dernière hypothèse est sans doute à nuancer. L'autonomie de la littérature a toujours été une pétition de principe, une affirmation plus ou moins péremptoire exigeant tôt ou tard des raccrochages institutionnels, politiques, scientifiques, etc. Après tout, les inventeurs du premier romantisme – celui du cercle d'Iéna – ont également fini par faire de solides carrières professorales. Disons alors que dans le cas du théorique-réflexif, l'arrimage académique a été particulièrement évident.
2. Il me faut faire à ce propos une réserve sur le titre de l'ouvrage de Patrick Tudoret (*L'Écrivain sacrifié, op. cit.*). L'intervention de plus en plus massive de la télévision dans la détermination du champ littéraire ne conduit pas à un *sacrifice* de l'écrivain, mais à sa banalisation, à sa

sacrifié, qui paie de sa personne en acceptant de ne plus exister, contre la banalisation et la dévaluation de l'auteur programmées par la vidéosphère. Quand on voit les obligatoires pitreries cathodiques qui font partie aujourd'hui du cahier des charges de tout auteur qui se respecte (vraiment ?), on se dit que ce n'était pas là une mauvaise idée. Quoi qu'il en soit, la mort de l'auteur aura été un des mots d'ordre de la mouvance théorique-réflexive qui a le mieux permis à celle-ci de résister au spectaculaire.

Il en va de même encore avec le lecteur ou, plus exactement, avec son absence, c'est-à-dire avec cet autre postulat fondamental du théorique-réflexif qui veut qu'on n'écrit pas pour communiquer, ou qu'écrire consiste à ne s'adresser à aucun lecteur identifiable comme tel, que toute écriture véritable réinvente un lecteur dont la nouveauté est corrélative de l'illisibilité du texte qui le produit. C'est bien sûr une façon de prendre le contre-pied de Sartre qui exigeait de l'écrivain qu'il sache viser (un public), qu'il ne tire pas à l'aveugle et qu'il utilise sa plume comme une arme. Mais à un niveau plus général, c'est aussi une manière d'entrer dans la société de communication à reculons, en lui résistant d'autant plus que cette société est précisément en train de transformer les ci-devant lecteurs en non-lecteurs, en spectateurs, en consommateurs d'images. En forçant un peu les choses, on peut dire que le théorique-réflexif s'est muni – du moins sur le plan théorique, mais c'est ce dont il raffole – d'une assurance-vie contre l'érosion de la culture littéraire, contre l'enraiement historique des revolvers littéraires. J'écris pour ne pas être lu : c'est une façon d'éviter d'entrer en matière sur une réalité moins glorieuse, celle de mon autorité qui part en peau de chagrin et qui me condamne

---

dévalorisation, à une perte définitive d'*aura* (définitive parce que là encore les choses commencent tôt – Baudelaire l'évoque déjà). Un sacrifice, ce serait encore trop beau, trop prestigieux, et c'est justement la réponse que la mouvance théorique-réflexive a tenté d'apporter à la banalisation.

à écrire pour de moins en moins de lecteurs. Une telle position a pu faire illusion, mais seulement pendant un certain temps, c'est-à-dire tant qu'il restait quand même quelques lecteurs pour soutenir leur propre disparition.

Fétichisations

On pourrait faire le même type d'analyse en partant d'autres concepts clés de la théorie littéraire. Celui de la « subversion » de la représentation par exemple : sa vocation anti-spectaculaire doit être relativisée par le fait que toutes les représentations ne se valent pas, que toutes n'ont pas la même force de séduction ou de conviction. Il est d'autant plus facile de faire vœu d'abstinence en matière de représentation littéraire que celle-ci cesse au cours de cette période de faire le poids par rapport aux machines cinématographiques et surtout télévisuelles. On fait ainsi une nouvelle fois l'économie d'un aveu d'impuissance[1].

1. Choisir de saborder la représentation au moment où celle-ci envahit l'ensemble de l'espace à la fois public et privé est une opération d'autant plus intéressante qu'on évite ainsi également d'entrer en matière sur une fonction de divertissement finalement assez banale qui est *aussi* et depuis fort longtemps celle de la littérature. Il y a certes Mallarmé le héros, mais inversement il y a aussi Zola, décrit à son époque comme un pornographe par certains, et des bien pires encore. Par les vertus du théorique-réflexif, la littérature se retrouverait ainsi rétroactivement protégée contre le cambouis du fantasme et du voyeurisme qui a fait sa prospérité, notamment commerciale, quoi qu'on en dise. Anoblissement par soustraction, qui en permet la sanctification – ou du moins d'en faire une sainte-nitouche. Si on resitue la question de la contestation du réalisme dans un cadre plus large – puisque là encore ce n'est pas quelque chose qui commence dans les années 1950 avec le Nouveau Roman – on peut faire un parallèle également avec l'histoire du théâtre. De même que le théâtre abandonne largement sa fonction de divertissement pour « s'avant-gardiser » au cours du XXe siècle à cause de la concurrence du cinéma puis de la télévision,

La thématique de la « production du texte » est également significative à cet égard. Elle est valorisée au moment où s'impose non seulement une société de consommation, mais aussi une société dans laquelle le travail productif s'efface derrière le travail simplement reproductif, pour reprendre les termes de Baudrillard[1]. Les ci-devant auteurs devenus des scripteurs ou justement des producteurs (de sens) sont en somme les derniers producteurs – ou les derniers à croire à la production – dans un ordre social où les décrochements par rapport à la production au sens strict du terme vont se multiplier avec, en point de mire, l'apothéose contemporaine de la financiarisation de l'économie. Ils croient à la production, au travail (du signifiant), et même parfois au travail bien fait. Leur idole est Flaubert le lent plutôt qu'Aragon le rapide, qui ne laisse pas de brouillons. Il n'y a donc rien d'étonnant si la mouvance théorique a drainé de nombreux intellectuels et écrivains venus de l'horizon communiste et continuant parfois d'y évoluer. La culture communiste est même particulièrement indiquée dans un tel contexte puisque, d'une part, la valorisation du travail et de la production sont au cœur de ses justifications philosophiques (c'est la valeur d'usage de Marx) et que, d'autre part, on peut la considérer, avec R. Debray, comme la dernière grande étape d'une culture du livre et de l'imprimé qui débute quelques siècles plus tôt avec Gutenberg et le protestantisme[2]. Les communistes sont les derniers à croire à la production, mais aussi à la chose imprimée, parce que leur survie dépend de l'une et de l'autre. Il n'y a pas de parti communiste sans producteurs, mais pas non plus sans

---

de même la littérature tente pendant un certain temps de se soustraire à la concurrence de l'audiovisuel par des stratégies antiréalistes. Au regard de la configuration actuelle du champ littéraire, on conviendra qu'elle y est moins bien parvenue que le théâtre.

1. *L'Échange symbolique et la mort*, op. cit.

2. « Vie et mort d'un écosystème : le socialisme », *in Cours de médiologie générale, op. cit.*, p. 351-409.

théoriciens écrivant livres et articles. C'est pourquoi ils étaient en quelque sorte destinés à accompagner le théorique-réflexif, malgré tout ce qu'il pouvait avoir d'incompatible avec le matérialisme historique. Après tout, c'est aussi leur propre déclin qui s'en trouvait ainsi retardé.

Avec Ponge, Mallarmé, Valéry ou encore Claude Simon comme figures tutélaires, mais aussi avec les « pratiques textuelles » gravitant autour de revues comme *Tel Quel, Change, Digraphe, TXT, Manteia*, etc., la mouvance théorique-réflexive n'a cessé d'insister sur la production, la fabrication, sur l'écriture comme *travail*, valorisé en tant que tel. On ne parle plus d'œuvre mais de texte ou de pratique textuelle ou encore de pratique de l'écriture. Le théorique-réflexif aura débouché sur un fondamentalisme de l'écriture, antérieur notamment à toute considération générique. Je ne suis pas romancier, poète ou auteur de pièces de théâtre, mais j'écris, intransitivement et en un point antérieur aux différenciations génériques et aux déterminations discursives, en un lieu où il ne saurait être question de distinguer récit, drame et poésie, qui sont les effets d'un même *travail de la langue*. Ce fondamentalisme constitue à sa manière, et symétriquement aux positions humanistes, un essentialisme. Il implique une idée très exclusive de ce qu'est la littérature, on l'a parfois relevé. Au regard de son environnement médiatique, on le définira aussi comme une fétichisation de l'écriture qui a le sens d'une résistance à sa dévalorisation.

Celle-ci est certes encore difficile à identifier dans les années où la théorie littéraire prend forme. Rétrospectivement, il ne fait cependant guère de doute que les années 1960 et 1970 furent les dernières où il a été possible de valoriser l'écriture en tant que telle, et que l'aura liée alors à sa « pratique » n'a cessé depuis de s'effriter au profit notamment des médias « immédiats » (la musique, l'image). On commence à basculer avec armes et bagages du côté de l'immédiat et la littérature devra elle-même s'adapter. Il faudra faire court et clair. Proust, avec ses phrases interminables et ses paperolles, ou Kafka, le croisé poids-plume voué au *Schreiben*, n'auraient aucune chance de survivre aujourd'hui. À ce basculement, le théorique-réflexif résiste sur un mode fétichiste, terme qu'il est possible d'entendre ici dans sa systématique freudienne : tout se passe en effet comme si la « pratique de l'écriture » se constituait en écran, en voile jeté sur un pouvoir de l'écriture (un phallus) dont on dénie ainsi l'absence.

Ce fétichisme aura ses fondements théoriques. La « pratique de l'écriture » est justifiée notamment par la psychanalyse lacanienne, grâce à laquelle se popularise la notion de « travail de la langue ». Analysants, écrivants, scripteurs, même combat : ils sont tous les héroïques aventuriers de la subjectivité perdue, les explorateurs des limites où se constitue et se défait le moi, toujours haïssable. À ce titre, le « travail de l'écriture », c'est une sorte de psychanalyse du pauvre, et la culture littéraire aura trouvé dans ce tournant psychanalytique un répit, un point d'appui qui a retardé, sinon son déclin, du moins sa détermination prochaine par une culture audiovisuelle[1]. Ajoutons qu'il s'agit ici d'une détermination réciproque puisque dans sa version lacanienne, la psychanalyse lie son destin à l'écriture au point de se constituer en un autre symptôme du chant du cygne d'une culture de l'écrit. Elle est en effet impensable sans l'infinie production de concepts théoriques qui lui ont donné sa légitimité, et on sait ce que ces concepts sont supposés devoir au « travail de la langue », notamment chez Lacan. Elle n'a donc tenu qu'à de l'écrit, pour ne pas dire aux *Écrits*. « Travail de la langue » au service d'une novlangue théorique parfaite ou du moins irréfutable : tout cela n'aura tenu qu'à la force de l'écrit. La psychanalyse, dans cette version du moins, c'est encore du théorique-réflexif.

---

1. Retardé, mais aussi préparé : il faudrait examiner de près cette courte période de l'histoire de la littérature contemporaine au cours de laquelle l'exploration des rapports entre subjectivité et langage cède peu à peu la place, toujours avec la caution de la psychanalyse, à l'exploration du fantasme à laquelle la catégorie de l'autofiction viendra donner une légitimité littéraire, puis à des formes plus énergiques d'exhibitionnisme qui, elles, se passeront de mieux en mieux de toute légitimité psychanalytique.

Résistance à la vidéosphère, fétichisation de l'écriture : ce contexte me semble aussi être la clé – ou une des clés – de l'influence des thèses de Jacques Derrida, qui a profondément marqué la mouvance théorique-réflexive des deux côtés de l'Atlantique. Non seulement ses œuvres exhibent, de façon croissante pendant un certain temps, une « pratique de l'écriture » ou plus exactement le discours philosophique comme effet d'une écriture, mais Derrida fournit surtout de très bons arguments théoriques en vue d'une défense et illustration de la culture de l'écrit et de son autonomie. À commencer par celui de l'« archi-écriture », c'est-à-dire la notion d'une écriture, d'un principe de disposition, d'espacement et de différenciation déterminant du dehors toute formation discursive. Ce principe d'écriture serait antérieur d'une part à l'assujettissement de l'écriture par la voix, dont la tradition métaphysique fait le lieu de la vérité et de la présence, d'autre part aux oppositions constitutives du discours métaphysique, dont l'existence dépend précisément de la force de disposition d'une archi-écriture refoulée par ce même discours. Toutes les analyses du corpus de la métaphysique occidentale effectuées par Derrida impliquent un impensé, un refoulé qui a pour nom « (archi)-écriture », « différance », « dissémination », etc.

Quelles que soient la richesse et la complexité de ces analyses, on ne peut s'empêcher d'observer, dans une perspective médiologique, que le développement de cette pensée est parfaitement en phase avec ce qu'on vient de voir à propos d'autres opérateurs essentiels de la théorie littéraire. Elle console de l'invisibilité croissante de la littérature en tant que pratique sociale en postulant une autre scène – analogue à celle imaginée par Freud[1] – qui

---

1. Un des premiers textes que Derrida consacre à la psychanalyse, et plus précisément à l'« autre scène » postulée par Freud, est significativement intitulé « Freud et la scène de l'écriture » (dans *L'Écriture et la Différence, op. cit.*, p. 293-340). Enjeu : montrer que l'« autre scène », celle de l'inconscient, est une scène d'écriture, que le conscient est déterminé par un inconscient-écriture.

serait à l'origine de toutes les pratiques visibles. Celles-ci seront par conséquent descriptibles comme autant de métaphysiques qui s'ignorent. L'écriture y regagne non seulement son autonomie, mais une antériorité qui permet un renversement du « rapport de force » réel. C'est elle qui est maintenant au principe de tout, mais sous rature, à titre d'origine indéfiniment différée (ou différante), coïncidant avec une absence d'origine.

De même qu'on sacrifie l'auteur avec enthousiasme plutôt que de prendre acte de sa banalisation, de même les thèses de Derrida ont permis, du moins au niveau de leur reprise par les littéraires pas toujours très calés en philosophie, une ultime sacralisation de l'écrit avant les soldes et la liquidation générale. Derrière les basculements médiatiques visibles et leurs effets d'aveuglement, il y a, mais seulement pour qui sait encore lire, la force de la « différance » retraduite tôt ou tard dans des pratiques concrètes d'écriture, de Mallarmé à Genet, en passant par Artaud, Ponge, etc. On observe également que ce qu'on a dit de la mouvance théorique en général est vrai pour Derrida en particulier (ce qui peut surprendre, compte tenu de la très grande diversité des sujets qu'il a abordés) : au-delà de ses réflexions sur l'histoire de l'écriture[1], Derrida ne dit rien sur les « nouveaux » médias (audiovisuels puis numériques), qui ne sont abordés qu'en passant, notamment dans *La Carte postale*[2]. On ne sort pas de la culture de l'écrit par des moyens d'archi-écriture[3].

1. Et plus précisément sur Warburton ; voir à ce sujet « Scribble », préface à *L'Essai sur les hiéroglyphes*, de Warburton, Paris, Aubier-Flammarion, 1978.
2. Jacques Derrida, *La Carte postale*, Paris, Aubier-Flammarion, 1980.
3. Ni d'une culture du commentaire, bien au contraire, puisque c'est encore la même et qu'elle joue notamment au niveau académique un rôle essentiel. N'est-ce pas aussi une des explications de l'impressionnant succès de la déconstruction dans les universités américaines ?

Le livre sans fin

Dans un ouvrage d'entretiens intitulé *Positions*, Jacques Derrida prévient d'emblée : sa démarche met en cause l'unité du livre, elle participe d'une logique de l'inachèvement. En d'autres termes, les livres de Derrida sont les uns dans les autres, s'ouvrent les uns sur les autres, se prolongent sans qu'il n'y ait jamais de fin : « Il s'agit seulement, sous ces titres, d'une "opération" textuelle, si l'on peut dire, unique et différenciée, dont le mouvement inachevé ne s'assigne aucun commencement absolu, et qui, entièrement consumée dans la lecture d'autres textes, ne renvoie pourtant, d'une certaine façon, qu'à sa propre écriture[1]. » De cette position, on peut dire qu'elle est typique de l'ensemble de la mouvance théorique-réflexive. Jusqu'à présent, j'ai situé celle-ci indifféremment dans une culture du livre et dans une culture de la chose écrite. Il faut maintenant nuancer cette affirmation : le théorique-réflexif joue une écriture généralisée, pensée par Derrida dans les termes qu'on vient de voir, infinitisée, ou encore *délimitée,* contre le livre ou l'œuvre.

Ainsi, du côté de Tel Quel, on ne cesse d'opposer la littérature au *texte*, toujours ouvert, sans fin, dans la mesure où il relève d'une intertextualité générale. L'œuvre, rebaptisée sobrement « objet littéraire », n'est plus qu'un cas particulier de la *pratique signifiante*, qui réfute les limites traditionnelles du livre ou de l'œuvre justement, imposées par le fétichisme littéraire bourgeois[2]. De manière analogue, on peut faire l'hypothèse que tout ce que Barthes dispose autour de la notion de plaisir du texte consiste également en un principe de délimitation du livre et de l'œuvre, sans cesse démembrés et détournés de leurs circulations marchande ou institutionnelle

---

1. Jacques Derrida, *Positions*, Paris, Minuit, 1972, p. 11.
2. Julia Kristeva, « Problèmes de la structuration du texte », *Théorie d'ensemble, op. cit.*, p. 297-298.

au nom de l'utopie d'un rapport au texte détaché de toute détermination sociale – charmes de la perversion. Et antérieurement, ce sont toutes les considérations de Blanchot sur le désœuvrement, ou encore sur le livre et la bibliothèque[1], qui ont marqué la mouvance théorique-réflexive. Dès ses premiers grands ouvrages critiques (*L'Espace littéraire*[2], *Le Livre à venir*[3]), mais aussi plus tard avec *L'Entretien infini*[4] ou encore *L'Écriture du désastre*[5], Blanchot a mis la question du désœuvrement au centre de sa réflexion. Pour aller vite, à ses yeux, l'œuvre n'est jamais présente à elle-même, elle ne se saisit ou ne se maîtrise jamais et elle ne saurait donc coïncider avec le livre, qui est sans cesse débordé, relancé et ainsi condamné à n'avoir lieu qu'en dehors de lui-même. Elle advient comme le report interminable et infini de son propre désir, dans une sorte d'au-delà de l'ordre des livres, de la bibliothèque et de la culture[6] : pensée de l'inachèvement, et aussi du fragment, moyennant lequel on remonte une fois de plus aux origines romantiques de la constellation théorique-réflexive[7]. Gérard

1. Chez Blanchot, le livre et la bibliothèque sont faits pour brûler, à en croire du moins un de ses récits intitulé *Le Ressassement éternel* (Paris, Minuit, 1951). L'écriture, le récit commenceraient véritablement là où s'effacent les livres, la bibliothèque, les œuvres. Voir sur ce point Daniel Wilhem, *Maurice Blanchot : la voix narrative*, Paris, U.G.E., coll. 10/18, 1974, p. 15-124.

2. M. Blanchot, *L'Espace littéraire, op. cit.*

3. M. Blanchot, *Le Livre à venir, op. cit.*

4. M. Blanchot, *L'Entretien infini, op. cit.*

5. M. Blanchot, *L'Écriture du désastre*, Paris, Gallimard, 1980.

6. Pour plus de précisions sur cet aspect de la pensée de Blanchot, voir également Daniela Hurezanu, *Maurice Blanchot et la fin du mythe*, Nouvelle-Orléans, Presses universitaires du Nouveau Monde, 2003, et Emmanuelle Ravel, *Maurice Blanchot et l'art au XXᵉ siècle ; une esthétique du désœuvrement*, Rodopi, Amsterdam et New York, 2007.

7. Voir à ce sujet les réflexions de Blanchot autour de la notion de « parole plurielle » et surtout autour de celle d'« absence de livre » dans *L'Entretien infini, op. cit.*, et plus précisément ses articles sur le fragment et sur l'Athenaeum (les Romantiques d'Iéna). De manière plus générale,

Genette parmi d'autres embraiera sur cette réflexion, notamment à propos de Proust, dont *La Recherche* serait l'exemplaire mise en scène d'un désœuvrement, d'une œuvre échappant à elle-même[1].

Genette est par ailleurs un des seuls à attirer l'attention sur la nécessité de prendre en compte la fonction de la littérature à l'intérieur d'une société, et sur la façon dont cette fonction peut changer lorsqu'émergent par exemple le cinéma ou d'autres nouveaux moyens de communication[2]. Rare moment de perspicacité médiologique de la part d'un acteur majeur de l'aventure théorique, qui évite ainsi tout essentialisme littéraire et qui conclut par ailleurs sur ce point en faisant l'hypothèse que nous vivons peut-être *la fin du Livre*[3] (et non pas du livre). Le Livre, ou le livre total tel qu'il a été imaginé ou pensé, des romantiques allemands à Mallarmé, puis transmis comme projet aux avant-gardes du XXe siècle, le Livre, jamais réalisé, mais devenu le nom d'un désir d'œuvre totale avec laquelle tout serait dit, parfois par tous et en tout cas pour tous, c'est bien ce qui constitue l'horizon de la mouvance théorique-réflexive, l'horizon à la fois de son goût pour la dé-limitation de la littérature et de son communisme de l'écriture[4]. Genette l'affirme lui-même lorsqu'il écrit dans un autre essai que « la littérature s'accomplit en fonction du Livre[5] » : le théorique-réflexif joue le Livre contre le livre, et comme le Livre reste un horizon,

---

il faut également relever à ce propos l'intérêt des acteurs de l'aventure théorique pour les œuvres fragmentaires, inachevées ou virtuellement infinies (Kafka, Musil, Joyce, Artaud, mais aussi Joubert, Amiel, etc.).

1. *Figures I, op. cit.*, p. 61-67.
2. *Ibid.*, p. 170.
3. *Ibid.*
4. Sur les avatars du mythe du livre total dans l'histoire des avant-gardes, voir aussi V. Kaufmann, *Poétique des groupes littéraires, op. cit.*
5. *Figures II, op. cit.*, p. 16.

un pur désir, elle joue aussi l'inachèvement contre l'œuvre finie. Cela veut dire que la montée en puissance de l'audio-visuel ne menace pas le livre (on le voit bien puisqu'il continue, quatre décennies plus tard, de se vendre), mais le Livre en tant qu'il constitue l'inatteignable horizon de toute œuvre, soit son principe de désœuvrement, de délimitation ou encore d'« infinitisation ». Le Livre, c'est en somme le vecteur du modernisme.

C'est pourquoi la mouvance théorique-réflexive ne tente pas de s'opposer à l'image par le livre ou l'œuvre. Ceux-ci lui semblent au contraire soit condamnables (si on s'en remet à son projet de critique d'une culture bourgeoise de l'échange et de la propriété privée), soit condamnés (si on lui prête l'intuition du déclin de l'autorité du livre). On ne tranchera pas entre les deux termes de l'alternative, puisque la théorie en tire sa féconde ambiguïté. Mais on retiendra ceci : soit pour conjurer la perte d'autorité du livre soit pour en précipiter la chute, la génération du théorique a choisi de se situer dans un au-delà de l'œuvre finie dont l'horizon fait miroiter le Livre. Elle a opté pour le désœuvrement parce qu'elle a jugé que l'œuvre était condamnée[1], elle a joué la pratique signifiante, l'écriture généralisée contre la littérature débitée en volumes. Disqualification de ses paramètres institution-nels, économiques, sociaux, discursifs et juridiques (avec le congé donné à l'auteur) : la littérature ne va pas seulement vers sa disparition, comme le voulait Blanchot, mais elle *est* sa disparition indéfiniment répétée, *incarnée*, serait-on tenté de dire. Elle est une fin qui n'en finit plus. Autorité ou aura d'une littérature-tombeau ou d'une littérature spectrale, parée des prestiges du funéraire, échappant à toute considération socio-historique, et du même coup à toute évaluation de sa force par rapport à d'autres médias : pendant un certain

---

1. Cette problématique est au centre, entre autres, d'un des classiques de la théorie : l'*Opera aperta* d'Umberto Eco, paru en 1962 (trad. fr., Paris, Seuil, 1965).

temps, on a pu croire qu'ainsi plus rien ne pouvait lui arriver, puis on s'en est lassé, sans doute parce que plus rien ne lui arrivait[1].

L'utopie déçoit

Tout compte fait, la théorie semble avoir été un phénomène de résistance plutôt qu'une révolution. Elle a mis en avant des pratiques et une éthique littéraires dont il ne reste pas grand-chose aujourd'hui. Pourquoi alors ce sentiment persistant chez certains qu'elle a quelque chose à voir avec la configuration actuelle du champ littéraire et éventuellement avec son prétendu déclin ? Sans doute parce que la théorie a également eu une réelle force d'*anticipation* sur laquelle je voudrais conclure ce chapitre.

Cette hypothèse paraît contradictoire par rapport à ce que je viens d'avancer. Elle l'est moins si on part du principe que les opérations anticipées par la théorie se sont beaucoup moins réalisées dans le champ de la littérature, actuellement de plus en plus verrouillé par les exigences du marché et de l'univers cathodique, que dans celui des médias numériques. Dans sa résistance à la montée de la vidéosphère, la mouvance théo-

---

1. Une fois de plus, des nuances s'imposent : l'histoire des théories littéraires est plus contradictoire et plurielle que ne le suggèrent ces considérations sur la délimitation. Tous ne se sont pas précipités dans les tombeaux du désœuvrement ou les boulevards de la pratique signifiante généralisée, loin de là. Dès *Figures III*, G. Genette prendra le tournant de la poétique, qui est aussi celui d'un retour au discours et à l'histoire. Quant à Todorov, cofondateur avec Genette de la revue *Poétique*, il ne s'est jamais enthousiasmé ni pour le désœuvrement ni pour la dé-limitation du littéraire. Il est un des premiers acteurs de la théorie à prendre des positions véritablement critiques par rapport à Blanchot (dans *Critique de la critique, op. cit.*, p. 55-81). Enfin, il est un des premiers à réintroduire la notion de genre dans le débat théorique, arrimant ainsi la littérature à une fonction discursive (*Les Genres du discours*, Paris, Seuil, 1978).

rique a imaginé, pour l'écriture, des dispositifs et des tâches dont les médias numériques permettent aujourd'hui la réalisation. Cela ne veut pas dire que les théoriciens ont été des visionnaires. Ils ont été les contemporains de l'invention de l'informatique « privée », avec notamment l'arrivée de terminaux permettant l'individualisation de la programmation, en attendant un peu plus tard les ordinateurs personnels, mais il est fort probable qu'ils en aient tout ignoré, et ceci d'autant plus qu'ils ne voulaient rien en savoir. S'ils ont anticipé les opérations devenues possibles grâce aux médias numériques, c'est à la façon des philosophes et des scientifiques du XVIIIe et du XIXe siècle, qui avaient parfois l'« idée de cinéma », mais pas la moindre idée concrète quant à sa réalisation.

De quelles opérations s'agit-il ? L'improbable convergence entre théorie et monde numérique a sans doute commencé avec la notion d'hypertexte, pour laquelle les plus futuristes des acteurs de la théorie se sont enthousiasmés dès la fin des années 1980, mais ce sera au prix d'un abandon de la pratique de la lecture qui a été au cœur de la théorie. L'hypertexte, c'est la possibilité d'automatiser toute une série d'opérations qui ont été essentielles dans les pratiques de lecture mises en avant dans la mouvance théorique : lectures non linéaires, verticales plutôt qu'horizontales ou encore « paragrammatiques », avec pour objectif de rendre compte de la polysémie des textes, voire du travail de la dissémination (selon J. Derrida). L'un des acquis principaux des années théoriques, c'est l'idée qu'un texte constitue fondamentalement un *réseau de signifiants* à la fois vertical et horizontal, comparable aux portées de l'écriture musicale, et c'est le travail du lecteur-analyste de le donner à voir ou plus exactement à entendre. C'est cette pratique, et non par exemple son érudition historique, qui a fait pendant un certain temps le bon lecteur. Celui-ci doit avoir de l'oreille, une capacité d'écoute et d'association, du moins tant qu'il ne dispose pas de textes numérisés et de moteurs de recherche qui permettent d'automatiser ce qui était antérieurement un art ou une science (de l'écoute des mots). Accéder à l'hypertexte permet de parcourir indéfiniment et sans efforts les réseaux signifiants, de dépasser la linéarité du livre par son « infinitisation ». Du même coup, l'hypertexte met le lecteur-analyste au chômage technique. Il réalise ou actualise ce qui est encore un horizon du temps de la théorie : le livre dé-limité, l'œuvre ouverte, inachevée par ses possibilités infinies de lecture. Il y a dans cette évolution quelque chose d'ironique : le théoricien rêve d'hypertexte et celui-ci, en se réalisant comme il le fait aujourd'hui, lui enlève ses raisons de lire et périme son savoir-faire. Les seuls qui y trouveront leur compte sont les néo-historiens de la littérature, dont l'informatique accélère considérablement les travaux de recherche des sources.

Une autre opération dont le monde numérique aura permis la généralisation, c'est le « copier-coller », stade ultime et en même temps désespérément banal de ce que la théorie littéraire s'est efforcée de penser en termes d'intertextualité, une notion qui a été stratégique pour en finir avec celle d'auteur et avec la propriété privée du texte. L'intertextualité, c'était au départ l'idée que tout texte était fait de reprises, de répétitions, de détournements, de citations, etc. Le dire avec insistance revenait à remettre l'auteur à sa place, ou plus exactement à l'en priver. Quatre décennies plus tard, c'est un lieu commun de constater que les pratiques de la citation et de l'appropriation (du piratage, dit-on, quand elles ne sont pas légales) sont au cœur du monde numérique, que le copier-coller ou plus généralement les techniques de (re)production numérique en constituent une ressource fondamentale, non seulement dans le domaine du texte, mais également dans celui de la musique, de l'image et de plus en plus dans celui du cinéma. Et on sait aussi quels problèmes de « droits d'auteur » ces techniques de reproduction entraînent et quelles menaces elles font par conséquent porter sur les auteurs eux-mêmes. La plupart des acteurs importants de la théorie littéraire en ont appelé, d'une manière ou d'une autre, à la destitution de l'auteur. Mais était-ce ainsi qu'ils l'imaginaient ? Qu'imaginaient-ils au juste d'ailleurs ? Comme l'apocalypse, il se pourrait en tout cas que la réalisation des utopies ayant servi il n'y a pas si longtemps de *vecteurs* à une défense de l'écriture, ou de figuration d'un certain *désir* de la littérature moderne, se révèle décevante.

Un monde sans auteurs, ce n'est plus aujourd'hui un horizon, glorieux et sacrificiel. C'est une utopie réalisée, non seulement à cause de la pratique générale du détournement ou de l'appropriation, du copier-coller, mais également à cause des nouvelles techniques d'expression liées au monde numérique : blogs, réseaux sociaux, etc. Tous pirates, mais aussi plus directement : tous auteurs, ce qui revient à dire que plus personne ne l'est, du moins si toute « fonction-auteur » implique une forme spécifique d'autorité et donc d'exclusivité. La mouvance théorique-réflexive en appelait à la mort de l'auteur dans le cadre d'une économie de la rareté (relative) du livre, dans le contexte d'une logique de la distinction qui était aussi un ordre du discours, déterminé par des procédures d'autorisation, diverses mais précises. Elle imaginait un démantèlement de cet ordre, un nouveau partage des moyens d'expression, érigés pour la circonstance en moyens de production (du sens). C'est aujourd'hui chose faite. Les blogs sont à la portée de n'importe qui, sous condition d'accès à Internet. Et la « culture » qui se met en place avec les sites participatifs ou les réseaux sociaux est souvent décrite à juste titre en termes de *savoir* ou *d'auteur collectifs* (c'est l'exemple de Wikipedia, avatar contemporain du Livre total, somme écrite par tous, comme le voulait déjà Mallarmé[1]). Est-ce là ce qui avait été imaginé, du côté de Tel Quel, mais aussi de Blanchot, ou des occupants de l'Hôtel de Massa en Mai 68 ? Certainement pas. Il semble bien que dans

---

1. Mallarmé revenant au début de ce XXIe siècle serait-il toujours poète ? Peut-être serait-il passionné d'informatique, peut-être inventerait-il des logiciels, ou un site intitulé *Livre.com*. On n'insistera en tout cas jamais assez sur l'intérêt de Mallarmé pour les nouveaux médias de son époque, sur son côté médiologue en somme, qui est au premier plan dans des recueils comme *Variations sur un sujet* et *Crayonné au théâtre*. Voir aussi sur ce point Pascal Durand, *Mallarmé. Du sens des formes au sens des formalités*, Paris, Seuil, coll. « Liber », 2008.

ce cas précis, le prix à payer pour la réalisation d'une des dernières utopies littéraires ou pour une des dernières étapes de l'histoire du Livre, c'est la disparition de la littérature.

Marx affirmait que l'histoire se répétait sous forme de farce. Dans le cas de la théorie littéraire et de ses aspirations révolutionnaires, on peut dire que ce n'est pas la répétition, mais la concrétisation d'une utopie qui aura ainsi viré à une farce certes exemplairement démocratique, mais dans laquelle la littérature n'a plus rien à voir. Le Livre total tel qu'il a été imaginé pendant presque deux siècles, fait pour et par tous, clé de voûte d'une nouvelle communauté, voire d'une nouvelle société, a pris aujourd'hui la forme de cette infinie poussière de paroles produites par tous et de plus en plus pour personne. Là, plus aucune singularisation dans et par la parole n'est possible, ni par conséquent aucune distinction, aucun principe d'autorité. Sans être pour quoi que ce soit dans sa concrétisation numérique actuelle, la mouvance théorique a appelé de ses vœux un tel état de fait, un partage des moyens d'expression (de « production du sens ») tout en y résistant des quatre fers, tout en maintenant une idée de la littérature dont on voit bien aujourd'hui qu'elle entrait alors dans une crise sans fin. Contre une fin de la culture du livre dont elle a eu l'intuition si ce n'est souhaité l'avènement, elle a joué l'infini d'une pratique réflexive (théorique) de l'écriture. Il n'y aurait pas de fin puisqu'on dirait indéfiniment qu'elle vient, qu'elle est là, que le livre et l'auteur sont morts. On exalterait l'infini de la signifiance pour conjurer l'insignifiance menaçante (télévisuelle, puis numérique). Danse au bord du précipice ou au-delà, dansée par les derniers gardiens de la forteresse littérature, bientôt vide. On ne saura jamais exactement s'ils dansaient de joie ou pour oublier leur tristesse.

CHAPITRE 5

Entretiens

Jonathan Culler

Né en 1944, professeur d'anglais et de littérature comparée à l'Université de Cornell (États-Unis), il est notamment l'auteur de *Structuralist Poetics : Structuralism, Linguistics, and the Study of Literature,* Ithaca, Cornell University Press, 1975 (réédition : London, Routledge and Kegan Paul (Routledge Classics), 2002) ; *The Pursuit of Signs : Semiotics, Literature, Deconstruction,* Ithaca, Cornell University Press, 1981 ; *On Deconstruction : Theory and Criticism after Structuralism,* Ithaca, Cornell University Press, 1982 ; *The Literary in Theory : Cultural Memory in the Present,* Stanford, Stanford UP, 2006.

J'aimerais commencer avec vos années structuralistes. Vous découvrez le structuralisme dans les années 1960, en Angleterre. Est-ce que c'était pour vous un enjeu politique ? Comment définiriez-vous maintenant votre intérêt d'alors pour le structuralisme ?
Il y avait certainement un enjeu politique, dans la mesure où l'analyse structurale montre le caractère conventionnel, culturel, de tout ce qui se présente comme naturel. Sur un autre plan, le structuralisme se présentait comme une force révolutionnaire dans le contexte du système d'éducation français. De 1966 à 1969, j'étais étudiant à Oxford, mais j'habitais à la Maison française et j'avais donc beaucoup de contacts avec des chercheurs et des enseignants français. De toute évidence, le structuralisme et la théorie en général étaient un enjeu politique pour eux, ils représentaient en particulier une rupture avec les milieux

académiques établis. Tout indiquait que ces milieux allaient être bouleversés par l'irruption des sciences humaines – il y avait non seulement Barthes et sa polémique avec Picard, mais aussi l'influence d'Althusser ou de Foucault encore associé au structuralisme à l'époque.

Le structuralisme avait aussi une dimension politique pour moi parce qu'il permettait d'envisager une transformation des études littéraires en Angleterre et aux États-Unis. Oxford était à l'époque extrêmement conservateur, et quand j'y ai été nommé en 1974, j'étais pratiquement le seul enseignant – avec Terry Eagleton – à m'intéresser à la théorie. J'ai mis en place un séminaire de théorie littéraire, c'était une aventure très excitante, nous pensions alors que nous allions créer des structures académiques totalement neuves.

Ma réponse est, en fin de compte, double. D'un côté, ma découverte du structuralisme et de la linguistique constituait une suite logique de mon intérêt académique pour la phénoménologie. Mais, d'autre part, dans ce contexte britannique très traditionnel, la théorie – souvent identifiée comme *french nonsense* en Angleterre – prenait une signification politique.

Puis vous retournez aux États-Unis. Est-ce que le structuralisme vous semble avoir eu la même fonction dans ce contexte quand même très différent ?
C'était en effet très différent. Une des choses qui m'a surpris, c'est que la réception du structuralisme aux États-Unis a été en quelque sorte court-circuitée par l'arrivée de ce qu'on a appelé le poststructuralisme, auquel les Américains sont passés très rapidement, comme pour liquider le structuralisme. Pour moi, la réception du structuralisme aux États-Unis a été quelque chose de décevant, en particulier si on le considère, au niveau littéraire, comme un projet systématique destiné à déboucher sur une poétique.

Aucune poétique systématique n'a donc été développée aux États-Unis ?

Non, si vous pensez aux travaux de Gérard Genette ou à ceux du premier Todorov, il n'y a rien de comparable. Genette, Todorov et d'autres ont été traduits, mais n'ont pas inspiré de travaux similaires aux États-Unis. Il y a plusieurs raisons à cela. L'une est que les études littéraires américaines avaient déjà intégré, grâce au *New Criticism*, un certain nombre de paramètres introduits en France par le structuralisme, notamment la focalisation sur le texte littéraire lui-même plutôt que sur le contexte historique ou biographique. La querelle Barthes-Picard n'aurait pas pu avoir lieu aux États-Unis parce que Picard n'aurait pas eu l'autorité ni le statut qu'il avait en France. L'autre raison est que le *New Criticism* a répandu l'idée que la première tâche de la critique littéraire était l'interprétation des textes. Donc, lorsque je parlais de Barthes, de Genette, de Todorov, de Greimas, etc., on me demandait toujours comment ces théories permettaient de mieux lire ou de mieux comprendre des œuvres singulières. Dans ce contexte, un projet de poétique systématique était difficile à concrétiser. En fait la réception du structuralisme aux États-Unis s'est faite *a posteriori*, à travers les œuvres de ceux qui ont été identifiés comme poststructuralistes (Barthes, Foucault, Lacan, etc.).

Passons à la question de la déconstruction, que vous avez suivie de près, sans toutefois faire partie du « premier cercle » (celui de Paul de Man). Quels en étaient les enjeux ? Là encore, perceviez-vous la déconstruction comme un enjeu idéologique et politique ?

Clairement, aux États-Unis comme en France, la déconstruction a été perçue comme ayant une dimension politique, elle s'en prenait aux structures et aux hiérarchies déterminant la culture occidentale. Il faut voir comment ce terme de déconstruction est devenu aux États-Unis un point de ralliement pour toutes sortes de choses. J'ai toujours été étonné par la façon dont la droite réactionnaire a mis en avant la déconstruction dans ses plaintes à propos du déclin de la civilisation occidentale, alors que les véritables adversaires de cette droite auraient plutôt dû être les

Cultural Studies. Du côté de la déconstruction, on continuait de lire Platon, Rousseau, Kant, et tous les grands auteurs plutôt que d'étudier la télévision ou la culture populaire.

Ma propre rencontre avec la déconstruction a été beaucoup moins politique. J'ai découvert la déconstruction à travers mon intérêt pour le structuralisme, en lisant *De la grammatologie* de Derrida, et plus particulièrement ses essais sur Saussure et Lévi-Strauss. Ces lectures ouvraient de nouvelles perspectives critiques pour mes recherches sur le structuralisme, avec notamment la question du métalangage ou celle de la scientificité de l'approche structuraliste. Je regrette cependant que la montée en puissance de la déconstruction ait conduit à l'abandon prématuré, aux États-Unis, de tout projet de poétique systématique, de tout projet de « grammaire du texte ».

Iriez-vous jusqu'à dire que la déconstruction s'est imposée aux États-Unis contre la théorie ?

Pas contre la théorie, mais dans une certaine mesure contre des projets théoriques systématiques, oui. Dans le domaine des études littéraires, la déconstruction a effectivement encouragé des pratiques herméneutiques plutôt que la mise en place d'une poétique, dont je défends toujours aujourd'hui le principe.

Comment évaluez-vous la radicalité des enjeux politiques ou idéologiques mis en avant par le structuralisme et le poststructuralisme ?

Il y a certainement quelque chose de radical dans la déconstruction des principales hiérarchies conceptuelles qui structurent la culture occidentale. Son potentiel politique est perceptible dans le développement du féminisme, mais aussi de plus en plus dans les *Gay and Lesbian Studies* – une œuvre comme celle de Judith Butler doit beaucoup à Derrida et à Foucault. Mais sur un plan plus général, l'impact de la déconstruction est plus philosophique et seulement indirectement politique. En ce qui concerne le structuralisme, c'est plus difficile à mesurer. Un des domaines dans lequel il a eu un impact est celui des *Cultural Studies* – j'en suis convaincu, même si c'est une thèse que je suis un peu seul à défendre. Ceux qui travaillent dans ce domaine se voient souvent comme des ennemis de la « high theory », la théorie française, mais les structuralistes ont effectivement beaucoup contribué à la remise en cause des distinctions traditionnelles entre « haute » et « basse » culture. Umberto Eco a travaillé sur James Bond et il y a bien sûr les *Mythologies* de Barthes.

Comment expliquez-vous le succès, quand même assez fascinant, de la déconstruction dans les universités américaines ?
C'est quelque chose de surprenant, surtout au regard du peu de succès du structuralisme. J'y vois deux raisons. D'une part, le système universitaire américain est très « entrepreneurial », alors que le système britannique, par exemple, se conçoit beaucoup plus comme le gardien d'une tradition. Il y a aux États-Unis une prime accordée à la nouveauté et à la visibilité – il existe une sorte de *star system* académique, avec des conférences, etc., qui a certainement favorisé les tenants de la déconstruction, comme ceux d'autres nouveautés. D'autre part, il faut dire que les départements de philosophie américains ont plus ou moins abandonné le très riche héritage de la philosophie continentale. Les départements de littérature ont pu se réapproprier cet héritage via la déconstruction, revalorisant ainsi au passage leur statut. Lorsqu'on prétend que la littérature traite de questions fondamentales, cela ne gâche rien d'avoir Kant, Adorno, Benjamin ou Heidegger dans son portfolio. Ces raisons expliquent aussi à mon sens le succès très limité de la déconstruction en France. La Sorbonne n'est pas structurée comme une entreprise qui mise sur la visibilité des chercheurs ou des professeurs, et la philosophie n'a pas besoin de la déconstruction pour avoir une certaine visibilité.

Pensez-vous qu'au regard du champ littéraire et culturel contemporain, les questions soulevées par la théorie il y a trois ou quatre décennies sont toujours pertinentes ? Et plus généralement : la théorie littéraire a-t-elle un avenir ?

Il est vrai que la théorie littéraire n'est plus perçue aujourd'hui comme une chose nouvelle qu'il faudrait absolument connaître, mais il y a toujours de nombreux travaux théoriques à un titre ou à un autre qui paraissent. Ce qu'il y a de plus intéressant dans les études littéraires aujourd'hui ne peut pas être séparé de la théorie. L'intérêt qui s'est développé pour la littérature postcoloniale a contribué à faire émerger de nouvelles questions théoriques : par exemple celle du statut d'une littérature nationale au regard de la littérature de diaspora ou de celle produite dans d'anciennes colonies. Cette nouvelle constellation conduit aussi à de nombreuses discussions sur ce que serait une littérature « mondiale ». De manière générale, le domaine des études postcoloniales, fortement marqué par la théorie, est toujours très vivant. Il serait inimaginable, pour des étudiants gradués aujourd'hui, par exemple, de décider d'être « contre » la théorie, de ne pas en prendre connaissance au moins fragmentairement.

Ottmar Ette

Né en 1956, professeur de littérature française et espagnole à l'université de Potsdam (Allemagne), il est notamment l'auteur de *Roland Barthes. Eine intellektuelle Biographie*, Frankfurt am Main, Suhrkamp, 1998 (2ᵉ éd., 2007) ; *Literatur in Bewegung. Raum und Dynamik grenzüberschreitenden Schreibens in Europa und Amerika*, Weilerswist, Velbrück Wissenschaft, 2001 (trad. anglaise, New York, Rodopi, 2003 ; trad. en espagnol, Madrid, CSIC, 2008) ; *Über Lebenswissen, Die Aufgabe der Philologie*, Berlin, Kulturverlag Kadmos, 2004.

Vous êtes connu en Allemagne comme un spécialiste de Barthes. Comment avez-vous rencontré son œuvre ? Votre intérêt pour lui relevait-il d'un engagement politique ou idéologique, comme ce fut souvent le cas en France ? Était-ce un choix que vous avez fait contre les courants théoriques dominants en Allemagne ?
J'ai découvert Barthes au travers de *Mythologies*, que j'ai lu pour la première fois en 1975 quand j'étais étudiant à Fribourg, en

Allemagne. Ce livre m'a enthousiasmé, je l'ai trouvé d'une très grande intelligence, mais c'est aussi la langue de Barthes qui m'a fasciné et qu'on ne trouve pas sous cette forme dans le domaine de la théorie en Allemagne. J'ai lu ensuite *Le Plaisir du texte*. Très vite Barthes a donc été pour moi à la fois un théoricien et un écrivain. J'étais ainsi un peu à contre-courant par rapport à la sociologie littéraire allemande, un domaine dans lequel Barthes ne jouait pratiquement plus aucun rôle après avoir été jusqu'à la fin des années 1960 une référence en matière de critique de l'idéologie. Barthes a beaucoup compté pour moi dans mes tentatives d'articuler la littérature et la théorie littéraire avec des questions sociales plus générales ou, comme je le tente aujourd'hui, avec le développement d'un « savoir-vivre » ou d'un savoir de la vie que nous offrent les littératures du monde. Il est également exemplaire en ce qui concerne les stratégies et les possibilités de s'adresser de façon exigeante à un public large, qui ne se réduirait pas à quelques initiés. Ceci ne pourra se faire qu'en inventant des écritures novatrices.

Le rapport entre la mouvance théorique allemande et la française ne me semble pas pour autant conflictuel, mais plutôt complémentaire. Évoluant dans un contexte ouest-allemand, sans pour autant perdre de vue ce qui se passait dans l'autre Allemagne, j'ai toujours eu l'impression que cela me permettait aussi d'avoir un autre regard sur Barthes, ce qui a renforcé l'intensité de mon rapport à son œuvre. Plus de dix ans après la publication de ma monographie sur Barthes, je prépare une nouvelle traduction et une édition critique du *Plaisir du texte* (à paraître chez Suhrkamp) et je dois dire que je suis moi-même surpris du potentiel de ce texte, qui me paraît intact. Je suis toujours fasciné par les impulsions qui sont là, qui ne demandent qu'à être développées, mais aussi par son écriture qui nous oblige à réfléchir sur les modes d'écriture en vigueur dans la communauté scientifique et sur les moyens de s'adresser à un public situé au-delà de cette communauté. Il est temps aujourd'hui de traduire Barthes pour le XXIᵉ siècle. La théorie littéraire en Allemagne ne touche guère plus qu'un tout petit milieu d'initiés. Un changement de perspective me semble nécessaire et je crois que, si on veut que la théorie soit pertinente en tant que réflexion sur la vie ou le social, il y a beaucoup à apprendre de Barthes – au-delà de tout mimétisme, bien sûr.

Vous évoquez l'exemplarité de Barthes en ce qui concerne la possibilité de s'adresser à un public plus large qu'un petit milieu d'initiés. A-t-il vraiment été lu en Allemagne au-delà des milieux académiques ? Y a-t-il joué un rôle véritablement culturel ?

Je pense que Barthes a eu une grande importance culturelle. Je n'ai pas les chiffres récents, mais il y a dix ans, les *Mythologies* s'étaient déjà vendues à plus de 250 000 exemplaires. *Fragments d'un discours amoureux* s'est très bien vendu aussi, et les références au *Système de la mode* sont toujours très nombreuses dans le domaine de la théorie de la mode. Barthes continue également de produire des effets, notamment au niveau de l'écriture, dans la théorie de la culture européenne et non européenne, par exemple dans le domaine des *postcolonial studies*. Ce ne sont que des exemples mais je pense que, de manière générale, Barthes fut une figure influente auprès d'au moins deux générations d'intellectuels allemands et que ses livres ont par ailleurs eu un retentissement bien au-delà des seuls milieux intellectuels. Je dirais même qu'il représente, bien au-delà du long purgatoire de Sartre (un peu moins dur en Allemagne), la figure de l'intellectuel français d'une époque devenue historique.

Et qu'en est-il de la réception des théoriciens français en général ? Se sont-ils imposés ? Quel est leur bilan ?

Si on prend par exemple la liste des auteurs réunis à l'enseigne de *Théorie d'ensemble*, ce sont clairement Barthes et Derrida qui ont joué en Allemagne les rôles les plus importants, sans doute avec Foucault et Kristeva. Les écrivains du groupe Tel Quel – Philippe Sollers, mais d'autres également – n'ont jamais véritablement trouvé un public en Allemagne. En ce qui concerne Kristeva, l'intérêt pour son travail est passé tout d'abord par ses recherches sur Bakhtine et l'intertextualité, puis la psychanalyse

232

et enfin par les questions relatives à l'altérité et les *gender studies*. Il y a toujours eu de nouveaux livres de Kristeva dont la réception a été relativement intense en Allemagne. Sans doute à cause de la canonisation liée à la publication de ses *Œuvres complètes* – ce qui est tout de même paradoxal pour un écrivain qui a critiqué la notion d'auteur et d'œuvre – et à cause d'efforts similaires qui vont dans le même sens en Allemagne. Barthes occupe cependant une position exceptionnelle, il est connu d'un public très varié, ce qui est quand même moins le cas pour Derrida, Foucault et Kristeva. Une chose qui me paraît importante, c'est que ces quatre auteurs ne sont pratiquement jamais associés à Tel Quel en Allemagne. Leur réception s'est ainsi complètement détachée d'un groupe qui a pourtant joué un rôle majeur dans le champ littéraire et intellectuel français. Après la mort de Sartre et de Barthes, qui marque bien la fin d'une époque, je dirais que certains écrits de ces auteurs – et c'est là une situation paradoxale – ont connu une réception fortement influencée par les États-Unis. Les règles du jeu de la circulation des savoirs ont bien changé.

Faut-il en déduire qu'il n'y a eu que peu de rapports en Allemagne entre les théoriciens et les milieux avant-gardistes ?
La réponse n'est pas facile. Il y a toujours eu dans la littérature allemande d'avant-garde des références à Barthes. Ursula Krechel, pour ne choisir qu'un seul exemple qui me vient à l'esprit, reprend, dans un de ses livres intitulé *Mit dem Körper des Vaters spielen*, tout un réseau de termes métaphoriques développé par Barthes, et il y en a eu bien d'autres. Un groupe comme Tel Quel a cependant beaucoup moins été perçu en Allemagne comme un groupe d'écrivains d'avant-garde que comme un groupe, assez transitoire d'ailleurs, de théoriciens. Si on en cherche les raisons, il faut sans doute aussi revenir sur la réception du Nouveau Roman en Allemagne. Alors qu'en France, le Nouveau Roman a été dans un rapport de confrontation directe avec une figure intellectuelle dominante comme Jean-Paul Sartre, sa réception en Allemagne a été différée et n'a pas du tout eu les mêmes effets.

Il en va de même un peu plus tard pour Tel Quel. Dans cette perspective, on pourrait dire que Barthes avait eu bien raison quand il parlait de la maigreur du public d'avant-garde...

Qu'en est-il alors d'une tradition littéraire autoréflexive spécifiquement allemande ? Quelque chose de cet ordre se serait-il développé indépendamment de l'influence française ? L'Allemagne a-t-elle son Nouveau Roman, son Raymond Roussel, son Mallarmé ?

Non, je ne vois rien de comparable en Allemagne, rien du moins qui aurait atteint un public d'une certaine importance. Il faut voir qu'à partir des années 1970, les mots d'ordre ou les mots clés en littérature ne viennent plus de France. Les mots d'ordre théoriques oui, peut-être, mais plus les mots d'ordre littéraires. La littérature française perd de son importance pour l'évolution littéraire allemande dans laquelle, paradoxalement, l'influence de Sartre ou de Simone de Beauvoir se maintient plus longtemps qu'en France, et ceci aussi bien en Allemagne de l'Ouest qu'en Allemagne de l'Est, et après la chute du Mur. C'est sans doute une question de génération, une génération dont Sartre a été le maître-penseur. Les rythmes de l'évolution, les phases ne sont pas les mêmes, il y a des décalages importants, aussi bien dans le domaine de la théorie que dans celui de la littérature.

Observe-t-on, plus tard, le même éloignement par rapport à la scène théorique française ?

Dans le domaine des études de genre, les théoriciennes françaises – Julia Kristeva, Hélène Cixous, Luce Irigaray, etc. – ont joué pendant longtemps un rôle central, même s'il est parfois passé par les États-Unis, un détour que j'ai déjà mentionné. Dans les années 1980, l'influence de l'Amérique anglo-saxonne est sans doute devenue prépondérante, mais on a également de plus en plus pris acte de ce qui se passait en dehors des États-Unis et de l'Europe de l'Ouest. C'est d'abord le fait de petits cercles, mais dans cette perspective l'analyse qui veut que le « démon de la théorie » – comme l'a appelé Antoine Compagnon – ait perdu de sa virulence n'est pas juste, dans la mesure où les lieux de l'élaboration théorique se sont déplacés : la critique de l'orientalisme, avec la réception – un peu tardive, il est vrai – d'Edward Saïd, mais aussi la pensée postcoloniale, le domaine latino-américain, celui des Caraïbes, etc. Les choses se sont développées ainsi dans un autre sens : je parlerais là d'une multiplication de foyers de théories à l'échelle mondiale. Il y a une mouvance extrêmement complexe aujourd'hui qui me semble tout à fait souhaitable. Et la théorie en langue française me paraît extrêmement intéressante et vivante.

La théorie est ou a été un phénomène très international, cosmopolite. Comporte-t-elle malgré tout un certain nombre de traits qui seraient spécifiquement français ?
L'attention à l'écriture. La prégnance autoréflexive de la littérature et de la théorie a conduit à plus d'attention pour l'innovation formelle que partout ailleurs. Je pense à des écrivains et théoriciens aussi différents qu'Édouard Glissant et Amin Maalouf, par exemple. Je crois qu'il existe dans le domaine de la théorie une ligne « pragmatique » essentiellement anglo-saxonne, représentée par Jonathan Culler ou Terry Eagleton, par exemple, et une ligne théorique en langue française qui est passée par une plus grande familiarité avec les pratiques littéraires. Il y a bien là une particularité, mais celle-ci est aussi une des raisons pour lesquelles la mouvance théorique spécifiquement française n'est plus aussi dominante qu'elle l'était au cours des années 1970, sans parler de son étonnante capacité à refuser toute existence à ce qui s'est fait sur le plan théorique ailleurs qu'en France. Nous retrouvons là la problématique du décalage. Une question de traduction, aussi.

Comment voyez-vous l'avenir de la théorie ?
La théorie jouera de nouveau à l'avenir un rôle plus important. J'entends souvent, notamment dans des séminaires ou dans des conférences aux États-Unis, que la théorie littéraire – tout comme la littérature – est une bataille perdue – un phénomène minoritaire. Je pense au contraire que de plus en plus va s'imposer l'idée qu'à cause de sa tradition millénaire et de l'extrême diversité

des savoirs humains qu'elle concentre en elle, la littérature est particulièrement indiquée comme lieu de l'élaboration théorique de l'avenir. C'est un champ d'expérimentations. Nous sommes actuellement dans une phase de transition d'une problématique de la mémoire vers une problématique du savoir. Ce savoir, que la littérature transporte, mais aussi génère et que les processus de lecture ne cessent de transformer à leur tour, est destiné à être élaboré et traduit par la théorie littéraire plus que par aucune autre perspective théorique ou disciplinaire. Je prends le pari que la théorie littéraire va se donner à nouveau une base beaucoup plus large, dans la mesure où elle se nourrit des acquis des approches culturalistes qui semblaient pourtant l'avoir presque complètement occultée. La montée en puissance de ces approches culturalistes, qui restent elles-mêmes prisonnières de leurs spécialisations respectives, conduira en fin de compte à une revalorisation de la théorie littéraire pour autant que celle-ci aura su intégrer une perspective culturaliste. Un peu partout dans le monde, et peut-être sans le savoir, nous sommes en train de vivre ce paradoxe.

Nous devrons aussi nous demander ce que la littérature a à voir avec la vie, et à cette question toute simple, des réponses théoriques sont nécessaires, qui seront aussi d'un grand intérêt pour un public large. Nous sommes dans une période où je vois peu de stratégies capables de remettre en cause la mainmise desdites sciences de la vie sur le concept même de vie. Dès leurs débuts, les pratiques scripturales ont développé un savoir sur le vivre, un savoir survivre et un savoir vivre ensemble. Ces savoirs nous sont indispensables aujourd'hui. La théorie littéraire peut jouer à cet égard un rôle décisif. C'est en tout cas ce que je lui souhaite, et je suis très confiant.

Gérard Genette

Né en 1930, Gérard Genette a été directeur de recherches à l'École des hautes études en sciences sociales jusqu'à sa retraite en 1994. Il fonde en 1970 (avec Tzvetan Todorov) la revue *Poétique* ainsi que la collection du même nom, qui toutes deux paraissent aux Éditions du Seuil. *Figures I* et *Figures II* paraissent en 1966 et 1969 dans la collection « Tel Quel », aux Éditions du Seuil également. Tous les ouvrages suivants de Gérard Genette paraissent dans la collection « Poétique » : *Figures III* (1972), *Mimologiques. Voyages en Cratylie* (1976), *Introduction à l'architexte* (1979), *Palimpsestes* (1982), *Seuils* (1987), *L'Œuvre de l'art*, vol. 1 : *immanence et transcendance* (1994), vol. 2 : *la relation esthétique* (1997), etc.

Vous êtes passé du Parti communiste à Socialisme ou Barbarie, puis à Tel Quel, puis à Poétique : comment lire ce parcours, a-t-il le sens d'une dépolitisation, d'un changement d'engagement politique ? Ou est-il simplement aléatoire ? Vos partis pris de l'époque de Figures I et II – ou plus généralement le structuralisme – avaient-ils pour vous une dimension politique ? Était-ce une alternative à Socialisme ou Barbarie ? Comment avez-vous rencontré la théorie, le structuralisme ? Et pour quelles raisons vous êtes-vous passionné pour ces questions ?

Les étapes de ce parcours n'ont sans doute rien d'aléatoire, mais elles n'ont pas toutes le même sens : le passage par Socialisme ou Barbarie a été pour moi une phase de transition et de libération, une façon « marxiste » de quitter le marxisme ; ensuite, diverses étapes plus silencieuses ont en effet achevé de me « dépolitiser » – ou, pour parler plus sèchement et comme Baudelaire, de me *dépolitiquer* – puis de me faire découvrir d'autres manières d'interpréter le monde : le structuralisme (Lévi-Strauss, Jakobson) comme méthode, la sémiologie (Saussure, Barthes) comme angle de connaissance, et la théorie littéraire comme lieu d'exercice. Comme d'autres revues, *Tel Quel* n'a vraiment été sur ce nouveau chemin qu'un lieu, encore plus transitoire et presque contingent, d'expression et de publication.

Le passage de Tel Quel à Poétique implique-t-il une rupture, une continuité ? La poétique diffère-t-elle du théorique ?

La création de la revue et de la collection Poétique a été un produit dérivé (légèrement paradoxal, car l'« esprit » de ce mouvement nous était plutôt étranger) de Mai 68, lorsqu'un bref moment d'ouverture institutionnelle (en particulier avec la fondation du Centre expérimental de Vincennes) a fait appel à des modes de pensée jusque-là tenus en lisière par l'Université française, et dont l'exercice dans les études littéraires a pris, en France et ailleurs, le nom (fort ancien) de « poétique », synonyme pour l'essentiel de « théorie de la littérature ». Nous ne percevions nullement dans cette création une rupture avec *Tel Quel*, qui pour nous ne représentait rien de bien définissable sur le plan théorique. Ce sont ses animateurs qui ont choisi de la recevoir comme telle. Mais enfin, ce n'était pas la guerre, et ce ne l'a jamais été depuis. Nos vrais adversaires, si l'on veut employer un mot un peu excessif, étaient ailleurs : dans ce que symbolisait encore, comme aux temps de Péguy, de Valéry ou de Thibaudet, la Sorbonne.

Quel a été votre rapport au « poststructuralisme », à la déconstruction derridienne, à la psychanalyse, etc., qui ont peu à peu occupé le devant de la scène théorique ?
Mon rapport personnel à la psychanalyse était, et est encore, d'indifférence et d'évitement, et celui de mes compagnons n'interférait guère avec notre entreprise commune. L'œuvre de Derrida, telle qu'elle commençait de se développer, était pour nous une réalité latérale (je ne dis pas « marginale »), dont le rapport à ladite entreprise comportait des points d'entente et d'autres de désaccord, ou de malentendu, ce qui n'appelait qu'une relation tout amicale de bon voisinage. Quant à la notion attrape-tout de « poststructuralisme », je n'ai jamais perçu sa pertinence ; elle me semble mêler, sinon confondre, des attitudes de pensée sans grande parenté entre elles, si ce n'est dans le fait purement chronologique de venir *après* la brève période de « mode » structuraliste, comme le très hétérogène « postimpressionnisme » est venu après la mode de l'impressionnisme. Quant à la nuance dépréciative que comporte le « post », je ne m'en soucie pas trop. Comme disait Barthes dans sa période militante, « les chiens aboient, la caravane passe » – les chiens aussi, d'ailleurs.

Qu'est-ce que vous avez aimé dans l'aventure théorique, qu'est-ce que vous n'avez pas aimé ?

Sur le terrain des études littéraires, j'en ai aimé (j'en aime toujours) une libération à l'égard des pratiques mesquines de l'« histoire littéraire » post-lansonienne (je dis à mon tour « post », car Lanson lui-même avait jadis des vues plus larges), et une capacité conceptuelle à rendre intelligible l'histoire de la littérature, de ses formes, de ses thèmes et de ses genres, et plus généralement la théorie de l'art, et plus généralement encore de la relation esthétique. J'ai aimé jusqu'à ses travers, ou excès, bien connus, tels qu'une certaine tendance à la manie taxinomique et à l'ivresse terminologique. Mais par-dessus tout, j'y ai aimé l'application d'un principe fondamental, dont les conséquences pratiques sont pour moi capitales : considérer la littérature comme un art.

La poétique a-t-elle aujourd'hui encore une fonction idéologique-politique, ou a-t-elle une vocation purement scientifique-académique ?

Je ne lui vois aucune fonction idéologique, encore moins politique, mais seulement un rôle d'éclaircissement théorique et d'élargissement intellectuel. Quant à sa vocation « académique », elle m'est devenue un peu indifférente : j'ai presque constamment travaillé en franc-tireur, en marge de l'Université (française), avec un sentiment de totale liberté. Je reconnais que c'est une chance rare, et dont peu de mes collègues poéticiens ont bénéficié.

Y a-t-il aujourd'hui une place pour le théorique ? Un avenir ? Une chance de survie ? Comment en jugez-vous la place ou la fonction dans la culture littéraire contemporaine ? Par rapport au néo-positivisme, au néo-lansonisme ?

La poétique existe depuis plus de deux millénaires, avec des moments d'éclipse et des moments d'éclat, et je n'ai guère de doutes quant à sa survie, sinon ceux, à vrai dire beaucoup plus forts, que j'éprouve sur celle de l'espèce humaine. Je ressens « le théorique », dans mon domaine et dans d'autres, comme intemporellement nécessaire et donc comme virtuellement, si j'ose ce barbarisme, « irrévoluble ». De ce fait, je le crois, pour l'essentiel, indépendant de tout accompagnement et de toute actualité littéraire ou idéologique.

Qu'est-ce que le théorique a apporté ? A-t-il favorisé la culture littéraire ? Est-il responsable de son déclin ? Est-il le symptôme de ce déclin ? Y a-t-il déclin ?

Si par « culture littéraire » vous entendez les études littéraires en général et particulièrement l'étude de la littérature dans l'institution scolaire, je pense que la poétique a plutôt contribué à leur enrichissement, à la seule réserve que m'inspirent parfois certaines formes prises par sa vulgarisation intempestive – je veux dire administrée sans égard pour les capacités de compréhension et le (forcément) mince « bagage » littéraire du jeune public auquel on cherchait à l'inculquer. Mais je ne vois là rien qu'on puisse qualifier de « déclin ».

Le théorique a-t-il été solidaire d'une littérature dite réflexive ou autoréflexive ? Celle-ci vous semble-t-elle être un enjeu ? Y a-t-il une continuité entre la théorie et certaines formes de littérature ? La poétique a-t-elle été pour vous de l'ordre d'un « jeu littéraire » ?

Pour remonter *ab ovo*, la poétique d'Aristote a certainement été « solidaire », et même *tributaire*, de (ce qu'on n'appelait pas encore) la « littérature » de son temps, celle de Boileau de la sienne, celle de Hegel de la sienne, celle de Baudelaire de la sienne, etc. Mais je manque du recul nécessaire pour dire de quelles formes littéraires « notre » poétique a été, est ou sera perçue comme solidaire ou en relation de continuité. La « mienne » – si je puis personnaliser tout à trac, et sans y impliquer qui que ce soit, un questionnaire qui m'y invite implicitement – a bien été assez largement de l'ordre du « jeu », ou de ce que j'appelle volontiers, avec Claude Lévi-Strauss, un « bricolage », c'est-à-dire une pratique seconde (analyse, interprétation, classement, mise en perspective ou en résonance, etc.) entée sur cette matière première que constituent les œuvres littéraires, ou plus généralement artistiques. Et c'est sans doute ce qui m'a permis plus récemment de passer sans heurt (je ne dis pas sans encombre) de cette activité de second degré à un mode d'expression plus immédiat, c'est-à-dire prenant directement pour objet, ou plutôt pour matériau, mon expérience et mes opinions personnelles. C'est le sens que je donnerais, en en trahissant peut-être l'intention, à votre notion de « littérature autoréflexive ». Mais ceci est une autre histoire…

Jean-Joseph Goux

Né en 1943, philosophe, professeur au Département de français de l'université de Rice (Houston), collaborateur de la revue *Tel Quel* jusqu'en 1972, il a publié notamment : *Économie et Symbolique*, Paris, Seuil, 1973, *Les Iconoclastes*, Paris, Seuil, 1978, *Les Monnayeurs du langage*, Paris, Galilée, 1984, *Œdipe philosophe*, Paris, Aubier, 1990, *Frivolité de la valeur*, Paris, Blusson, 2000. Tous ces ouvrages ont été traduits en anglais.

*On vous doit une des synthèses les plus systématiques, sur le plan de la théorie du texte, de la pensée de Marx, de Freud, mais aussi de Saussure et de Derrida (*Économie et Symbolique, *1973), qui débouche sur un cadre théorique permettant de penser le texte comme production (ce serait sa valeur d'usage) plutôt que comme un processus de communication (ce serait sa valeur d'échange). Comment évaluez-vous rétroactivement la portée politique de ce dispositif théorique et de l'ensemble des questions relatives à la production du texte qui l'ont accompagné ? Pensez-vous que c'était un enjeu politique majeur ? Qu'attendiez-vous exactement de la valorisation de la production textuelle ?*

Il s'agissait en effet de mettre en avant la production, le faire, le fabriquer, pour s'opposer à toute conception idéalisante de la représentation, à l'illusion d'une transparence du medium à travers lequel le monde serait perçu ou évoqué tel qu'il est réellement. Rendre visibles les moyens de production, le travail de fabrication, qui se dissimulait derrière l'illusion de réalité, dénoncer la fiction d'une vérité qui se donne dans son immédiateté sans l'opération sur les signifiants qui permet de la rendre visible, tel nous paraissait l'enjeu.

En d'autres termes, il y avait un impensé du texte, de la peinture, du film, et c'était le travail de production lui-même, ce travail qui les rendait possibles, toujours occulté, dissimulé, refoulé, souvent comme quelque chose de bas et d'obscène, une sorte d'inconscient de l'œuvre à ne jamais laisser entrevoir. Le produit fini, lisse, faisait oublier le travail de production. Et il fallait faire voir cela maintenant, en rendre visible l'inscription.

Que pouvait signifier politiquement cette valorisation de l'activité de production, du travail, sinon un accord, une complicité, avec ceux dont la confrontation laborieuse et quotidienne avec la matière est occultée par la sphère de l'échange, du commerce, de l'argent, du capital ?

Pourquoi cette stratégie nous est-elle apparue, dans une certaine conjoncture, comme une nécessité et une rupture féconde ? Si cette stratégie s'imposait, c'est qu'elle semblait pouvoir concilier deux tendances très fortes, en apparence contradictoires et conflictuelles : d'une part l'autonomisation extrême de la littérature et de l'art, et d'autre part l'engagement. Par cette stratégie, la littérature (l'écriture) pouvait s'exonérer à la limite de tout contenu référentiel ou idéologique par une recherche formelle et abstraite (aux antipodes de l'art engagé) mais aussi et pourtant cette recherche maintenait un parti-pris de second niveau, *l'inscription du travail*, qui se voulait en résonance avec un choix politique. L'engagement n'était pas dans les choses représentées, dans la teneur idéologique de ce qui était signifié (pour émouvoir, convaincre, édifier) mais il était ailleurs, dans la rupture que nous introduisions en mettant à jour les opérations de la littérature, ou de la peinture, pour en récuser les illusions, pour en découvrir les présupposés, les impensés.

Considérez-vous que la stratégie théorique dont participaient vos travaux a été efficace, qu'elle a entraîné des effets politiques ou culturels, et lesquels ? Pensez-vous que c'est toujours un enjeu politique ou au contraire une question abandonnée, et pourquoi ?

L'écueil est que, dans les années 1970, nous parvenions (en ce qui concerne l'écriture) jusqu'aux limites extrêmes de ce mouvement, en un ultramodernisme qui ne pouvait que se renverser en un postmodernisme. Trouver une place nouvelle à la pratique littéraire, en dehors des effets de la représentation, était une entreprise beaucoup plus périlleuse que celle que la peinture avait réalisée cinquante ans plus tôt avec Kandinsky ou Mondrian. Elle vouait rapidement le *scripteur*, refusant d'être écrivain, à une sorte de clandestinité. Cela a donné lieu à quelques livres extrêmes, ascétiques, étonnants, mais qui ont fini par perdre toutes les séductions par lesquelles la littérature pouvait attirer un public. Dès 1973, avec *Le Plaisir du texte*, Barthes lui-même mettait en garde contre ce risque.

Finalement, c'est peut-être dans les arts plastiques et au théâtre que se continue aujourd'hui cette insistance mise sur la production, sur le *faire*, en opposition au spectacle fini ou à la représentation transparente. Exhiber les matériaux, faire voir les opérations sous-jacentes de construction, de montage et de démontage, qui rendent possible la présentation ou la représentation, effacer la séparation entre scène et coulisses, c'est une tendance très forte, partout visible, qui anime les plasticiens et les metteurs en scène.

Bien entendu, la signification politique initiale de cette valorisation de la production s'est beaucoup diluée, et elle a pu dévier éventuellement, vers une esthétisation du machinique, ou, en peinture, vers le passage à la performance. Ou devenir, chez Deleuze par exemple, opposition entre machines désirantes et scène de la représentation. Mais il s'agit sans doute dans chacun de ces cas de la même nécessité de retrouver l'opération en deçà du spectacle, la mise en œuvre et la fabrique en deçà de l'objet fini.

Vous enseignez aux États-Unis depuis plus de trente ans. Quel regard portez-vous sur les versions américaines de la théorie ?

Puisque c'est avec cette vague-là que je suis arrivé aux États-Unis (d'abord en Californie à San Diego et à Berkeley), j'ai pu observer dans les universités américaines l'influence considérable de la « French Theory », et cela dans des domaines divers, pas seulement l'analyse littéraire mais aussi l'architecture, l'anthropologie, l'esthétique, les études filmiques, etc. Le tournant linguistique de la théorie française, partant de Saussure pour aller vers les différentes formes de structuralisme et de poststructuralisme, a constitué pendant plusieurs décennies un nouveau paradigme d'interprétation, avec des échos multiples. La théorie du langage, du texte, de la chose littéraire, a été un véritable modèle de pensée transdisciplinaire, elle a eu un rôle fédérateur. Quant à l'analyse littéraire proprement dite, elle pouvait, à tort ou à raison, et parfois assez naïvement, se prévaloir de toucher des enjeux philosophiques fondamentaux, de subvertir la « métaphysique occidentale », de mettre en cause les hiérarchies fondatrices de notre culture. Cela lui donnait une forte dimension critique et politique qu'elle n'avait pas auparavant. Sous sa forme la plus aiguë cette prétention a largement décliné (surtout avec la dépolitisation presque complète des campus), mais beaucoup de champs en ont été marqués, comme les « Women's Studies », et on ne peut guère dire qu'un grand modèle de pensée, d'une ampleur comparable, a pris nettement la succession. Quant aux départements de philosophie, dominés en général par le positivisme logique, ils ont vu l'intérêt pour la philosophie dite « continentale », qu'ils délaissaient, émerger et se déployer dans d'autres départements comme « Comparative Literature », « French Studies », ce qui a exercé, à la longue, une certaine pression sur eux, et l'on voit aujourd'hui une plus grande ouverture à la pensée « continentale ».

Votre parcours américain a-t-il modifié vos engagements et parti pris antérieurs ? En quoi ? Avez-vous l'impression d'avoir continué à défendre les mêmes positions et causes en Amérique qu'auparavant en France ?

Je ne peux pas dire que mon parcours américain ait modifié profondément mes engagements théoriques et politiques. J'ai été encore plus sensible à la signification et à l'importance de l'économie (réelle et métaphorique, pratique et représentée) dans la civilisation contemporaine. Comme société où domine sans contrepartie le libéralisme économique, et où l'argent est la valeur centrale, les États-Unis sont un remarquable champ d'observation et d'analyse pour celui qui s'intéresse au fonctionnement et aux effets du capitalisme. On y voit mieux qu'en Europe le jeu cru des intérêts financiers, la logique du profit, le pouvoir des grandes entreprises (et leur contrôle des media), l'importance de la Bourse et de la spéculation boursière, la place exorbitante de toutes les formes de crédit, qui conduit à des situations catastrophiques d'endettement. On a donc un imaginaire social pétri par les dures réalités économiques (et aussi très marqué par les évasions mentales, les « opiums » modernes, qu'elles appellent).

Mais on voit aussi en France, surtout avec la crise, combien le discours et l'imaginaire économiques deviennent prévalents/dominants, et combien une critique de la perception économiste, avec ses illusions de scientificité, est nécessaire.

Les questions que vous avez systématisées avec Économie et Symbolique *ont-elles continué de retentir dans votre travail ultérieur ?*

En ce qui me concerne, c'est depuis le début, par un parallèle entre langage et monnaie, sens et valeur, que j'ai cherché le levier qui permettait de donner une dimension critique à la théorie de l'écriture. Au-delà de la théorie littéraire, j'ai poursuivi cette piste jusqu'à des travaux qui, tout en restant fidèles à un certain ancrage littéraire (par des recoupements avec Balzac, Zola, Gide, Valéry, Ramuz, etc.) ouvraient sur une théorie sémiotique des formes monétaires et de la valeur économique. Chez Walras et Charles Gide, j'ai rencontré la théorie de la valeur-désir et le modèle boursier des échanges (les théories néo-classiques), qui, exploitées comme une grille de lecture littéraire et philosophique dans *Frivolité de la valeur* (2000), débouchent sur une analyse critique aux dimensions plus amples que celle qui s'appuyait simplement sur la production opposée à l'échange mais qui reste dans la même ligne de pensée. D'ailleurs, la prise en compte de ce tournant néo-classique dans la théorie de la valeur économique permet de réinterpréter tout un pan du modèle saussurien de la valeur en linguistique.

Étonnamment, la crise financière que nous connaissons aujourd'hui, résultat d'une hypertrophie du système bancaire et d'une conception purement boursière et spéculative de la valeur, et donc d'une valeur-signe décrochée de tout lest, entre en résonance directe non seulement avec les analyses de *Frivolité de la valeur* qui interrogent de part en part le modèle boursier (en en retrouvant l'empreinte sur le plan littéraire et philosophique), mais aussi avec les questions qui étaient posées à l'époque dont vous parlez. La fracture qui était dénoncée entre production et échange, travail et représentation, est devenue aujourd'hui, dans les conditions du capitalisme globalisé et spéculatif, la fracture catastrophique entre l'« économie réelle » et la finance. Après plusieurs décennies d'illusions reaganiennes entretenues par une folie de dérégulations et d'emprunts, nous nous retrouvons aujourd'hui dans une conjoncture qui, à plusieurs égards, n'est pas sans retrouver quelques enjeux que la période du libéralisme économique effréné avait fait oublier.

Pensez-vous que l'époque de la théorie littéraire (au sens large du terme) est close ou qu'une relance est aujourd'hui possible, nécessaire ?
Il me semble que l'émergence (et l'importance) de la théorie littéraire a supposé une conjoncture très particulière. Il y a d'abord le début d'une perte d'importance relative de la littérature, et donc du « grand écrivain » comme figure dominante de la vie

intellectuelle et culturelle française (pensons à l'immense prestige des Gide, Romain Rolland, Malraux, Mauriac, et encore Sartre, etc.). Cette perte d'importance a pu provenir de différentes causes dont la place grandissante du cinéma dans la formation des imaginaires personnels. On a déjà fait remarquer que l'époque de la Nouvelle Vague correspondait à la première génération qui a été véritablement formée dès sa première enfance par le cinéma. Mais il y a aussi la concurrence des sciences humaines (psychanalyse, sociologie, anthropologie, histoire) pour la compréhension des hommes et de la société. On peut ajouter aussi le déclin du modèle littéraire dans les études (l'Antiquité, les grands classiques, le latin, le grec) au profit d'une formation scientifique dure. Ces facteurs ont concouru à secondariser la littérature, qui d'elle-même, avec le verdict de Blanchot, et avec le Nouveau Roman, tendait à une sorte d'éclipse. Dans cette conjoncture la théorie littéraire, et en particulier Tel Quel, ne sont pas à percevoir comme ce qui a stérilisé la littérature française pour plusieurs décennies, comme certains l'ont prétendu, mais plutôt comme une opération de sauvetage au moment où elle était en train de perdre son autorité, sa prééminence culturelle (que la tradition française, surtout, lui accordait depuis longtemps). La théorie littéraire était une réponse au changement de paradigme que subissait la culture française, une façon de rendre une dignité, une autorité, un pouvoir, à la chose littéraire et surtout aux études littéraires, en insufflant de la scientificité (linguistique, sémiotique, narratologie, etc.) à un domaine perçu de plus en plus comme mou, sentimental, subjectif. La théorie littéraire, qui se voulait presque une science dure, redonnait une légitimité à ce champ.

Si cette analyse est exacte, on comprend que la théorie littéraire n'ait eu qu'un temps. Et le sauvetage n'a été que partiel. Si le tournant linguistique et structuraliste a produit des effets théoriques nombreux, la littérature a perdu la place qu'elle avait, et l'écrivain (le romancier) n'est pas la figure dominante du monde culturel contemporain. On interroge partout le psychanalyste, le sociologue, l'économiste, l'anthropologue et très souvent le philosophe, mais il est étonnant de voir à quel point, par rapport aux générations précédentes, l'écrivain a perdu de sa crédibilité (peut-être après avoir été exagérément glorifié). Il n'est plus le spécialiste reconnu de la vie intime, des sentiments, des passions, des destinées. N'importe quel psychothérapeute avec du bagout et de l'assurance prendra le pas sur lui dans les media, avec en plus une caution de scientificité et d'expérience clinique dont le romancier ne pourra se prévaloir. C'est dommage, car l'écriture, le style, sont d'un autre ordre que l'expertise, mais je crains néanmoins que la concurrence, à la fois par l'image et par le savoir, ne permette pas au « grand écrivain » de retrouver la place qu'il a pu avoir en France – et qu'il n'a jamais eue, de cette façon, aux États-Unis.

Werner Hamacher

Né en 1948, philosophe et théoricien de la littérature, professeur à l'université Johns Hopkins de 1984 à 1998, professeur de littérature générale et comparée à l'université de Francfort depuis 1998, il est notamment l'auteur de *Pleroma. Dialecture de Hegel* (traduit de l'allemand par Marc Froment-Meurice), Paris, Galilée, 1996 ; *Entferntes Verstehen. Studien zur Philosophie und Literatur von Kant bis Celan*, Frankfurt/Main, Suhrkamp, 1997 – ces deux ouvrages ont également été traduits en anglais.

Comment rencontrez-vous la théorie, comment l'intérêt vous en est-il venu ?
La littérature et la philosophie – qui sont pour moi inséparables – m'ont intéressé bien avant que je fasse des études universitaires et tout à fait en dehors de l'école. Il s'agissait de quelque chose qui donnait un accès libre de tout jargon au monde. Il s'agissait d'un monde plus net, d'une langue plus sincère, d'une pensée débarrassée des représentations forcées, des tics et des œillères des institutions liées à l'éducation. Il s'agissait de toute forme de clarté opposée à toute forme d'embrigadement. Dès 1963 – j'avais

alors quinze ans – j'ai commencé à lire Benjamin, Heidegger, Freud, Adorno mais aussi Kafka, Sterne, Diderot, Jean Paul, Kleist, Büchner, Marx. Notamment grâce à la revue *Kursbuch* éditée par Hans-Magnus Enzensberger, je me suis également intéressé à la poésie et à la prose contemporaines, à la politique internationale, aux procès d'Auschwitz, au Vietnam, à l'Amérique du Sud, aux mathématiques, à la linguistique, des formalistes russes à Chomsky. Tout cela faisait partie d'un même ensemble qui ne pouvait être séparé en cases définies par des disciplines et qui ne relevait d'aucune école, d'aucun pouvoir central. C'était une sorte de parlement de part en part international, un parlement de littératures, de théories où une capacité analytique se développait sans retenue, sans limites liées à des cultures nationales ou à des disciplines.

Il y allait fondamentalement de la langue, qui prenait feu en se frottant à ces réalités, et qu'il fallait ensuite nourrir, penser, protéger. Tout était affaire de frottement entre l'aigu et l'obtus. L'enjeu était de comprendre les langues instituées, abrutissantes, inhibantes. Il fallait comprendre pourquoi d'autres ne comprenaient pas ou comprenaient autre chose. Il fallait comprendre d'où venaient les conflits, il fallait prendre le parti de la clarification par la littérature et par l'explication de la littérature pour faire bouger le monde des institutions, des rituels, des habitudes et de la folie ordinaire et normalisante ou pour se mouvoir à travers ce monde. La conséquence logique a été d'entreprendre des études littéraires et philosophiques, ce que j'ai choisi de faire à Berlin auprès de Peter Szondi, le seul en ce temps qui se situait dans la filiation de Walter Benjamin. La théorie, c'était la littérature clarifiée. La littérature, c'était la théorie radicalisée. Je ne parle pas de la théorie dite littéraire, mais d'une théorie singulière – diffuse, pourrait-on dire, mais ultra-universelle, qui relierait entre elles toutes les théories locales.

Très vite, vous vous êtes ensuite intéressé à Blanchot, Derrida, Foucault, Lacan, etc. Quels étaient pour vous, dans un contexte allemand, le rôle ou l'efficacité de ces auteurs ?

Pour moi, il y avait une alliance qui a pris peu à peu forme entre des auteurs allemands et des auteurs français ; une alliance entre d'une part les textes d'intellectuels juifs assassinés ou exilés, les publications récentes de ceux qui avaient survécu à la Shoah et qui étaient rentrés en Allemagne, et d'autre part un groupe d'auteurs français au départ très restreint, traduits très lentement en allemand, entourés de beaucoup de méfiance. Toute déclaration théorique était analysée en termes d'appartenance politique. Le structuralisme était dénoncé comme une attaque bureaucratique contre l'histoire. Il y a peu d'années encore, un éditeur allemand s'est vanté d'avoir empêché dans les années 1970 la traduction de Levinas – trop heideggérien ! À cause du combat mené *a posteriori* contre les résidus du fascisme et de nouveaux dangers du même type, l'intelligentsia littéraire allemande s'est très largement crétinisée. C'est pourquoi la parution en allemand des *Mots et les Choses* de Foucault a été un événement non seulement intellectuel, mais aussi scientifique et politico-culturel. Car d'une part, au niveau des grilles de perception assez sommaires de l'époque, Foucault était identifié, à cause de ses livres précédents, comme indubitablement de gauche. Mais, d'autre part, il était clair – du moins pour ceux qui connaissent la philosophie – que cette œuvre extrêmement originale était impensable sans l'inspiration heideggérienne de Foucault. Quelques-uns (Karel Kosik, Lucien Sebag) avaient déjà osé franchir une dizaine d'années plus tôt les absurdes lignes de démarcation entre les progressistes et les réactionnaires. Mais personne n'a mieux réussi que Foucault, puis Derrida, puis Lacan, lu en Allemagne avec beaucoup de retard, à y faire connaître un type tout à fait nouveau de « théorie », des formes d'attention entièrement nouvelles, des thèmes largement marginalisés ainsi qu'un style de pensée en rupture avec les normes académiques mais aucunement populiste. Des traditions philosophiques qui ont joué un rôle important en Allemagne jusqu'en 1933 – Nietzsche, Husserl, Heidegger, Freud – sont revenues en Allemagne avec les travaux de ces auteurs, transformées, mises dans de nouvelles perspectives critiques, dénaturalisées et pour cette raison plus proches d'elles-mêmes que jamais auparavant.

C'était un tout petit groupe de très jeunes gens, avant tout à Berlin, qui ont trouvé dans ces œuvres des impulsions pour leur propre travail ou qui se sont du moins engagés pour les faire traduire et connaître. Les milieux académiques établis se sont bien gardés de s'y intéresser. Et il a fallu plus de dix ans, malgré sa majorité francophile, pour que l'École de Constance commence à prendre en compte les auteurs français les plus importants. D'un autre côté, Habermas s'est encore fendu dans les années 1990 d'un pamphlet dont on se souviendra comme d'un document tout à fait singulier, dans lequel le philosophe fait preuve d'une capacité remarquable de distorsion des discours de philosophes essentiellement français.

Telle était la situation de la théorie – et aussi de la théorie littéraire – en Allemagne de l'Ouest entre les années 1960 et les années 1980. Le tableau ne serait pas complet sans l'évocation des formalistes russes, en particulier des travaux de Jakobson et de Chklovsky. Ils ont fait partie de ceux qui ont donné à l'analyse exacte des textes poétiques ses fondements les plus sûrs, contrecarrant ainsi de façon efficace la critique impressionniste et les idéologies des « littératures nationales ».

Considérez-vous que la théorie se décline différemment selon le contexte malgré tout national dans lequel elle intervient ? Quelles ont été les spécificités de la situation allemande ? Pourquoi un phénomène comme Tel Quel par exemple ne s'y est-il jamais produit ?

La théorie telle qu'elle s'est développée en Allemagne (ou aux États-Unis) a évité une dérive *hyperpolitique,* à mon sens improductive, comme celle de *Tel Quel.* Pourquoi ? Sans doute parce qu'en matière de théorie l'Allemagne avait du retard, parce qu'elle avait beaucoup de choses à rattraper, beaucoup de choses dont se souvenir ou à redécouvrir. Tout ici devait être appris de nouveau et devait être appris contre les forces et les institutions dominantes : la théorie marxiste *contre* le socialisme d'État de la

251

RDA et ses idéologues, la théorie psychanalytique *contre* la psychologie du moi et son *human engineering*. Les vulgarisations proliféraient, la théorie marxisante du reflet s'insinuait dans les discussions les plus primitives comme les plus raffinées. Les théories intelligentes ou celles qui ne se compromettaient pas à coups de clichés restaient exceptionnelles. Ce qu'il y avait de plus rare, c'était la combinaison – pourtant décisive – entre une compétence technique ou plutôt clinique et un regard portant sur le nouveau, sur ce qui n'avait pas encore été remarqué. De toute évidence cette combinaison n'était à chercher ni dans les « écoles » ni dans des « groupes », mais bien plus là où se rencontraient des cultures, des traditions et des intérêts divergents. On pouvait être sûr ainsi de trouver du côté des professeurs de littérature liés à la Suisse les études littéraires et théoriques non seulement les plus lucides et les plus sobres, mais aussi les plus excitantes. Szondi et Allemann, Starobinski et Böschenstein, Frey et Hart Nibbrig : il n'y a pas beaucoup d'Allemands qu'on puisse leur comparer.

Il faudrait aussi réfléchir au fait que la meilleure part de la littérature allemande n'a pas été écrite en Allemagne, mais à ses confins ou au-delà de ses frontières, par des auteurs qui n'y ont pas vécu, qui ont été chassés ou qui tout simplement n'ont pas supporté d'y vivre. Et il faudrait réfléchir au fait qu'une grande partie – la meilleure peut-être – des études de littérature allemande n'a elle non plus pas été produite par des auteurs allemands ni, pour une part considérable, en Allemagne. L'histoire de l'immigration, de l'émigration et de l'exil fait également partie de l'histoire des autres littératures, mais il me semble que c'est une caractéristique particulièrement insistante de la littérature et des études littéraires « allemandes ». Tout se passe comme si l'histoire de la fuite des persécutions politiques qui caractérise cette histoire depuis le XIXe siècle s'était poursuivie après la chute du nazisme.

Ne serait-ce pas aujourd'hui une situation malgré tout généralisable et qui indique de nouveaux objectifs à la théorie ?

Cette expérience historiquement très déterminée, dans laquelle les extrêmes se touchent et dans laquelle les identités se traversent, devient de plus en plus l'expérience de chaque culture, de chaque tradition, de chaque voix. Elle n'a rien d'exclusif, mais elle rend manifeste de façon drastique quelque chose qui caractérise nos langues lorsqu'elles se condensent dans la poésie. La langue de la poésie est une façon de ne pas être chez soi, c'est une langue étrangère, seconde, une langue de l'exil, une langue que personne ne maîtrise, qui ne peut être apprise que peu à peu, qui n'est jamais entièrement compréhensible. Mais aussi éloignée qu'elle puisse être, elle est aussi ce qu'il y a de plus propre à chacun, pour chacun. Cette étrangeté proche constitue la particularité de ce que nous appelons la poésie, et c'est en elle que se constitue la possibilité d'une « théorie » correspondant, ou plutôt « respondant » à l'expérience de la poésie. Ce n'est pas une théorie au sens de la tradition philosophique, qui détermine un être inaltérable, qui serait dans un rapport d'unité avec lui et elle-même, donc une auto-théorie, mais une théorie de la séparation, de la déviation, du dérapage. Elle procéderait d'une tentative de formalisation qui ne se distingue jamais entièrement des mouvements non formalisés, non réglés et informels des idiomes qu'elle interroge. Le paradoxe de la théorie réside donc dans le fait qu'elle doit faire cause commune avec ce qui ne se soumet à aucune théorie. Elle est théorie mise en acte contre elle-même, théorie hors d'elle, théorie en exil de la théorie, exothéorie.

Constatez-vous aujourd'hui un déclin de la théorie ? Pensez-vous au contraire qu'elle a un avenir ?

Je n'ai pas l'impression que l'intérêt pour le théorique est aujourd'hui plus restreint qu'au cours des années 1960 ou 1970, auxquelles on ne peut de toute façon pas réduire l'activité théorique liée à la littérature. Bien sûr, Blanchot, qui a développé sa critique de Sartre à partir de la fin des années 1940 et qui a fortement influencé Barthes, Foucault ou Derrida, n'a plus beaucoup publié après *L'Écriture du désastre* en 1980. Barthes est mort en 1980. Mais même les derniers travaux de Foucault ne sont pas pensables sans son intérêt pour la littérature et pour le rapport de celle-ci au pouvoir. Deleuze s'est occupé jusqu'à sa mort en 1995 de plus en plus intensément de littérature et d'art. Les derniers travaux de Derrida ont porté entre autres sur Paul Celan et Henri Thomas, et ceci bien entendu toujours dans la perspective d'une réouverture du théorique lui-même.

Assurément la tendance à convoquer des œuvres d'art simplement comme des illustrations de convictions philosophiques établies antérieurement se renforce. Et certainement la situation de la littérature et des médias a changé, la commercialisation continue à progresser rapidement, le consumérisme et le marasme sont des phénomènes de masse de plus en plus menaçants. Leurs agents au niveau des médias et de la politique, mais aussi dans les écoles et dans les universités, deviennent de plus en plus brutalement anti-intellectuels et scientistes, anti-politiques et bureaucratiques. Et dans les anciennes métropoles de la théorie, des clowns s'adonnent au divertissement pseudo-intellectuel : ce qui s'appelait autrefois « théorie » s'apparente de plus en plus au show-business. Le diagnostic de paralysie progressive s'impose à l'utopiste déçu comme au cynique : il y a effectivement peu de raisons d'être optimiste.

Mais il y a aussi des raisons pour ne pas surestimer ces tendances déprimantes. L'industrie de l'abrutissement et de la réduction au silence affichant de moins en moins de retenue, même ses clients les plus fidèles réalisent qu'avec chaque mot acheté à cette industrie, c'est à une partie de leur propre langue qu'ils renoncent. De nouvelles langues émergent, même si elles sont toujours trop peu nombreuses, des langues de sourds-muets, d'autres formes de dialogue, d'autres écritures, avec lesquelles s'ouvrent également d'autres perspectives théoriques. Il y a les études des médias qui se développent, même si c'est encore de façon hésitante. Avec les études portant sur la ségrégation et l'hybridisation, elles constituent un remède contre le poison de la politique de réduction au silence. Il y a des minorités, des subalternes, des marginaux, tous ceux dont la langue est refoulée par les monopoles de la langue industrielle, qui trouvent peu à peu des voix et des espaces où se faire entendre.

Si on se demande ce qui s'est passé sur le plan théorique depuis les années 1970, la première réponse devrait sans doute être la suivante. La scandaleuse situation de l'Afrique du Sud a évolué dans le bon sens. Le socialisme d'État de l'ancienne Union soviétique s'est écroulé. Les États-Unis se sont révélés comme une puissance susceptible de virer au fascisme armé. Le danger monstrueux qui en résulte a pu être écarté, malgré la corruption des médias et d'intellectuels réputés, grâce à l'élection du premier président noir. Personne n'ira prétendre que c'est là l'effet des théories, et encore moins des théories littéraires. Mais personne ne contestera non plus que ces très modestes progrès n'auraient eu aucune chance sans le combat quotidien mené pour une langue échappant à toute tutelle et à toute monopolisation, sans le combat contre l'infantilisation mené par des parents, des enseignants, des professeurs, sans un combat mené à coups de textes, d'exégèses et d'interprétations, à coups de langues et de théories des langues et de leur liberté contre la violence la plus crue autant que contre la réduction au silence.

Nous sommes tous pris dans une guerre civile mondiale dont la langue est l'enjeu. Mais comme chaque langue est également un organe théorique, il s'agit également d'un combat dont l'enjeu est la théorie, la réflexion sur la langue, sur ce qu'elle peut devenir, sur ce qui lui fait obstacle, l'endommage et la détruit. Ce combat n'est pas une exigence théorique, mais un fait historique. Nous, analystes, nous devons faire en sorte qu'il soit mené de façon aussi inventive, ouverte et libre que possible. Tout commentaire d'un poème, toute interprétation d'un texte, toute analyse d'un article de journal ou d'une annonce publicitaire est une contribution à ce combat pour la langue, la littérature et la théorie. Et si on ne veut pas parler de combat, on dira, moins dramatiquement, moins emphatiquement que c'est une affaire de vie ou de survie. Nous n'existons que grâce à la langue et aux théories qui l'accompagnent. C'est pourquoi nous ne pouvons pas faire autrement que de la renforcer, l'élargir et la clarifier.

Julia Kristeva

Née en 1941, psychanalyste, professeur à l'université Paris-VII ainsi qu'à l'université d'État de New York (SUNY), membre de l'Institut universitaire de France, directrice du Centre Roland Barthes, auteur de nombreux essais, romans et ouvrages théoriques, notamment *Semeiotike. Recherches pour une sémanalyse*, Paris, Seuil, 1969, *La Révolution du langage poétique*, Paris, Seuil, 1974, *Polylogue*, Paris, Seuil, 1977, *Pouvoirs de l'horreur*, Paris, Seuil, 1980, *Soleil noir. Dépression et mélancolie*, Paris, Gallimard, 1987, *Les Nouvelles Maladies de l'âme*, Paris, Fayard, 1993, *Sens et non-sens de la révolte*, Paris, Fayard, 1996, *La Révolte intime*, Paris, Fayard, 1997, etc.

Semeiotike et La Révolution du langage poétique *comptent parmi les classiques de la théorie littéraire et plus particulièrement parmi les ouvrages les plus significatifs de la période « politisée » de la théorie littéraire. Est-ce que vous en défendez aujourd'hui encore les enjeux, la forme ? Ces livres retentissent-ils toujours dans vos travaux actuels ?*

Oui, ces livres ont à la fois une histoire et une actualité. Ils renvoient aux années 1966-1975, à une dizaine d'années qui me paraissent avec le recul extrêmement importantes, à la fois pour l'histoire politique européenne et pour l'histoire de la pensée. Ils font aussi partie de mon histoire personnelle qui recoupe cette histoire européenne. Je me retrouve à Noël 1965 avec une bourse du gouvernement français, étudiante bulgare qui prépare une thèse sur le Nouveau Roman. Je suis accueillie par un pays que j'avais beaucoup idéalisé dans mon apprentissage de la langue française, mais que j'ai trouvé très figé, sortant de la guerre d'Algérie et ne voyant pas clair dans son avenir.

En même temps, il y avait la revue *Tel Quel* et le séminaire de Roland Barthes à l'EHESS. La littérature y était vécue comme une expérience de pensée, ce qui tranchait à la fois avec l'image utilitaire de la littérature contre laquelle, jeune étudiante et chercheuse, je me battais en Bulgarie, et avec la littérature de délassement, les « belles-lettres ». On interrogeait les textes de Mallarmé, de Bataille, d'Artaud, pas encore de Proust mais pour moi il faisait déjà partie du « mystère dans les lettres ». Sans encore avoir lu ni Heidegger ni Freud, avec ma connaissance du formalisme russe, j'ai emboîté le pas de la sémiologie dévelop-pée alors par Roland Barthes ou Greimas. À partir de ces bases, mon travail a ouvert la voie de ce que l'on a appelé plus tard le « poststructuralisme ». En abordant la littérature comme une expérience de pensée, j'ai essayé d'associer l'étude du langage à la dynamique de la subjectivité. Le structuralisme n'interrogeait ou plutôt ne calculait que le système de sens, le système logique tel que les formalistes russes l'avaient mis en place, tel que Lévi-Strauss l'avait ensuite appliqué au mythe et à la parenté, ou tel que Greimas allait le formuler à partir de Hjelmslev. Le souci d'ouvrir la question du sujet parlant m'a menée à Freud. Paral-lèlement, la place de cette expérience dans l'espace social et his-torique ne pouvait être saisie qu'en examinant la rencontre d'un texte avec d'autres textes, d'où mon intérêt pour Bakhtine. Je me suis intéressée à son travail autour de Rabelais et de Dostoïevski, à ses notions de « dialogisme » et de « carnaval », que j'ai essayé d'approfondir en décelant dans le « carnaval » l'œuvre du désir et de la pulsion de mort, notamment à travers leurs traces dans les rythmes, les écholalies, la gestualité, des mots inventés, de la non-langue, de la translangue, etc. J'ai essayé d'introduire la dimension sociale et historique de l'expérience littéraire, à tra-vers le dialogue des textes avec d'autres textes, d'où la notion de « dialogisme », que j'ai interprétée de cette façon et que j'ai étendue à la polyphonie de Joyce.

J'ai développé cette méthodologie dans *Semeiotike* (1969) et, de manière plus approfondie, au regard des textes de Mallarmé et de Lautréamont, dans *La Révolution du langage poétique* (1974). La « révolution » dont il s'agit, c'est la révolution des codes de com-munication, l'innovation des langages. Je suis revenue ultérieu-rement sur ces latences étymologiques du mot « révolte » dans mon séminaire sur « le sens et non-sens de la révolte » et « la révolution intime », en mettant en évidence la nécessité psychique de ce retour du sens à la pulsion et au sensible, et vice versa : de cette ré-volte, dé-voilement, ou ré-vélation comme conditions de la vie de l'esprit et, *a fortiori*, de la créativité personnelle et de l'innovation sociale.

Y a-t-il une continuité entre le structuralisme et les questions que vous avez introduites ? Comment vous situez-vous dans une mouvance théorique plus générale ?

Je considère que ce que j'ai introduit, et que l'on appelle généralement le « poststructuralisme », n'est pas compréhensible, n'est pas pensable sans le structuralisme. Il me paraît indispensable de saisir le texte dans sa dimension technique, disons artisanale, au sens le plus noble et le plus simple du terme. La formalité précise du texte, balisée par le structuralisme, est une base nécessaire à sa compréhension profonde. Ceci dit, ce formalisme a pu s'ossifier, devenir un exercice technique qui ignore les enjeux interprétatifs subjectifs et historiques. Le sens n'est pas qu'une forme, je l'entends comme une *signifiance* dans laquelle se déploie l'éveil, les catastrophes et les renaissances d'un être parlant dans une communauté. Ce sont ces domaines-là que j'ai essayé d'ouvrir avec des notions comme l'« intertexte » et le « dialogisme ».

Quant à ce que vous appelez la « mouvance théorique plus générale », de quoi s'agit-il ? Des idéologues plus ou moins « politically correct », qui s'emparent de ce qui a été avancé comme une percée, interrogation, révolte ? Je ne m'y reconnais pas et, je vous l'avouerai, ne les lis pas. On me parle de certains débats « féministes » qui discutent mes réflexions sur le langage poétique : le « sémiotique » serait féminin ou maternel ? Le « symbolique » serait-il machiste ? Laissons cela. La *French Theory* a l'avantage, tout compte fait, d'amener l'étudiant et le chercheur américain, et avec eux ceux du monde globalisé, à se donner le temps de la réflexion, pour découvrir que la « philosophie continentale » comme ils disent (Platon, Augustin, Kant, Hegel et Heidegger) est inséparable de cette *expérience du langage* qu'on appelle « la littérature ». Ce qui me semble important, c'est que dans le monde moderne de technique et de vitesse, on se donne du temps pour la réflexion, qu'on lise cette *French Theory* avec ses antécédents, ses sources, ses influences, ses ruptures. Et surtout sans perdre de vue les corpus littéraires à partir desquels elle s'est créée. J'ai autant de dettes envers Hegel, Saussure ou Freud qu'envers Mallarmé, Proust et Céline. Il faudrait revenir à ce qui reste énigmatique dans les langues et les textes, et essayer de penser cette énigme en proposant des *refontes* de l'héritage métaphysique qui constitue la philosophie et les sciences humaines, mais aussi avec d'autres appuis culturels. Tel est le message de la « théorie » que nous avons essayé d'élaborer : la littérature est une pensée et elle stimule les pensées, mais il est absurde de la fixer dans des « théories » qui deviennent des gadgets à appliquer. Il n'y a pas de « théorie », mais des créations théoriques.

Votre expérience de psychanalyste a-t-elle modifié votre rapport à la littérature ? Que vous reste-t-il de l'agenda politique ou idéologique implicite dans vos premiers travaux ?

Mon expérience de psychanalyste m'a conduite à mettre davantage encore l'accent sur la dynamique subjective dans la création que sur la technique textuelle. Mais je pense que cette dimension formelle reste un domaine à explorer, à condition encore une fois que l'analyse minutieuse de textes littéraires soit un prétexte pour en trouver les conditions et les résonances subjectives et sociales. Personnellement, je me suis intéressée aux économies subjectives qui sous-tendent la création. Par exemple, *l'état amoureux* ou ce que j'appelle l'« abjection » (cette zone incertaine entre la mère et l'enfant où « je » ne suis pas encore : ni sujet, ni objet, mais « abject », « abjet », pôle de fascination et de répulsion). J'induis cette idée de ma lecture de Céline. Je l'ai construite ensuite à partir de la clinique psychanalytique, et j'ai abordé à partir de l'abjection l'œuvre de Céline (romans et pamphlets). Cette approche psychanalytique, qui n'est pas une application, consiste à faire résonner un texte avec une expérience psychanalytique, ce qui permet de découvrir chez un auteur une économie psychique spécifique, éclairant ses apports et ses limites.

Cette écoute des langages ouvrant sur « l'immense profondeur des mots », (comme disait Balthazar Gracian), à partir de la découverte de l'*inconscient* et du *transfert*, éclaire à mon sens des problèmes cruciaux de la modernité. Par exemple, les personnes, hommes ou femmes, qui viennent d'une civilisation de l'écriture, peuvent-elles vivre, et comment, dans la civilisation de l'image ? Je l'aborde à partir de l'analyse d'un patient qui vit dans l'univers du spectacle et réduit son discours à des clichés techniques (*Les Nouvelles Maladies de l'âme*, 1993). Ou encore : le rôle des religions. Pourquoi cet éveil et ce besoin de spiritualité ? Mes derniers livres portent sur le besoin de croire, que je considère comme un besoin pré-religieux, universel dans l'économie psychique de l'*homo sapiens*. Si ce besoin est universel, les religions sont historiquement constituées, susceptibles d'être analysées : « Dieu est analysable », c'est la prétention, exorbitante, des sciences humaines. Et après ? Vertige de la modernité, qui m'a conduite à m'intéresser aux états mystiques. Mon livre sur Thérèse d'Avila, que je définis comme un *récit*, est une composition entre la *narration* concernant sa vie et l'analyse de l'état mystique que mène la narratrice, une psychanalyste qui me représente.

Comment définiriez-vous, en termes psychanalytiques, le désir du théoricien de la littérature ? De quoi la position du théoricien de la littérature a-t-elle été le symptôme ?
Le théoricien de la littérature n'existe pas. Chacun rencontre ses propres désirs dès qu'il aborde l'alchimie littéraire. Même en restant dans les généralités, comme vous m'y invitez, au-delà des individus, les différentes « écoles » gèrent différemment le choc émotif que produit la rencontre littéraire. Le *formaliste* s'en défend en déployant une stratégie obsessionnelle de schémas cognitifs : il tente de contourner l'effervescence des désirs dans les mots, qui met à mal ses capacités de penser, par un acte de maîtrise logique. D'autres, comme Barthes par exemple, pratiquent la critique littéraire comme une fiction au second degré qui s'approche davantage de la réalité littéraire que ne le pré-

tendent ceux qui prônent la « vérité objective ». Le risque courant de ce qu'il faut bien appeler une « fictionnalisation de la
théorie » est qu'elle se prend à penser mieux que la littérature,
au-delà d'elle avec ses propres moyens. Une position qui déplaît
aux écrivains qui ont l'impression d'être réduits à des objets invisibles et emprisonnés par quelqu'un qui s'assure grâce à eux
d'une position de souveraineté. J'essaie, pour ma part, de reconnaître l'impact impulseur de l'œuvre littéraire tout en lui conser-
vant son caractère énigmatique. Et de rapprocher au maximum
mon interprétation des états-limite de l'écrivain, de sa fragilité et
de ses possibilités sublimatoires, là ou se joue le destin de l'individu et d'une civilisation.

L'aventure du théorique a-t-elle été une aventure spécifiquement
française et le cas échéant en quoi l'a-t-elle été ? La théorie est-
elle partout la même là où elle existe ?
Nous sommes les héritiers du XVIIIe siècle, consciemment ou non,
c'est la philosophie du XVIIIe siècle français qui place les Français
à proximité de la littérature. Diderot ou Voltaire ne sont philosophes que parce qu'ils sont immergés dans le génie de la langue
française. C'est précisément cette créativité française dans la
chair d'une tradition verbale séculaire, à la fois personnelle et
historique, qui fascine Nietzsche. N'est-ce pas à elle aussi que
Heidegger doit son accueil si particulier en France ?
L'essor des sciences humaines ancrées dans les logiques du
langage, et jusqu'à la psychanalyse qui introduit les affects dans
les logiques elles-mêmes, me paraît remonter à cet esprit du
XVIIIe siècle. Ce qui est curieux, c'est que la dissémination dans
le monde de cette manière de penser s'est faite par l'anglais
(Foucault, Derrida, Deleuze, et mon propre travail ont été lus
parce que nous avons d'abord été accessibles en anglais, grâce
aux traductions des presses universitaires américaines).
J'ai découvert récemment, à l'occasion d'une invitation au
Musée Freud à Vienne, et à l'Université Humboldt de Berlin, que
des chercheurs… iraniens s'appuyaient sur mes écrits pour interpréter… le tchador et les burkas ! Ils les considèrent comme des

signes (on revient à la sémiologie) mais, en s'inspirant de la psychanalyse, y découvrent des expériences subjectives de désir ou de répulsion qui éclairent en profondeur les conflits sociaux et religieux d'une aire culturelle si différente de la nôtre. Peu importe si je ne me reconnais pas toujours dans les extrapolations, j'apprécie la créativité de cette jeune génération des pays émergents qui pratique *notre* théorie comme un des beaux-arts : pour vivre en pensant l'impensable.

Pensez-vous que ce qui a été élaboré au titre de la théorie littéraire a aujourd'hui encore une efficacité, une vertu subversive ? Y a-t-il un avenir pour ce type de réflexion ou est-ce que vous avez l'impression que c'est une période historiquement datée ?

Je crois avoir répondu à cette question, mais je veux bien y insister. Des textes écrits depuis 1965 à maintenant font partie de l'histoire de la pensée, et peuvent être lus comme les témoins d'une période historique – comme on lit les *Salons* de Diderot ou de Baudelaire : des *moments* d'une société et de ses goûts. En même temps, l'exigence qui continue à animer pour moi cette interrogation de l'expérience subjective (mais vous voyez que ma définition de la théorie n'est pas « La Théorie » en général qui vous intéresse) est d'une actualité plus brûlante encore. Face à l'empire de l'image, confrontés à l'afflux des affects sans code de valeurs universelles, l'homme et la femme modernes seront-ils des surfaces virtuelles, des consommateurs kamikazes, récompensés par les facilités de l'argent virtuel et des procréations assistées ? Ou, au contraire, seront-ils, seront-elles ces individus kaléidoscopiques, multilingues, porteurs de mémoires diversifiées, capables de les assumer pour les analyser, de croire et d'interroger ? Je ne rêve pas. Les étudiants qui nous viennent des divers pays européens, la fragile vitalité du projet politique européen, la richesse de l'identité européenne (oui, *identité*, la seule au monde qui ne soit pas un *culte* mais une *interrogation*) : autant de promesses qui font contrepoids à l'apocalypse. Eh bien, « La Théorie » si vous voulez, telle que je l'entends, est une expérience de pensée qui favorise l'éclosion de ces individus kaléidoscopiques, capables de conjuguer la précision d'une analyse technique avec la liberté d'imagination subjective qui ne cesse d'être une question pour elle-même.

Sylvère Lotringer

Né en 1938, professeur de littérature à l'université Columbia (New York), fondateur (en 1974) et directeur de la revue et des éditions *Semiotext(e)*, auteur de nombreux ouvrages dans le domaine de la théorie de la littérature et de l'art, parmi lesquels *French Theory in America*, New York, Routledge, 2001 ; *Fous d'Artaud*, Paris, Sens & Tonka, 2003 ; *Oublier Artaud*, Paris, Sens & Tonka, 2005 ; *The Conspiracy of Art* (avec Jean Baudrillard), Cambridge, Semiotexte(s), 2005 ; *The Accident of Art* (avec Paul Virilio), Cambridge, Semiotexte(s), 2005 ; *Pure War* (avec Paul Virilio), Semiotexte(s) – *History of the Present*, Cambridge, 2008.

Comment rencontrez-vous la théorie ? Que représente-t-elle alors pour vous ? A-t-elle d'emblée une signification politique ?
C'était la fin des années 1950, j'étais inscrit à la Sorbonne, j'étais passionné par la littérature, le Nouveau Roman, je découvrais Roland Barthes. J'étais aussi très actif dans le mouvement étudiant. La guerre en Algérie commençait à déborder sur la métropole, on était au bord de la guerre civile. Les affrontements avec la police et l'extrême droite étaient violents, quotidiens. Et pourtant, le soir, on allait voir *Rhinocéros* de Ionesco et on se pressait à la cinémathèque d'Henri Langlois pour voir *L'Aurore* de Murnau. On sortait de la période d'engagement sartrien dans la littérature, et les deux restaient séparés. J'avais fondé un magazine littéraire à la Sorbonne avec des amis, *L'Étrave*, où j'avais interviewé Michel Butor et Nathalie Sarraute, qui est restée une grande amie. C'est elle qui m'a très tôt introduit à Virginia Woolf. Mais j'étais aussi chargé de publier *Paris-Lettres,* le journal étudiant de la Sorbonne, qui était alors très engagé. J'écrivais aussi régulièrement dans les *Lettres françaises* de Louis Aragon,

un journal communiste, sur l'actualité littéraire « bourgeoise » et le domaine anglo-saxon. Il est intéressant que tout, pour moi, ait commencé avec la littérature, mais c'est à partir d'elle et en rupture avec elle que tout allait changer.

Un peu plus tard, on m'a chargé d'organiser des conférences pour la Maison des Lettres de la Sorbonne. Les premiers cycles de conférences portaient sur la Nouvelle Critique, avec des critiques thématiques comme Jean-Pierre Richard, Georges Poulet, Jean Starobinski, des sociologues de la littérature comme Lucien Goldmann et Roland Barthes et un critique freudien, Charles Mauron. Il y avait aussi Philippe Sollers qui venait de lancer *Tel Quel* avec Jean Edern-Hallier, une revue qui allait en quelques années introduire la linguistique, le structuralisme, la déconstruction, la psychanalyse lacanienne, assumant le rôle de l'avant-garde culturelle dans les salons parisiens, avec les excès requis : purges, amalgames, dénonciations. Pendant deux ans, de 1963 à 1965, j'ai suivi les séminaires de Barthes et Goldmann à l'École pratique des hautes études, où l'on retrouvait tous les précaires de l'université. C'est Barthes qui a publié mon premier essai sur la théorie du roman dans *Critique*, et Goldmann qui a dirigé ma thèse sur Virginia Woolf en sociologie de la littérature. Je restais proche des auteurs du Nouveau Roman, je songeais toujours à devenir écrivain, mais la théorie était en train de devenir un puissant pôle d'attraction et c'est elle qui l'a finalement emporté.

1965-1966 a été une période charnière. Toute cette effervescence critique avait abouti à la polémique entre Roland Barthes et Raymond Picard de la Sorbonne sur l'interprétation de Racine (*Critique et vérité*). Et pourtant la querelle était arrivée trop tard. La Nouvelle Critique avait été remplacée par le structuralisme, qui était une option politique sur la culture. La presse s'en était emparée et y avait jeté pêle-mêle Claude Lévi-Strauss, qui en était effectivement, mais aussi Roland Barthes, Michel Foucault et Jacques Lacan. C'était l'apogée du structuralisme, dont l'influence sur les sciences humaines se révélera de courte durée. Derrida s'employait déjà à déconstruire le modèle linguistique sur lequel il s'appuyait, et Lacan y réintroduisait un élément de subjectivité, même topologique. Ce qui n'avait pas bougé, c'était la primauté accordée au langage dans la théorie. Restait à changer de paradigme. C'est ce que Mai 68 allait faire, non sur les barricades, mais dans le champ de la pensée.

Je n'ai pas participé à Mai 68. Après avoir repoussé tant que j'ai pu l'échéance militaire pendant la guerre d'Algérie, j'ai quitté Paris en 1965 pour deux ans comme coopérant en Turquie. Puis je suis devenu itinérant, enseignant la Nouvelle Critique en Australie, puis dans diverses universités américaines. Ce n'est qu'à partir de 1970 que j'ai repris contact intellectuellement avec la France et découvert ce qui était sur le point de devenir la « théorie » française aux États-Unis. Je me suis alors recyclé en organisant plusieurs écoles d'été américaines en France où j'ai réussi à faire coexister dans un même lieu des approches théoriques qui s'excluaient déjà mutuellement sur la scène parisienne, le structuralisme lévi-straussien, la déconstruction derridienne, la psychanalyse lacanienne et finalement la dérive deleuzo-guattarienne.

Vous dites que le structuralisme a été une option politique. Comment comprendre exactement cette formulation ?

Quand Ferdinand de Saussure, en 1916, définit la notion de valeur en termes différentiels, il n'a pas seulement inventé le système général de la langue, il a ouvert le langage au principe d'équivalence du capital. Jusque-là les sciences humaines étaient restées un domaine réservé. Il aura fallu attendre que les signes décollent encore plus de leur support symbolique pour que la société tout entière s'aligne sur les intuitions du *Cours de linguistique générale*. D'ailleurs, Saussure lui-même avait rapproché la valeur linguistique de la valeur économique. Le structuralisme est la transcription directe du bond technologique suscité par la deuxième révolution industrielle (le taylorisme) et les dévastations massives infligées à l'Europe par la guerre totale. Leurs retombées dans l'après-guerre ont d'abord été ressenties dans la vie quotidienne, mais c'est seulement après la fin de la guerre d'Algérie que la société de consommation en France est soudain devenue perceptible.

Le structuralisme a donc été selon vous la version culturelle du capitalisme technocratique. Était-il au service du capitalisme ?

Les situationnistes ont dénoncé le consumérisme comme l'invasion du spectacle, et Baudrillard y a vu à l'époque « un gigantesque champ politique ». Le structuralisme faisait partie de cette opération « métaphysique » qui visait à effacer les classes. C'était la guerre sociale par d'autres moyens. Comme l'avait écrit Henri Lefebvre de l'architecture industrielle, le capital installait son décor. Le structuralisme en faisait partie. Sa logique était fondée sur l'échangeabilité des signes, qui est celle du capital. Avec le structuralisme, la superstructure passait dans l'infrastructure. On a pu saluer cela comme la fin de la production, et cela l'était en effet. La culture était en passe de devenir une seconde nature dans un monde entièrement régi par les signes. On n'imaginait pas alors que les signes eux-mêmes pouvaient s'effacer au profit des signaux, rendant toute différence impossible. C'est là où nous en sommes aujourd'hui.

Quelle place accordez-vous aujourd'hui encore à une littérature qui pense ou qui se pense ? Est-ce qu'il vous arrive de revenir à Mallarmé ou à Proust ? La théorie fait-elle encore partie de vos préoccupations ?

Je me suis toujours intéressé aux écrivains et j'ai d'ailleurs toujours enseigné dans un département de littérature. Mallarmé est une de mes grandes passions, au point que je n'ai jamais rien publié sur lui – l'enseigner me suffit ; mais aussi Artaud et Bataille pour des raisons opposées. C'est la messe blanche et le sang noir. Quant à Proust, il n'a cessé d'inspirer tout ce que je fais en théorie, et ailleurs. La littérature, pour moi, a toujours été une entreprise d'élucidation de la société à travers les transformations qu'elle opère sur la subjectivité. En même temps, elle est un regard critique – théorique – porté sur elle-même. La théorie et la littérature n'ont jamais cessé de marcher ensemble et de se questionner mutuellement. Les plus grands théoriciens sont ceux qui ne se sont jamais réclamés de la théorie, mais l'ont rendue possible. La réflexion théorique, comme la littérature, est une ouverture sur l'extérieur. En ce sens une vie qui n'est pas « théorique » ne vaut pas la peine d'être vécue, et encore moins d'être écrite.

Vous occupez, en tant que directeur de la revue et des Éditions Semiotext(e), une place à part dans la mouvance théorique franco-américaine, vous vous êtes beaucoup plus tourné du côté des milieux artistiques new-yorkais que du côté du monde académique. Est-ce un choix ? Comment en êtes-vous arrivé là ?
On m'a engagé à l'université de Columbia en 1972 pour y enseigner la littérature française et les sciences humaines. C'était le seul département structuraliste du pays, et nous avons rapidement formé un groupe d'épistémologie sémiotique pour le mettre en cause, inspiré au départ d'Althusser et de Derrida. Cette année-là, j'ai demandé à Guattari d'enseigner à la *summer school* de Columbia à Paris et nous sommes devenus amis. Nous avons décidé de travailler ensemble et j'ai pris un an de congé pour travailler avec les gens de son groupe, le CERFI. Le premier numéro de *Semiotext(e)* sur les anagrammes de Saussure a, en réalité, été publié en français et à Paris dans leur revue, *Recherches*. En contrepartie, j'ai organisé à New York en 1975 une grande rencontre entre les philosophes nietzschéens – Deleuze, Foucault, Lyotard, Guattari – et des artistes américains que j'admirais : John Cage, William Burroughs, Richard Foreman, etc. Le colloque s'intitulait « Schizo-culture » et portait sur les prisons et la folie, thèmes privilégiés de l'époque. Schizo-culture à mes yeux était New York, une ville alors en faillite, que l'Amérique avait abandonnée. Elle était livrée aux étrangers, aux *freaks*, aux laissés-pour-compte. Elle était passionnante.
La rencontre entre les théoriciens français et les radicaux américains, qui s'y étaient pressés en foule, s'est assez mal passée, et je me suis retrouvé ensuite un peu marginalisé ou brûlé par rapport à l'université et aussi ébranlé par cette expérience. Je n'avais

que New York pour me rattraper et c'est ainsi que j'ai fait alliance avec cette ville dangereuse et fabuleuse. Elle m'a appris en peu de temps, souvent à mes dépens, que la théorie n'était pas seulement dans les livres, mais qu'elle pouvait être une boussole dans la tempête. C'est ainsi que j'ai découvert l'underground new-yorkais, les clubs, l'acid rock, tout un monde dont je n'avais pas idée pendant mes errances des années 1960. C'était Mai 68 à la petite semaine. Les punks sont venus par-dessus et ils ont été nos premiers lecteurs avec les jeunes radicaux et groupes d'artistes et de cinéastes du « downtown » new-yorkais.

Les Français étaient des expérimentateurs sur le plan de la pensée, les New-yorkais l'étaient sur le plan de l'art. D'où l'idée de mettre ensemble des gens qui ne percevaient pas ce qu'ils avaient en commun. Les philosophes français étaient des artistes à leur manière, et les seuls que les Français aient eus pendant une vingtaine d'années. Les artistes américains faisaient de la philosophie, même si, au départ, ils se défiaient des intellectuels (cela a bien changé par la suite). Il restait à les mettre en rapport pour voir ce que cela pourrait donner. New York était un laboratoire.

Qu'est-ce que vous avez tenté de faire passer de la culture théorique française dans la culture artistique new-yorkaise ?
Je n'ai pas fait « passer » la théorie dans le monde de l'art, c'est le monde de l'art qui est passé dans la théorie. Ils l'ont fait à leur manière, et moi à la mienne. D'une certaine manière nous avons été à contre-courant. Mon idée, c'était de sélectionner des concepts qui pourraient rhizomatiser sur un sol étranger, et laisser tomber ceux qui ne faisaient que se reproduire aux dépens de la culture ou ils étaient introduits. Quand je suis arrivé aux États-Unis, je venais de découvrir Derrida et Lacan et j'avais adopté pour un temps une démarche analogue, mais il ne m'a pas fallu longtemps pour comprendre que la déconstruction allait dans le sens de l'université américaine (retour au texte) alors que je cherchais à y échapper. Tout ce qui relevait du langage, de l'analyse discursive, de l'inconscient comme langage me semblait appartenir à la vieille Europe, et surtout à la France, et avait peu à voir

avec la réalité américaine. La rencontre avec Guattari a donc été providentielle, et je me suis tourné vers des théories plus politiques, plus interventionnistes, plus aptes à retourner le capitalisme américain contre lui-même. C'était simultanément remplir le mandat que nous nous étions donné au départ : libérer la sémiotique du modèle linguistique. Le langage est, certes, l'interprétant de tous les autres, mais il n'est qu'un de ces systèmes. L'art en était la démonstration directe. Il m'a protégé du langage.

Quelles sont les principales différences entre les versions américaine et française de la théorie ?

J'ai découvert en chemin qu'il n'y avait pas de version française, ou plutôt qu'on n'était pas obligé de respecter les clivages intellectuels qui avaient cours en France. Me retrouver aux États-Unis m'a évidemment beaucoup aidé : les Américains n'avaient aucune idée préalable des exclusions réciproques qui se pratiquaient dans le champ intellectuel français. Ils ont reçu la théorie en bloc, d'abord pour la rejeter, ensuite pour l'absorber. Ils en ont fait la « French Theory », la théorie venue de l'étranger (aussi par opposition à l'Allemagne, l'École de Francfort s'étant installée aux États-Unis à demeure depuis bien longtemps) et c'est d'ailleurs pour cette raison que j'ai appelé notre collection de théorie : *foreign agents*, les agents de l'étranger. Ce que les Français n'ont pas forcément compris, c'est que nous étions également étrangers à la France. Étrangers de l'intérieur, mais aussi de l'extérieur. Il fallait trahir/traduire, donc inventer un itinéraire qui n'appartenait ni aux uns ni aux autres. Ce n'était pas seulement l'« entre-deux » deleuzien, mais *l'autre d'eux*.

Les Américains sont très pragmatiques, mais pas au sens de l'école d'Oxford. Ils sont entrés dans la théorie pragmatiquement, en essayant d'en tirer un bénéfice de prestige, de promotion personnelle et professionnelle. La version américaine de la théorie n'a pas seulement enthousiasmé beaucoup de jeunes, ou même changé leur vie, elle a aussi consolidé ce qui existait auparavant, elle a renforcé le monde universitaire, elle a donné plus de lustre et de pouvoir au monde de l'art en passe de devenir une industrie. Elle a fait des théoriciens français des objets de respect, de prestige, de culte. Elle a érigé pour eux des pyramides afin de mieux les enterrer quand le temps était venu de les remplacer.

J. Hillis Miller

Né en 1928, professeur de littérature anglaise à l'université Johns Hopkins (1952-1972), à l'université de Yale (1972-1986), puis à l'université de Californie à Irvine ; il est notamment l'auteur de *Thomas Hardy : Distance and Desire*, Cambridge, Harvard, 1970 ; *Fiction and Repetition : Seven English Novels*, Cambridge, Harvard UP, 1982 ; *The Linguistic Moment : From Wordsworth to Stevens*, Princeton, Princeton UP, 1985 ; *The Ethics of Reading : Kant, de Man, Eliot, Trollope, James, and Benjamin*, New York, Columbia University Press, 1987 ; *Hawthorne & History : Defacing It*, Cambridge, Harvard University Press, 1991 ; *Theory Now and Then*, Durham, Duke University Press, 1991 ; *Topographies*, Stanford, Stanford University Press, 1995 ; *Speech Acts in Literature*, Stanford, Stanford University Press, 2001, etc.

Commençons par le New Criticism, qui a beaucoup compté pour vous, qui a dominé vos années de formation. Peut-on dire qu'il était établi institutionnellement dans toutes les universités américaines importantes au moment où vous avez commencé votre carrière universitaire ?
Oui, ce qui veut dire que tous les étudiants gradués avaient lu Brooks, Wellek et Warren. Le département d'anglais de Yale passait pour le meilleur du pays parce que le *New Criticism* y avait été fondé.

Donc le New Criticism n'a jamais joué aux États-Unis le rôle que le structuralisme a pu jouer en France. Il n'a jamais été identifié comme avant-gardiste ou subversif ?
Il y a deux réponses à cette question. D'une part le *New Criticism* était apparemment apolitique, mais en apparence seulement. Ceux qui l'ont inventé venaient du Sud, ils étaient non seulement

270

chrétiens mais épiscopaliens, donc des protestants relativement conservateurs attachés à des formes précises de poésie. Le *New Criticism* se voulait apolitique, mais il transmettait, sur le plan intellectuel, une série de valeurs plutôt conservatrices. Son idéal était la poésie métaphysique, écrite après tout par des poètes chrétiens, avec laquelle se transmettaient aussi des notions comme celle de l'unité organique du poème et, par conséquent, tout un héritage romantique.

D'autre part il a joué un rôle important après la Seconde Guerre mondiale, une période qui a été aux États-Unis un moment important de démocratisation de l'Université, qu'il fallait notamment ouvrir aux anciens GI's. Beaucoup d'universités se sont développées très rapidement, ont accueilli beaucoup de jeunes gens de la classe moyenne inférieure qui, fondamentalement, n'avaient pas eu d'éducation et ignoraient tout de la tradition littéraire. Le *New Criticism* s'est imposé à ce moment, non pour des raisons politiques, mais parce qu'il présupposait qu'aucun savoir spécifique n'était nécessaire à des études littéraires. La seule chose qu'il fallait était un dictionnaire pour connaître le sens des mots.

Ce qui n'est pas sans analogie avec la vogue structuraliste en France, qui intervient précisément au moment où s'y développent des universités de masse...
Peut-être, mais le structuralisme était une méthode facile à maîtriser et utilisable dans toutes sortes de domaines. Il avait donc quelque chose d'universel. Le *New Criticism* ne l'a jamais été, il est resté confiné aux études littéraires.

Vous avez enseigné dans les années 1960 à l'université Johns Hopkins, à un moment où celle-ci a été un des principaux points de contact entre les études littéraires anglo-saxonnes et la nouvelle critique française, puis la French Theory, *notamment avec le fameux colloque de 1967 auquel participent à la fois Lacan et Derrida. Pour vous, très vite, ce sera surtout*

l'œuvre de Derrida qui comptera. Pourquoi ? Qu'apportait-il de nouveau ?
Le problème que Derrida me permettait de résoudre était le suivant : pour moi, il existait des œuvres littéraires très importantes, mais elles ne participaient d'aucune unité organique. Derrida m'a permis de rompre définitivement avec le *New Criticism*, il m'a donné les moyens d'analyser des œuvres de toute évidence hétérogènes et contradictoires.

Votre intérêt pour l'œuvre de Derrida était-il avant tout intellectuel ? Aviez-vous des raisons politiques de vous intéresser à lui ?
C'était un intérêt avant tout intellectuel. Ce n'est que plus tard que j'ai commencé à réfléchir aux implications politiques de son discours et à son positionnement, au fait qu'il n'était pas membre du Parti communiste, qu'il s'était disputé avec Philippe Sollers, etc. Je le savais, mais à cette époque cela ne me paraissait pas très important. Il en va de même avec Paul de Man, qui a été mon collègue à Hopkins puis à Yale, avec lequel j'ai pu systématiser toute la question, centrale pour moi, de l'indécidabilité des textes. Bien sûr je ne savais rien de ce que Paul de Man avait écrit pendant la guerre. Aujourd'hui, je serais beaucoup plus sensible aux implications politiques de leurs discours et je m'intéresserais plus par exemple aux rapports de Derrida à Sartre, puisque Derrida a commencé à enseigner à l'École normale supérieure au moment où l'influence politique de Sartre était au plus haut. Derrida a dû être influencé de façon complexe par Sartre. J'ai commencé à réfléchir à ce genre de questions plus tard, quand les attaques contre Derrida se sont développées aux États-Unis et qu'on lui a reproché soit d'être apolitique, soit d'être du côté des conservateurs.

Et comment justifieriez-vous ou défendriez-vous Derrida politiquement dans un contexte américain ?
Il y a beaucoup à apprendre de la lecture de Derrida, en particulier de ses textes plus récents. Ce que de jeunes lecteurs qui se situent dans une mouvance gauchiste peuvent apprendre de lui,

c'est que pour endosser des positions politiques qui peuvent avoir des effets, vous devez vous poser la question de la responsabilité. Les étudiants américains qui ont participé aux mouvements de révolte étaient explicitement prêts à endosser une responsabilité pour les effets des occupations de locaux universitaires ou des manifestations de masse. Actuellement, je souhaite plutôt que les étudiants redescendent dans la rue, qu'ils fassent quelque chose, je souhaiterais quelques émeutes. Derrida prenait la question des implications politiques de ce qu'il faisait très au sérieux. C'est une des raisons pour lesquelles il a attendu si longtemps avant d'écrire sur Marx.

Comment expliquez-vous l'impressionnant succès de la déconstruction dans le monde académique américain ?
Le succès de la déconstruction est lié au contexte du *New Criticism* qui lui a préparé le terrain. Au centre de la déconstruction, il y a également l'analyse du langage. Elle avait donc une utilité très pratique, elle a renforcé, dans le cadre des études littéraires, l'analyse de texte. Car c'est bien cela qui est au centre de la pratique de Derrida : une version très particulière de l'explication de texte française, applicable également aux textes philosophiques, qui permet d'examiner un texte et d'y découvrir des choses que personne n'avait vues. Je crois que c'est la principale raison : il existait déjà un contexte qui permettait de s'approprier la méthode de Derrida. Il y a peut-être encore une autre raison : nous sommes un pays jeune, nous sommes peu sûrs de notre autorité et donc toujours prêts à importer les méthodes et les idées d'ailleurs, et plus particulièrement de France, même si nous le faisons avec beaucoup d'inquiétude.

Y a-t-il toujours aujourd'hui une place pour la déconstruction dans le monde académique américain ?
De moins en moins, pour toutes sortes de raisons. La première, c'est que Derrida et ceux qui l'ont suivi sont difficiles à lire. Penser la littérature dans ces termes demande des efforts. La deuxième raison évidente est l'extraordinaire montée en puissance

des *cultural studies* qui présupposent souvent que la déconstruction est politiquement quelque chose de conservateur, même si quelqu'un comme Judith Butler a été très marquée par Derrida. Beaucoup de critiques appartenant à la mouvance des *cultural studies* sont dans le même cas, ce qui ne les empêche pas de dire à leurs étudiants de ne pas lire ce qui vient de la déconstruction. Mais la principale raison, c'est sans doute le recul général de l'importance de la littérature dans notre culture. Nous avons maintenant dans les départements de littérature la première génération de professeurs-assistants qui ont été éduqués dans un environnement composé de films, de vidéos, de consoles de jeux et de nouveaux médias. Quoi qu'ils disent à propos de leur intérêt pour la littérature et quoi que nous puissions souhaiter, nous savons qu'ils n'ont pas été structurés par leur lecture de Shakespeare. Je ne suis pas du tout opposé à cette évolution, mais elle signifie que la littérature perd rapidement de son importance. L'emblème de cette situation, c'est une jeune collègue engagée à Irvine il y a quelques années à titre de spécialiste de Flaubert, qui s'est persuadée que Flaubert était un homme blanc mort et qui a recommandé à ses étudiants de ne plus lire Flaubert, que c'était une mauvaise chose de le faire. Elle s'intéressait aux vêtements, à la mode et elle s'est mise à étudier des magazines de mode pour femmes noires (elle n'est pas noire). Je respecte sa position, mais c'est un exemple spectaculaire de ce déclin de la culture littéraire que j'observe, également d'ailleurs quand je donne des conférences en Chine ou ailleurs, sur des auteurs comme Henry James. Tôt ou tard il devient évident que ce qui compte vraiment pour eux, ce sont les transpositions des œuvres de James au cinéma. Je pense que c'est irréversible, du moins pour l'instant. La théorie littéraire joue donc un rôle de moins en moins important parce qu'il y a de moins en moins de gens qui lisent et qui enseignent la littérature.

Vous pourriez donc souscrire à l'hypothèse de Foucault qui disait de la théorie littéraire qu'elle avait été le chant du cygne d'une culture véritablement littéraire ?

C'est une hypothèse qui me paraît plausible, même si je pense que la littérature va survivre un temps, et qu'il y a encore des gens qui s'y intéressent. Mais Foucault a raison, elle n'est plus cette force naturelle et centrale dans la culture. Ce n'est pas que la théorie l'a tuée. Mais la théorie, la réflexion sur ce qu'elle est, sur comment elle fonctionne, tout cela arrive effectivement au moment où elle perd son autorité. Pour les gens de l'époque victorienne, le roman était aussi central et déterminant pour leurs comportements que le sont aujourd'hui le cinéma et d'autres médias. Par conséquent, il n'était pas nécessaire d'y penser, le roman allait de soi. C'est seulement lorsque le roman devient problématique qu'il est nécessaire d'y réfléchir, non seulement dans le cadre de la théorie littéraire, mais aussi dans le cadre de la pratique littéraire elle-même. T. Pynchon ou E. L. Doctorow n'écriraient pas ce qu'ils écrivent si le drame, le roman ou le statut de l'auteur allaient de soi pour eux. De même, il est possible qu'Aristote ait écrit sa *Poétique*, consacrée essentiellement à la tragédie grecque, à un moment où celle-ci disparaissait – du moins certains l'affirment aujourd'hui.

Michel Pierssens

Né en 1945, professeur de littérature française à l'université de Montréal, cofondateur en 1971 de la revue *Sub-Stance* dont il est un des éditeurs, codirecteur également (avec Jean-Jacques Lefrère) de la revue *Histoires littéraires,* auteur de *La Tour de Babil,* Paris, Minuit, 1976 ; *Lautréamont. Éthique à Maldoror,* Presses universitaires de Lille, 1984 ; *Maurice Roche,* Amsterdam, Rodopi, 1989 ; *Savoirs à l'œuvre. Essais d'épistémocritique,* Presses universitaires de Lille, 1991 ; *Savoirs de Proust,* Paragraphes, 2005 ; *Ducasse et Lautréamont. L'envers et l'endroit,* Presses universitaires de Paris-VIII, 2006.

Votre Tour de Babil. Essai sur la fiction du signe *(paru en 1976 chez Minuit, dans la collection « Critique ») vous a d'emblée situé dans la mouvance théorique-réflexive. Quels étaient, à l'époque de cette publication, les enjeux pour vous ?*

Je me suis toujours intéressé au désordre, aux marginalités. À l'époque (1963) où je m'engageais dans des études de médecine (vite abandonnées pour les lettres), c'était la psychopathologie qui me séduisait, y compris sa version psychanalytique. En bifurquant vers les études de lettres, j'ai découvert que les désordres du langage et de l'esprit pouvaient être un objet d'étude pluridisciplinaire faisant collaborer la linguistique, l'analyse littéraire, la psychiatrie. J'ai donc voulu comprendre comment des façons atypiques de traiter la langue, quelle que soit leur origine (pathologique ou pas), pouvaient être la source de créations excentriques et apparemment inexplicables comme de créations beaucoup plus canoniques. Les enjeux des recherches dans lesquelles je me suis alors engagé sont toujours restés théoriques avant tout, même si je n'étais évidemment pas indifférent à ce qui se disait à l'époque dans le champ de l'antipsychiatrie, surtout dans ses déclinaisons américaines ou plus généralement anglo-saxonnes.

Vos engagements intellectuels s'apparentaient-ils à un combat politique, ou idéologique ? Et comment caractériser celui-ci, si c'en était un ? Était-il nouveau ?

J'habitais alors aux États-Unis depuis 1970 et je découvrais des mouvements intellectuels, en direct, dont nous n'avions qu'un écho assez déformé en France. Je n'avais donc pas le sentiment de participer, au sens traditionnel, à un combat politique ou idéologique. Il me semblait que le mouvement auquel je m'identifiais était en fait en phase de conquête irréversible et beaucoup plus profond.

Avez-vous eu l'impression de répéter les combats des avant-gardes traditionnelles ?

Je lisais évidemment tout ce qui relevait du débat sur le marxisme à l'époque où je préparais ma thèse de troisième cycle à Aix-en-Provence et les cours que je faisais sur le sujet (1968-

1970), devant des étudiants militants de toutes les sectes de l'époque, des cours qui étaient solidement éclectiques et plura-listes, passant de Marx à Lénine, de Trotski à Mao, de Staline à Althusser. Je voulais avant tout comprendre les complexités, voire les contradictions et les impasses de toute cette tradition, très mécréant moi-même et très sceptique quant aux simplifications qui en étaient proposées. J'étais beaucoup plus sensible à ce qui venait de l'Internationale situationniste, qui ne me paraissait pas incompatible avec certains aspects du trotskysme – lequel était rendu plus sympathique par le cas qu'en avaient fait les sur-réalistes.

Comment définir la nouveauté d'une telle position ?
Il me semblait que l'avant-garde à laquelle j'appartenais devait surtout posséder une très forte conscience historique et un sens critique tout à fait incompatible avec ce que les militants les plus organisés cherchaient à imposer. La pauvreté intellectuelle de la plupart ou leurs blocages sur des croyances terriblement schéma-tiques me paraissaient être débordés de tous côtés par les réalités, en particulier par les réalités produites par l'imaginaire travaillant la langue, dans la poésie comme dans la fiction. Tout ce qui n'était pas désordre fécond me paraissait profondément rhéto-rique et étouffant. Il me semblait (il me semble toujours) qu'il fallait s'intéresser à toutes les formes qui manifestaient le pou-voir du désir de libération. La France marxisante me paraissait une impasse régressive là où l'Amérique inventait avec audace. Ma lecture de Barthes, de Foucault ou de Deleuze s'en trouvait directement influencée : le Barthes du fragment et du désir, le Foucault de l'histoire de la folie et du Roussel, Deleuze réinven-tant Nietzsche. Voilà ce qui me stimulait.

Vous enseignez depuis plus de trente ans à Montréal. Vous êtes également l'un des fondateurs et l'ancien directeur de la revue Sub-Stance, *qui a été une des principales passerelles entre la* French Theory *et les États-Unis. Quel regard portez-vous aujourd'hui sur cette activité de passeur ?*

À mes débuts aux États-Unis, je me sentais très fortement appartenir à un mouvement de conquête avant-gardiste qui devait faire découvrir aux Américains des vérités et des œuvres bouleversantes, en totale rupture avec la tradition universitaire telle qu'elle ronronnait dans les départements littéraires, aussi bien les départements de français que les départements d'anglais. La puissance subversive de la théorie à la française était tout à fait enivrante et le travail de diffusion était véritablement ressenti comme un combat contre des forces régressives. Nous n'étions pas très nombreux dans cette position, assez toutefois pour bousculer les bastions traditionnels, d'ailleurs souvent accueillants, de manière paradoxale.

Pensez-vous que la théorie littéraire, au sens large du terme, a joué – ou joue encore – le même rôle en France et aux États-Unis ?
Il y avait une grande différence entre les milieux concernés en France et aux États-Unis. On pouvait avoir en France l'impression de toucher en profondeur toute la société ; aux États-Unis, il était clair que la seule réalité sur laquelle il était possible d'avoir prise était l'université, évidemment beaucoup plus structurée, concentrée, organisée qu'en France. C'était le seul lieu où un combat intellectuel pouvait avoir un écho et un sens.

Votre parcours américain a-t-il modifié vos engagements et parti pris antérieurs ? En quoi ?
Simultanément à mes activités de passeur, je me suis très vite intéressé à ce qui était perçu par les Américains eux-mêmes comme leur propre avant-garde intellectuelle : le très riche travail interdisciplinaire où se rencontraient linguistes, anthropologues, philosophes, sociologues, épistémologues, etc. C'est ainsi que le sens que je donnais au mot « science » s'est fortement transformé, passant de la conception très abstraite et obsolète qu'en avaient les idéologues français à une conception très concrète et très opérationnelle comme chez les historiens des sciences et les épistémologues américains. Ce qui pouvait passer pour de la

théorie littéraire en France se trouvait donc nécessairement réinscrit dans des problématiques beaucoup plus larges et beaucoup plus complexes aux États-Unis, faisant intervenir aussi bien l'histoire sociale et culturelle que la neurobiologie ou la physique.

Comment interpréter le contraste entre la faible influence de la théorie dans l'Université française et son prestige dans les universités américaines ?
Les Français n'acceptent qu'avec beaucoup de réticences les propositions des études culturelles dont la force de renouvellement, quoi qu'on puisse penser de leur rigueur ou de leur justesse par ailleurs, me paraît indéniable. La façon de construire la théorie littéraire en France aujourd'hui me semble dépourvue de toute efficacité sociale et politique, ce que je ne crois pas être le cas de sa version américaine. La théorie française que je contribuais à importer dans les années 1970 s'est transformée en un appareil de représentations très mobilisateur. Je crois que ses effets sont aujourd'hui partout dans la culture et la société américaines et contribuent à son dynamisme novateur, contrairement à ce qui s'est passé en France.

Si c'était à refaire, vous relanceriez-vous dans l'aventure américaine ?
Si c'était à refaire, je le referais sans hésiter, car c'est dans l'aventure américaine que ce que je cherchais à transmettre me paraît avoir trouvé l'écho le plus créatif. Les hasards qui ont fait de moi pendant deux ans un coopérant militaire aux États-Unis sont ce qui m'est arrivé de plus positif sur le plan intellectuel.

Y a-t-il eu des ruptures dans vos orientations ? La réflexion théorique sur la littérature est-elle encore actuelle ?
Je n'ai pas le sentiment de m'intéresser aujourd'hui à des choses très différentes de celles qui me mobilisaient il y a quarante ans. J'ai sans doute un peu précisé ma vision des rapports entre les savoirs et le reste de la culture en général. Je suis entré avec beaucoup plus d'érudition et de rigueur dans des démarches de

nature historique qui me semblent aujourd'hui les garantes indispensables de toute théorisation un peu crédible. Il n'y a pas de contradiction à mes yeux entre le travail que je fais avec *Histoires littéraires* et avec *epistemocritique.org*. J'ai donc plutôt un sentiment de continuité et d'approfondissement.

Je pense que la littérature, au même titre que les sciences, possède une très excitante capacité à faire réfléchir. Je ne cherche pas à faire la théorie générale de cette capacité, comme j'aurais pu être tenté de le faire autrefois. Je m'intéresse beaucoup plus aujourd'hui à lire les textes pour comprendre en profondeur d'où vient leur force singulière et ce qu'ils sont capables de créer et de transformer chez des lecteurs, individuellement et collectivement. Il me semble que c'est quelque chose qu'il n'est possible de faire de manière à peu près productive qu'en étant attentif à la façon dont se nouent les savoirs, aussi bien dans l'époque où un texte a été produit, que dans notre propre époque puisque nous ne parvenons à penser qu'en nous situant au bord extrême de ce que nous savons. Les trois dossiers majeurs auxquels j'espère pouvoir continuer à travailler pendant quelques années encore traduisent chacun à leur façon cette conviction : une étude sur les relations entre littérature et pseudosciences au XIXe siècle ; une autre sur la gloire et le déclin de la poésie scientifique ; un essai plus transversal sur les arts du désordre.

Jean Ricardou

Né en 1932, écrivain et théoricien, notamment du Nouveau Roman ; ses recherches portent depuis de nombreuses années sur la textique, domaine dans lequel il anime également régulièrement des ateliers. Il est notamment l'auteur de *Problèmes du Nouveau Roman*, essais, Paris, Seuil, 1967 ; *Pour une théorie du Nouveau Roman*, Paris, Seuil, 1971 ; *Le Nouveau Roman*, essai, Paris, Seuil, 1973 (version réécrite, précédée d'une préface inédite et suivie d'une étude complémentaire, « Les raisons de l'ensemble », collection « Points », 1990) ;

Nouveaux Problèmes du roman, Paris, Seuil, 1978 ; *Une maladie chronique*, Paris, Les Impressions nouvelles, 1989.

Vous avez contribué de façon décisive au cours des années 1960 et 1970 à une politisation de la théorie littéraire, à une radicalisation de ses enjeux qui passait par une critique sans concessions de ce que vous appeliez l'idéologie de l'expression-représentation, à laquelle vous opposiez l'anonyme productivité textuelle, pour dire les choses vite. On a l'impression que vous avez été très seul à vous situer à un tel degré de radicalité. Si c'est le cas, regrettez-vous cette solitude ou l'assumez-vous ? Auriez-vous souhaité que vos propres positions soient plus largement reprises ? Comment expliquer qu'elles ne l'aient pas été ?

S'agissant de mes travaux théoriques publiés dans les années 1960 et 1970, il est possible, certes, d'employer la formule de *politisation* mais en ayant soin de lui fournir une acception très large. En effet, ce qui, pour lors, se trouvait en jeu concernait, non point telle ou telle organisation politique parmi d'autres, mais plutôt, même si, peut-être, cela n'a pas été explicitement formulé, toutes celles dont il est possible d'avoir idée. C'est qu'il m'avait paru, et je n'ai guère changé d'opinion à cet égard, que ce qu'il m'est advenu, à cette époque, de nommer « idéologie de l'expression-représentation » (l'accent, du reste, se portant, de façon progressive sur la deuxième notion), était une nébuleuse de pensée plus ou moins universelle, c'est-à-dire en vigueur, avec ses avantages et ses inconvénients, probablement dans toutes les sociétés humaines. Avec ses avantages, car nul doute que la capacité de *représentation* n'ait permis et ne continue de permettre un immense développement des productions de l'intellect. Avec ses inconvénients, aussi, parce que le propre du *mécanisme représentatif*, et l'on peut, d'une façon plus ou moins facile, le faire saillir dans tous les cas, c'est, sous les espèces de ce qu'il paraît licite d'appeler *l'obscurantisme représentatif*, selon une *méconnaissance... méconnue*, de provoquer toujours une destitution de ce qui, à l'ordinaire, est nommé, d'une manière d'ailleurs symptomatique, les « *moyens* » *de la représentation*.

Que le radicalisme de cette position, elle-même plus ou moins nettement construite et formulée, par mes égards, autrefois, ait pu sembler n'être pas trop aimable aux contemporains, voilà qui ne pouvait que m'apparaître. Qu'il ait concouru, par suite, pour ce qui me concerne, à une certaine solitude dans le registre de l'intellect, voilà ce qu'il me faut admettre. Que j'aie souhaité qu'il fût moins refusé, et, d'abord moins incompris, voilà ce qui me paraît certain. Que j'aie vite commencé de saisir, et que j'en sois venu à saisir de mieux en mieux, au fil de mes travaux, qu'il ne pouvait guère en aller autrement, voilà ce qu'il me faut ajouter. En effet il pourrait bien s'agir, non seulement d'une question plutôt difficile, en elle-même, sous l'angle conceptuel, mais encore, et pour le dire ici un peu trop vite, d'une question qui relève, et, du coup, difficile, même, car « on n'en veut rien savoir », à faire saisir dans son existence, d'une manière de tabou.

Votre œuvre romanesque et critique s'inscrit dans une mouvance théorique-réflexive plus large, qu'on peut qualifier de « structuraliste » dans un premier temps, puis de « poststructuraliste » dans un second temps. Comment vous êtes-vous situé, à partir des années 1967-1970, par rapport à une série de démarches qui ont contribué à rendre la théorie littéraire plus diverse et plus complexe – je pense ici notamment à l'apport de la psychanalyse lacanienne ou de la déconstruction derridienne ? Ces « relances » du théorique ont-elles joué un rôle dans votre démarche ? Y en a-t-il eu d'autres qui ont compté pour vous ? Une chose qui frappe lorsqu'on vous (re)lit aujourd'hui, c'est en somme la discrétion de vos références...

Il me semble que la notion, un peu générale, de *structuralisme* peut être employée, avec une certaine pertinence, pour définir, et mes efforts de cette époque, et mieux encore, sous un angle, mes efforts actuels. Cependant, si je me suis montré quelque peu attentif certes, parmi les travaux que l'on peut, mais à fort gros traits, classer dans cette rubrique, aux *Écrits* de Jacques Lacan, et davantage, je dois en convenir, aux premiers ouvrages de Jacques Derrida, en même temps il me faut reconnaître que ce à quoi, diversement, ces livres s'intéressaient, n'était pas tout à fait l'essentiel de ce que je tentais déjà autrefois, et, toujours aujourd'hui, de moins mal saisir. Puis-je, à titre indicatif, mais au très évasif, et pour en donner une idée au trop bref, prendre la liberté de signaler l'une des raisons de la mienne réticence, en interrogeant le rôle que chacun d'eux, chacun certes à sa façon, ne s'est pas exempté d'offrir à la parole ? Ainsi, alors qu'il semble légitime de penser qu'un psychanalyste est, d'abord, celui qui écoute, le psychanalyste Lacan semble ne pas avoir laissé, à l'inverse, au fil de ses nombreux séminaires, d'escompter, de ses auditoires, une assez longue écoute. Ainsi, alors qu'il s'est fait connaître, d'abord, surtout par une minutieuse rétrogradation de la parole vis-à-vis de la graphie, le grammatologue Derrida, semble ne pas avoir laissé, au fil de ses nombreux séminaires, de prononcer, devant ses auditoires, en lisant des papiers, d'assez vastes discours. Bref, si des relances théoriques ont joué un rôle dans ma démarche, ce sont, fondamentalement, non point trop celles-là, ni mêmes certaines autres, mais plutôt j'aurais, eu égard au tabou concerné, l'outrecuidance de le prétendre, celles qui me sont venues du patient enchaînement de... mes efforts de pensée.

Comment évaluez-vous rétrospectivement les combats intellectuels dans lesquels vous vous êtes engagé ? Avez-vous l'impression qu'une bataille – voire une guerre – a été perdue ? gagnée ? Agiriez-vous de la même manière si c'était à refaire ? Y a-t-il des erreurs que vous chercheriez à éviter ?
Puis-je murmurer qu'une petite chose, la mise au passé des « combats intellectuels », me gêne un peu dans cette question. En effet, l'actuelle poursuite de mes travaux, même si, pour l'instant la « mode théorique » étant, jusqu'à nouvel ordre, passée, on semble ne point trop en avoir cure, continue une sorte de bataille, mais cette « guerre », même, si l'ont veut, est devenue largement imperceptible tant, selon, provisoire sans doute, une régnante

restauration, d'obtuses vieillottes idées croient aimablement avoir triomphé. « Si c'était à refaire », dites-vous ? Ce que je puis seulement déclarer, à cet égard, c'est, de nombreuses années d'effort soutenu m'ayant prodigué, et une assise peut-être plus ferme, et une intellection peut-être moins sommaire, que les miennes actuelles façons, à présumer qu'on les transporte, virtuellement, dans cette période un peu ancienne, y seraient d'une plus tranchante radicalité.

Comment évaluez-vous, de manière générale, les chances du théorique aujourd'hui ? Au regard de la configuration actuelle du « champ littéraire », de la mise en concurrence du livre avec d'autres médias, a-t-il encore une efficacité, un avenir ?
Je ne suis pas trop sûr, et pour deux raisons, qu'il soit tout à fait opportun de jauger les « chances du théorique », aujourd'hui, au regard de la configuration actuelle du « champ littéraire ». La première, c'est qu'il se pourrait bien que nous soyons dans une période transitoire, et que l'effort théorique ressortissant, avant tout, à un goût de comprendre, il est improbable que, aussi longtemps que durera l'espèce humaine, cette appétence, ne serait-ce que chez les moins sots, puisse disparaître. La seconde raison, c'est qu'il se pourrait bien que le « champ littéraire », ait subi, sous une persistance largement institutionnelle, un colossal effondrement. C'est pourquoi, si, d'aventure, par on ne sait trop quel retour de la mode, le « champ littéraire » se remettait à feindre un quelconque intérêt pour la pensée théorique, cet éventuel regain pourrait bien n'être que de piètre importance. En revanche, ce qui est à craindre, avec l'intrinsèque rapidité de certains nouveaux media, c'est une croissante difficulté à obtenir la concentration de pensée nécessaire à l'indispensable rigueur qu'exige tout effort théorique sérieux.

Votre réflexion ou pratique actuelle relève-t-elle encore des mêmes préoccupations théoriques, s'inscrit-elle dans une continuité avec vos interventions et vos écrits antérieurs, ou au contraire en rupture ?

Depuis un quart de siècle environ, à partir d'un séminaire sur les « ateliers d'écriture » piloté, sur deux ans, par mes soins, au Collège international de philosophie, à Paris, il se trouve que, avec le concours d'un groupe informel de chercheurs, certains appartenant, à divers niveaux, aux instances universitaires, j'ai initié et continue d'animer une discipline nouvelle qui, pour des raisons qu'on ne saurait évoquer succinctement, a cru pouvoir s'appeler Textique. Permettez-moi de saisir l'occasion de cet entretien pour noter que ce travail est ouvert à tous, avec, au fil de l'été, le séminaire de Textique (ou Semtex), rencontre annuelle de dix jours au Centre culturel international de Cerisy-la-Salle. Peut-on dire que le développement de la Textique relève de préoccupations théoriques comparables à celles qui étaient les miennes lors des livres que j'ai publiés de 1967 à 1978 ? Oui, tout à fait, et je crois pouvoir ajouter, même, qu'elles me semblent en avoir accru la rigueur, voire la profondeur. Ce qui a changé par rapport aux années 1960 et 1970, pourrait bien être plutôt quelque autre chose, un certain « air du temps » disons, auquel certains peuvent être sensibles. Cependant, comme la pensée en vient à se construire quelquefois dans un certain « air du temps » et quelquefois dans ses marges, il reste entièrement possible, pour qui, du moins, est véritablement animé par le désir de comprendre, d'accomplir, non moins aujourd'hui qu'hier, le patient travail nécessaire.

Avital Ronell

Née en 1952, professeure de littérature allemande, anglaise et comparée à l'université de New York (NYU), auteure notamment de *Stupidity*, Champaign, University of Illinois Press, 2001 (traduction française : *Stupidity*, Stock, 2006) ; *Crack Wars : Literature, Addiction, Mania*, Lincoln, University of Nebraska Press, 1993 (traduction française : *Addicts : fixion et narcotextes* ; Bayard, 2009) ; *Dictations : On Haunted Writing*, Lincoln, University of Nebraska Press, 1993 ; *Telephone Book : Technology, Schizophrenia, Electric Speech*, Lincoln,

University of Nebraska Press, 1989 (traduction française : *Telephone Book. Technologie, schizophrénie et langue électrique*, Éditions Bayard, 2006).

Comment évaluez-vous aujourd'hui l'effervescence théorique des années 1960-1980 ? Avez-vous l'impression que c'est un chapitre de l'histoire qui est clos ? Estimez-vous au contraire que c'est une aventure qui continue ?

Dans la mesure où la période que vous découpez est tellement riche en mutations, en fractures et césures – c'est une période qui inclut les drogues, des assassinats, des insurrections, la libération des femmes, beaucoup de ferveur et de désillusions révolutionnaires –, il nous faudrait assurément ici une autre mesure et même un autre sens ou une autre phénoménologie du temps. C'est une tranche d'histoire qui rompt avec toute une compréhension classique du temps et de l'espace, mais ne vous en faites pas, j'arrête ici d'interroger les prémisses de votre question. Ces deux décades ont une façon particulière de revenir, de nous hanter et même de ressusciter dans leurs particularités. L'effervescence théorique que vous évoquez a peut-être disparu, mais elle semble aussi prête à des retours ou même à des interventions « originales » qui ne pouvaient pas être accueillies ou comprises lors des premiers rounds. Il y a aussi la question des résistances au théorique qui ne reconnaissent pas leur propre degré d'appropriation de cela même qu'elles prétendaient rejeter. Freud l'écrit dans *Totem et Tabou* : même les morts peuvent avoir une autorité. Surtout les morts.

Ceux d'entre nous qui ont survécu à la première mort de l'incursion théorique – ceux qui *pensent* avoir survécu aux guerres culturelles, aux liaisons et appels abandonnés, aux collègues en colère et aux amis déconcertés, ressentent aujourd'hui une impression de perte, ils ont peu d'illusions. Mais il reste beaucoup à faire et nous n'avons pas *gagné* le droit de renoncer à la tâche. Philippe Lacoue-Labarthe nous a rappelé qu'il y avait trois modalités de pensée au XXe siècle : la lutte, la tâche, la mission. Ces trois modalités peuvent être associées aux noms de Marx,

Benjamin et Heidegger. Aujourd'hui il ne se trouve personne pour se sentir interpellé par des termes aussi grandioses, même si dans certains lieux les registres et les tonalités qui conféraient à ce type de prescription une dimension quasi existentielle n'ont pas changé. J'aimerais beaucoup explorer les tonalités, les inflexions et les accents qui régissent la scène contemporaine de l'énonciation théorique. J'imagine que nous sommes tous devenus plus humbles à la suite d'un certain nombre de désastres et de déceptions impossibles à nier, ou parce que nous avons reconnu de nombreux flops révolutionnaires et d'erreurs philosophiques.

Bien que désavoué ou simplement négligé, le travail qui a été fait au cours des décennies que vous évoquez refait surface de toutes sortes de manières aujourd'hui. Barack Obama, même imparfait, voire consternant dans sa manière de se laisser rattraper par le principe de réalité ou par les déchets toxiques de ses prédécesseurs, ou encore par sa façon d'être manifestement américain, n'aurait pas été possible sans l'interruption qui nous a été imposée par les questionnements cruciaux de Derrida, Deleuze, Foucault, Lyotard, Lacoue-Labarthe, Kofman, Lacan, Levinas, Nancy et d'autres. Ils ont donné une place centrale à des questions telles que la constitution du pouvoir, la construction de la domination, le désir et la jouissance destructrice, les limites de l'émancipation et de l'utopie, le désastre historique, la polémologie et la polémique ou encore l'impouvoir essentiel du *Dasein*. Ces œuvres, immenses et complexes, ont fixé nos tâches et ont déterminé nos inflexions les plus importantes. Il est impossible de dissocier le travail lié à ces noms propres et celui de leurs interlocuteurs – poètes, scientifiques, psychiatres, etc. – d'une authentique politique, quelque chose qui ne peut pas être réduit à une sommation dialectique ou à une scène particulière. Les traces laissées par ces penseurs continuent d'avoir une valeur d'événement, elles échappent à une compréhension totale, tout en déterminant les réalités à l'aune desquelles nous mesurons le monde.

Vos propres travaux – qu'on associe en général à la mouvance derridienne – sont-ils dans un rapport de continuité ou de rupture avec l'« âge d'or » du théorique ? Dans la mesure où vous avez été – ou êtes toujours – partie prenante de l'aventure du théorique, estimez-vous qu'il s'agissait ou qu'il s'agit d'une aventure qui est aussi idéologique, politique pour vous ?

Je ne sais pas s'il est possible d'imaginer aujourd'hui une position politiquement vivace ou pertinente, parce que tous ces termes et les notions qui les supportent ont été soumis à un questionnement intense. Quelque chose comme une nano-intervention, qui aurait lieu sur une autre échelle, est cependant toujours possible. Comme Kafka, il faut viser la petite tache plutôt que le spectaculaire, il faut réduire l'échelle de l'enquête ou de l'action. Pour Kafka, une tache sur le revers du col du père peut faire tomber l'ordre patriarcal ou démanteler l'autorité. Une configuration globalisée exige différents types de raids régionaux et un art plus subtil du pronostic. Même si la plupart de mes travaux manquent d'optimisme, j'essaie de trouver les points de rupture avec l'atmosphère de tristesse et de malheur dans laquelle je me sens confinée.

Conformément aux leçons de Heidegger et de Derrida, je modifie les perspectives, les points de vue et je procède métonymiquement, j'examine par exemple un fragment de technologie pour mettre en évidence ce qui dans le « posthumanisme » représente pour nous un défi politique et à certains égards une émancipation. Plutôt que de me résigner à tout un menu de tentations humanistes – comme par exemple le topos souvent régressif de la souveraineté – j'essaie d'analyser certains des gadgets avec lesquels nous vivons, d'en saisir les usages politiques et métapolitiques, notamment sous l'influence des travaux de Friedrich Kittler et de son entourage. Influencée donc par la tradition allemande de réflexion sur la technologie – à commencer par Heidegger – je me suis aussi occupée de télévision. Qu'est-ce qui arrive ou précisément *n'arrive pas* avec la télévision ? Au-delà de la thématisation de crimes, de meurtres et de la production de cadavres dont il n'est pas nécessaire de faire le deuil, je me suis intéressée à la façon dont la télévision met en scène et absorbe les traumatismes, à la façon dont elle met en crise notre compréhension de l'histoire et les rapports entre mémoire et expérience. Tous ces aspects du télévisuel que j'ai essayé de décrypter présument qu'une incursion irréversible a été opérée dans le champ de notre expérience par des moyens technologiques, mais aussi par des emprunts philosophiques.

On a l'impression que ce que vous venez de décrire comme des exemples de « nano-interventions » politiques procède aussi et inséparablement d'une stratégie discursive, rhétorique, formelle, qui est un peu votre marque de fabrique. Quel regard portez-vous sur vos propres stratégies discursives ?
Je suis avant tout une universitaire qui travaille sur le côté allemand des choses, qui conduit des opérations de guérilla dans le territoire de la philosophie, avec désinvolture certes, mais qui continue fermement de croire à une capacité de scandale que seules la littérature et la poésie détiennent. Je passe mon temps à franchir des ponts et à faire appel à des troupes rhétoriques lorsque je veux marquer des points qui comptent, comme lorsque je me mets dans la peau de Husserl pour critiquer mon propre travail. Les genres discursifs qui donnent forme à nos approches sont rigides mais aussi adaptables tactiquement. Leur stabilité, leurs frontières sont moins certaines qu'on ne le croit. Je travaille dans une filiation prescrite par ces genres. Il y a une grande insécurité à propos de leurs limites et j'essaie de travailler à ces limites, quitte à déclencher des contaminations, des violations de frontière. Les genres peuvent facilement s'écrouler, et alors quelque chose se passe qui n'était pas prévisible. Il m'est arrivé de me servir du modèle du roman policier. Certains jours je suis donc deleuzienne, puisque Deleuze a dit qu'il fallait donner à la philosophie la forme d'un roman policier, qu'il fallait se focaliser sur une présence locale et résoudre un cas. Dans cette perspective, je tiens beaucoup à la différence que Freud fait entre le travail de la police et celui du détective. Comme on sait, le détective doit très souvent rendre son insigne de policier et assumer un

autre rapport à la vérité, qui implique la traque solitaire. On est souvent un paria. Le détective est certainement une figure qui me fascine. De nos jours, il y a bien sûr beaucoup de détectives qui rôdent, à la recherche de quelque chose à révéler, de traces, de preuves. Après tout, c'est la position dans laquelle on se retrouve nécessairement lorsqu'on lit vraiment.

Votre carrière a été essentiellement américaine (Berkeley, New York University). En même temps vous êtes souvent présente et active en Europe. Voyez-vous des différences importantes entre le rôle que la théorie littéraire a joué en Europe (en France, en Allemagne) et celui qu'elle a joué aux États-Unis ?
Dans la configuration des différences politiques et des déterminations par la théorie, les territoires américains procèdent d'une disposition différente. Les choses ont tendance à se passer souterrainement, beaucoup de subcultures reprennent ou reconfigurent les incursions qui ont été faites. La théorie ne se développe pas seulement dans des écoles ou dans des universités, mais elle envahit la bande dessinée, revient par les nouvelles technologies, s'attaque aux circuits de distribution du cinéma alternatif, aux jeux vidéo, à la radio. Il est très difficile d'en évaluer l'impact parce qu'elle ne se concentre pas dans un lieu artistique ou discursif clairement identifiable. Il y a une véritable dissémination, qui implique également des distorsions, des détournements – toute une série de kidnappings conceptuels.

Élisabeth Roudinesco

Née en 1944, historienne et psychanalyste. Elle publie dans les années 1970 des articles de critique littéraire sur Raymond Roussel, Antonin Artaud, Bertolt Brecht et Louis-Ferdinand Céline. Elle est notamment l'auteure de *Histoire de la psychanalyse en France*, vol. 1 et 2, Paris, Seuil, 1982 et 1986 (réédition Paris, Fayard, 1994) ; *Jacques Lacan. Esquisse d'une vie, histoire d'un système de pensée*, Paris, Fayard, 1993 ; *Généalogies*, Paris, Fayard, 1994 ; *Philosophes dans la tourmente*,

ENTRETIENS

Paris, Fayard, 2005 ; *La Part obscure de nous-mêmes. Une histoire des pervers*, Paris, Albin Michel, 2007 ; *Retour sur la question juive*, Paris, Albin Michel, 2009.

Comment vous êtes-vous intéressée à la théorie littéraire, au structuralisme, etc., avant de prendre vos distances et de devenir l'historienne – notamment de la psychanalyse – que tout le monde connaît aujourd'hui ?

Mon point de départ, dans la première partie des années 1960, ce sont les *Cahiers du cinéma*. C'était ma culture première, une mouvance que je qualifierais de formaliste, opposée à l'idée de cinéma engagé. Il y avait d'un côté ceux qui considéraient que le cinéma américain dans son ensemble ne valait rien parce qu'il était idéologiquement trop marqué et qui récusaient donc John Ford, Hitchcock, etc. C'était le cas notamment de la gauche marxiste qui ne comprenait strictement rien. Et de l'autre il y avait les *Cahiers du cinéma*, considérés comme de droite, parce qu'engagés dans l'étude formelle du cinéma.

Puis vers 1966, je lis Foucault, je découvre le structuralisme. Pour moi, il existe une continuité entre le cinéma américain, c'est-à-dire un engagement esthétique, et le structuralisme. C'est une alternative à l'engagement marxiste que je n'aimais pas, à cause des positions des marxistes sur la littérature. À ce moment-là, je fais mes études de lettres et je m'inscris en linguistique. Il y a l'enseignement d'André Martinet, mais avec interdiction de lire Jakobson. Je commence à découvrir les structuralistes et c'est vraiment pour que l'enseignement de la linguistique – Jakobson, Saussure, les formalistes – puisse avoir lieu à la Sorbonne, à la place des mandarins qui ne sont pas intéressants, que je suis descendue dans la rue. Mai 68, c'était pour cela. C'est à la Sorbonne que j'ai rencontré Mitsou Ronat, puis en mai 1968 Henri Deluy qui dirige la revue *Action poétique*, laquelle est proche du Parti communiste, sans prôner un engagement marxiste. La rencontre avec *Action poétique* me permet d'échapper à tout gauchisme et de m'approcher du Parti communiste par ce qu'il a de plus inté-ressant, c'est-à-dire sa déstalinisation. *Action poétique*, ce sont au

291

fond des intellectuels qui écrivent de la poésie et qui réfléchissent à Maïakovski, aux avant-gardes, à Jakobson, aux grands poètes russes, avec comme figure tutélaire Aragon qui était quand même un personnage fascinant, et puis Althusser.

Action poétique était dans cette position particulière d'être plus proche du Parti communiste que d'autres revues – notamment *Tel Quel* – puisque beaucoup de poètes qui y participaient étaient communistes, mais dans une déstalinisation complète. Il y avait une séparation complète de l'écriture et de l'engagement. L'engagement politique était une chose, l'écriture en était une autre. Les premiers numéros d'*Action poétique* auxquels je participe, c'est contre Jdanov. On s'occupe des avant-gardes et de l'histoire des avant-gardes.

Donc l'avant-garde et la politique sont deux choses distinctes pour vous. Vous ne croyez pas à une politique des avant-gardes ?
Si, mais elle n'est pas compatible avec une ligne politique. Il y a une politique des avant-gardes qui est au fond une révolution des formes, qui fait qu'on peut lire aussi bien Ezra Pound que Pablo Neruda. C'est l'idée que la littérature ne se réduit jamais à l'engagement politique. L'idée capitale avec les structuralistes était qu'il y avait des formes absolument nouvelles et novatrices dans des textes qui ne reflétaient en rien un engagement politique progressiste, marxiste, communiste. Cette contradiction, je l'avais déjà connue aux *Cahiers du cinéma*.

L'enjeu des années durant lesquelles j'ai collaboré à *Action poétique* était de préserver la recherche, le savoir et l'histoire de tout embrigadement. Il s'agissait de créer un espace autonome où il était possible de réfléchir sur les formes. Une forme n'est pas plus révolutionnaire qu'une autre. Même si on se passionne pour la modernité, lire Joyce par exemple n'empêche pas de lire Dumas. Les deux sont modernes. Plutôt que de postuler une coupure qui faisait dire à certains qu'on ne peut plus lire les romans du XIXᵉ siècle, ce qui m'intéressait, c'était la réinterprétation permanente des textes. C'est là que se trouvait à mon avis la modernité et pas du tout dans une ligne qui disait que tel texte était moderne et tel autre non.

En fait, vous étiez ainsi d'emblée en porte à faux par rapport aux tendances dominantes de la mouvance théorique-réflexive, très marquée par l'avant-gardisme. Est-ce la raison pour laquelle vous avez pris vos distances avec cette mouvance ?
Oui, pour ces raisons-là, mais j'ai énormément appris au cours de ces années. Ce sont mes années d'apprentissage au cours desquelles j'ai appris à lire la littérature autrement. Mais je n'étais plus du tout d'accord avec le théoricisme littéraire. J'ai pris mes distances avec la théorie littéraire à cause de ses extravagances, mais j'ai gardé l'amour de la lecture de Barthes ou de Foucault. Pourquoi ? Parce que j'avais envie d'écrire des récits, j'avais envie d'aller vers la narration. Cette envie a été décisive dans ma réorientation vers l'histoire.

Donc vous devenez historienne, et en même temps vous devenez psychanalyste. Pourquoi ?
Impossible à l'époque d'écrire sur la psychanalyse, avec l'École freudienne de Paris, Lacan, etc., sans s'engager dans une analyse personnelle. C'est une chose impensable. Aujourd'hui, les meilleurs auteurs qui traitent de la psychanalyse ne sont pas psychanalystes et n'ont pas forcément fait une analyse mais, à cette époque, c'était impensable. Donc, je suis allée en analyse pour des raisons strictement intellectuelles. J'allais plutôt bien et l'idée de faire une analyse parce que je n'allais pas bien ne me venait même pas à l'esprit. Il en allait ainsi pour toute une génération dont la motivation première était d'aller en analyse pour faire cette expérience extraordinaire de la découverte de soi. Il n'était donc pas question de ne pas y aller. Cependant la pratique analytique est toujours restée secondaire pour moi, bien que la clinique et les patients me passionnent – on ne peut pas tout faire.

Est-ce parce que la pratique analytique est restée secondaire que vous n'avez jamais cherché à articuler littérature ou plus exactement théorie littéraire et psychanalyse comme beaucoup vont le faire au début des années 1970 ?

Oui, c'est le contraire qui m'intéressait, je voulais mettre la psychanalyse dans l'histoire de la littérature ou dans l'histoire en général, la désenclaver de cette forteresse dans laquelle elle était prise parce que je pensais qu'il y avait là un dogmatisme et une impasse. Je considérais à l'époque que le théoricisme psychanalytique marxiste et littéraire, c'était fini, qu'on allait vers une impasse, que tout cela allait s'effondrer.

En reste-t-il malgré tout aujourd'hui quelque chose ?

Il n'en reste sans doute rien, si ce n'est l'idée que c'est beaucoup mieux de vivre et de penser ainsi que d'accepter l'ordre des choses. Peut-être que tout cela a disparu, mais c'était flamboyant. Merci pour les excès, les extravagances, le théoricisme, l'exagération, l'outrance. Même si je ne le supportais pas, j'ai adoré raconter tout cela après coup quand j'en ai fait l'histoire. J'étais classique, mais le bilan est fantastique. Ces disputes, ces conflits – se disputer des nuits entières sur un vers de Mallarmé – c'est beaucoup mieux que de lire les âneries qu'on appelle aujourd'hui littérature. Alors, comme j'essaie de m'adapter à mon époque et que je n'aime pas dire que c'était mieux de mon temps, je ne dis rien, je fais ce que je peux, je le dis dans mes livres, mais quand même, oui, dans ce domaine – pas dans d'autres –, c'était cent fois mieux.

Voyez-vous une place et un avenir pour le théorique ?

Cela recommencera, mais on ne sait jamais sous quelle forme. Par conséquent, il faut être à l'écoute de tout. C'est sûr que cela recommencera, mais on ne sait vraiment pas comment. Ce que je vois en tout cas, c'est qu'il y a énormément de gens – certes c'est une minorité mais quand même – qui ont trente ou trente-cinq ans et qui disent que c'était formidable tout cela, que maintenant il n'y a plus d'espace pour cela.

Y a-t-il selon vous quelque chose de spécifiquement français dans l'aventure théorique ?

La France est le seul pays où, avec la révolution d'abord et l'affaire Dreyfus ensuite, s'est constituée une classe intellectuelle. Celle-ci n'existe nulle part ailleurs et cela donne le meilleur et le pire. La France est le seul pays où il y ait eu une affaire Dreyfus. Zola contre Barrès. La France répète en permanence Zola contre Barrès, mais cela s'est déjà joué avec la Révolution française. Pourquoi ? Parce qu'il y a eu les Lumières, puis Victor Hugo. Cela se rejoue en permanence. L'intellectuel ou l'écrivain devenu intellectuel tient en France une place qu'il ne tient nulle part ailleurs, c'est quelque chose qui est lié aussi à l'universalité des droits de l'homme.

L'affaire Dreyfus se rejoue tous les vingt ans sous d'autres formes. La France invente les droits de l'homme, mais aussi le pire. C'est le seul pays à avoir eu des collaborationnistes aussi abominables. Ezra Pound, à côté de Céline, de Rebatet ou de Brasillach, ce n'est pas grand-chose. La France va très loin dans l'autre sens. Ce sont quand même des écrivains comme Ernest Renan qui inventent l'antisémitisme. *La France juive* de Drumont, c'est un texte écrit, dont il n'existe pas d'équivalent dans d'autres pays. Il y a beaucoup de négationnistes dans le monde anglo-saxon, mais ce ne sont pas des exégètes de la langue. Il n'y a pas de Faurisson ailleurs qu'en France. Celui-ci commence par des études sur Rimbaud et Lautréamont. C'est un khâgneux, élève de Jean Beaufret qui a introduit Heidegger en France. C'est un professeur passé par la khâgne, phénomène unique au monde. Et quand on lit Faurisson, ce n'est pas du tout la même chose que les autres négationnistes. D'abord, c'est plus délirant et, ensuite, cela touche à la langue française, puisqu'il commence par mettre en cause Rimbaud et Lautréamont. En France, les choses les pires et les meilleures s'articulent toujours autour de la langue et de la littérature. La France est le seul pays au monde qui considère qu'il a une langue universelle, qui a une Académie française, qui est fier de sa langue, qui considère la langue française comme une institution. La Révolution institue le français comme langue nationale, donc tout le monde doit bien parler. Tout cela est peut-être aujourd'hui en train de se défaire, mais je ne suis pas certaine que cela se fera si facilement.

Philippe Sollers

Né en 1936, écrivain, théoricien, (co)fondateur et directeur de la revue *Tel Quel* (1960-1982) ainsi que de la collection éponyme, fondateur et directeur depuis 1982 de la revue *L'Infini*. Il est l'auteur de nombreux récits et romans (dont *Paradis, Femmes, Portrait du joueur, La Fête à Venise, Les Voyageurs du temps*, etc.), de monographies consacrées à des peintres, de biographies, d'entretiens, ainsi que d'ouvrages théoriques et de recueils d'essais, notamment : *Logiques*, Paris, Seuil, 1968 ; *L'Écriture et l'expérience des limites*, Paris, Seuil, 1968 ; *Sur le matérialisme*, Paris, Seuil, 1974 ; *Théorie des exceptions*, Paris, Gallimard, « Folio », 1985 ; *La Guerre du goût*, Paris, Gallimard, 1994, *Sade contre l'Être suprême* précédé de *Sade dans le temps*, Paris, Gallimard, 1996 ; *Éloge de l'Infini*, Paris, Gallimard, 2001, *Discours parfait*, Paris, Gallimard, 2010.

Comment êtes-vous entré en théorie, quel en était pour vous l'enjeu au moment où Tel Quel a pris le virage du théorique ?
Il s'est trouvé que dans l'expérience même de ce que j'étais en train d'écrire, puisqu'il ne peut y avoir de théorie sans pratique, s'est posée la question insistante de savoir ce que la littérature pouvait penser. C'est une question à mon avis tout à fait légitime qui pouvait paraître extrêmement étrange au début des années 1960. Qu'avions-nous à l'époque ? Une platitude, une banalisation des grandes expériences littéraires du passé. Mon souci a été de faire émerger ce qui était considéré comme marginal, ce qui était rejeté par l'académisme éternel d'une part, et évidemment par la prédominance de Sartre et de la littérature engagée d'autre part. Il s'agissait de faire en sorte qu'il y ait un jour, alors que ce n'était pas du tout prévisible, des œuvres complètes d'Artaud, de Bataille, de Ponge, etc. Tout ça était dispersé et pas du tout

reconnu, pas du tout mis à une place centrale. Est-ce que la littérature pense ? Oui. Est-ce qu'elle pense plus que la critique littéraire ? Cela va de soi. Est-ce qu'elle pense plus et au-delà même de la philosophie ? Cela va donner lieu à un certain nombre de rencontres et de polémiques avec les philosophes ou les penseurs de l'époque.

Définiriez-vous votre intérêt pour la théorie, soit pour une littérature qui pense, comme étant de nature politique ?
C'est la pratique qui conduit à la politique et pas le contraire, parce que si vous voulez faire l'histoire politique de la littérature ou de la pensée, vous allez obtenir des simplifications abusives, qui ne seront pas prises dans le courant de l'expérience pratique. Que la poésie soit devenue à ce point misérable, alors qu'elle porte en elle la guerre, c'est immédiatement traduisible en termes politiques. Alors la guerre commence et il s'agit de voir quelles peuvent être à ce moment-là les stratégies appliquées. On sait très bien où sont les ennemis, par définition, et où peuvent être les éventuels alliés, qui seront eux-mêmes débordés selon le moment. Il y avait donc encore à ce moment-là – traduction politique – la possibilité de culpabiliser par exemple l'université, par exemple la critique littéraire, par exemple l'Académie française. La France est un pays institutionnel, ne l'oubliez jamais. C'est là, dans les institutions, qu'on peut – qu'on pouvait, parce qu'on ne peut plus désormais – culpabiliser l'ignorance qui avait cours. Si vous avez tout à coup la possibilité de faire voir à quel point ceux qui occupent les places sont dans l'ignorance, l'obscurantisme ou l'analphabétisme, c'est assez tentant. C'est ce que nous avons fait, je crois, à très haute dose. N'oubliez pas qu'à ce moment-là Barthes n'est pas encore au Collège de France, que Derrida est tout à fait méconnu, que Foucault est dans ses commencements, que Lacan est marginalisé. Le maillon faible nous paraît être l'université. On a fait tout ce qu'on a pu et ça n'a servi à pas grand-chose avec le temps.

On a parfois imputé le succès de la théorie à Mai 68. Est-ce sérieux ? Y a-t-il un rapport entre les propositions théoriques avancées par une revue comme Tel Quel *et Mai 68 ?*

Je crois que les enjeux de Mai 68 ont été là au moins trois ans auparavant, les vrais enjeux, ceux qui viennent de la pratique. Si vous prenez les années 1966 et 1967, vous avez *La Société du spectacle* de Guy Debord, d'une façon moins importante mais tout de même saisissante le *Traité de savoir-vivre à l'usage des jeunes générations* de Raoul Vaneigem, et vous avez également la parution du livre de Marcelin Pleynet sur Lautréamont, qui tient lieu de fil rouge. Tout ça en 1967, il y a là une sorte d'effervescence. D'où la tactique et la stratégie à ce moment-là, notamment par rapport au Parti communiste : Aragon par exemple a l'air de vouloir se souvenir de Lautréamont avec prudence, donc ce n'est pas si négligeable que ça, son texte est d'ailleurs très étonnant.

Arrive 1968. Quel était le maillon faible ? L'université. Ça ne pouvait pas nous déplaire, bien au contraire. En revanche, la mèche par rapport au Parti communiste qui, ne l'oublions pas, était à l'époque extraordinairement puissant, cette mèche commence par être enfoncée et, évidemment, en 1968, l'intérêt principal, c'était d'essayer de faire exploser le carcan maintenu par les communistes et le gaullisme, faire éclater cette vieillerie. L'adversaire principal à ce moment-là, c'était le Parti communiste. Il a fallu deux ans pour tirer toutes les leçons de ce compagnonnage imbécile, mais tout de même utile. Puis on passe au maoïsme radical qui lui-même sera abandonné quelques années après. C'est donc quelque chose de très singulier, si je suis traité aujourd'hui de maoïste, ça m'amuse parce que l'objectif était là encore de prendre contact fondamentalement avec la culture chinoise. Si vous regardez les numéros de *Tel Quel* de l'époque, il y a ce qu'il faut de phraséologie maoïste ou marxiste, mais il y a surtout des tas d'enquêtes systématiques sur la culture, la civilisation, l'écriture, la poésie et la peinture chinoises. Si on fait le bilan aujourd'hui, je ne peux toujours pas parler de la Chine avec plus de cinq ou six personnes au maximum, ce qui est extraordinairement déraisonnable quand on pense que la Chine est en train, qu'on le veuille ou non, de devenir la première puissance mondiale.

Les propositions théoriques avancées au cours des années 1960 et 1970 ont-elles produit des effets ? Qu'en reste-t-il ?
Article un : le langage. Article deux : le langage. Article trois : le langage. Article quatre : le langage. L'enjeu, c'est la pensée même du langage : là-dessus, il n'y a pas de variation, c'est-à-dire qu'on a favorisé cela de façon très constante et que c'est une question tellement importante qu'elle peut déstabiliser une culture à un moment donné. La montée vers 68, puisque vous parlez de ça, c'est une montée révolutionnaire, un moment de déstabilisation justement. Et la normalisation a pris un certain temps pendant toutes les années 1970, et à partir des années 1980 ou 1990, c'est vraiment la régression complète. Interrogation permanente du langage et de l'écriture : qu'est-ce que c'est, qu'est-ce que c'est que la parole, et qu'est-ce qui a amené la parole à la parole en tant que parole pour ne citer que Heidegger, penseur lui-même extraordinairement contesté, mais à mon avis le plus grand du XXe siècle et de très loin. Donc Lacan, tout ça, c'est en régression et, à mon avis, il n'en reste presque rien. Ce qui ne veut pas dire que ce soit le moins du monde dépassé ou le moins du monde oublié, cela resurgira en temps utile.

C'est donc un combat qui n'est pas perdu, qui est à reprendre, sous d'autres formes. Sous quelles formes ?
À continuer sans cesse, et c'est d'ailleurs le moment, vous avez bien vu, où *Tel Quel* se transforme en *L'Infini*. Nous en sommes, je vous le signale, au numéro 109 qui va paraître bientôt. C'est comme si ça n'existait pratiquement pas pour l'opinion : on parle toujours de *Tel Quel*, jamais de *L'Infini*, ce qui devient cocasse à la longue, parce que ça fait plus de vingt-sept ans que la revue existe.

Est-ce que vous défendez aujourd'hui l'intégralité des positions prises avec Tel Quel *? Est-ce qu'il y a des choses que vous reniez, que vous regrettez, que vous feriez différemment ?*

Rien, je ferais tout de la même façon. Tout s'est passé selon des rapports de force, je pense que c'était la seule façon qu'il y avait de défendre quelque chose comme la littérature en ne la prenant pas sous sa forme étroite ou même universitaire, mais comme un enjeu métaphysique fondamental. Il n'y a rien à regretter, c'étaient des rapports de force, voilà. On a perdu plusieurs batailles sans doute, mais certainement pas la guerre.

Est-ce qu'un livre comme Théorie d'ensemble *vous paraît lisible aujourd'hui ? Que répondez-vous à ceux qui reprochent aujourd'hui comme autrefois à cette mouvance son jargon, son caractère illisible ou byzantin ?*

Je n'ai pas à me défendre, c'est d'une clarté confondante. À l'époque c'était déjà comme ça, c'était Picard contre Barthes, Lacan à qui on reprochait de jargonner, etc. Ce sont les mêmes qui font aujourd'hui ce genre de reproches, sauf qu'ils sont plus jeunes. Ils ne se rendent pas compte qu'au fond ils sont des vieux. Ils sont très vieux, moi je me sens rajeunir tous les jours, je pense que j'ai toujours eu raison, j'ai horreur des autocritiques.

Donc, même sur des thèmes comme par exemple celui la mort de l'auteur, vous persistez, vous signez ?

La mort de l'ancien auteur était nécessaire, c'était une époque terroriste, disons les choses. Nous avons pratiqué en effet un certain type de terreur par rapport à l'université, à l'académisme, etc. Parce que la question de l'auteur reste encore une fois tout à fait ouverte. L'auteur a des identités rapprochées-multiples comme je le dis, et donc ce n'est pas aujourd'hui l'auteur d'autrefois, c'est autre chose. C'est un autre enjeu dont il ne peut être décidé ni par le costume académique, ni par la critique littéraire, ni par l'université.

Comment avez-vous réagi, comment réagissez-vous aujourd'hui à la récupération de la théorie par l'Université, à son académisation ?

Cette académisation est la raison pour laquelle il fallait dissoudre *Tel Quel* et faire autre chose, d'une autre façon. La même chose, mais d'une tout autre façon, si vous voulez. Il y a vingt-sept ans que *L'Infini* existe, et là il s'agit de consulter son catalogue, de voir tout ce qui a été publié. L'Université ne veut pas le savoir, tant pis, ce n'est pas grave. En revanche, toute la théorie littéraire s'est massivement exportée dans les universités américaines, allemandes, etc. Mais ce ne sont plus les mêmes enjeux dès lors qu'ils ont été répercutés par la gestion des savoirs universitaires, ce qui est très différent d'une avant-garde qui elle-même déclenche une réflexion théorique. La singularité de l'aventure pour nous, elle est là, c'est-à-dire que c'est à travers la pratique que tout à coup on a eu des écrivains, ce qui ne s'était pas vraiment vu depuis le surréalisme. Ce qui compte, ce sont les créateurs ou les créations. En Italie, il y a eu des groupes, le Groupe 63 par exemple, mais il a disparu. En Allemagne, c'est à peu près la même chose. Il y a aujourd'hui très peu de créateurs qui se demandent ce qu'ils font quand ils le font, tout simplement. L'un des rares est Phillip Roth, qui est un ami d'ailleurs. La littérature est en grand danger partout, ce n'est pas seulement mon point de vue, il est partagé par tous ceux qui vivent aujourd'hui dans une sorte de solitude.

Est-ce qu'il y a une place pour le théorique aujourd'hui et à l'avenir ? Est-ce que vous le ressentez comme quelque chose qui manque, comme une nécessité ?

Le théorique est nécessaire, cela se ressentira au bout de l'aplatissement général et de la misère globale. Ce sera une question de survie mais, pour cela, il faut des créateurs, c'est-à-dire des gens pour qui c'est une question de vie ou de mort, enfin, une question de survie de pouvoir penser ce qu'ils font. L'époque a eu lieu, on a vu ce qu'on a vu, il y a quand même des livres très importants qui subsistent. Il faut qu'il y ait une créativité.

Lévi-Strauss a eu une créativité, Lacan aussi, Derrida aussi, Foucault aussi, Deleuze aussi, et donc forcément la littérature y était impliquée à un moment ou un autre ; à leurs dépens d'ailleurs parce que se frotter à la littérature n'est pas forcément quelque chose qui réussit à des penseurs. Lacan est venu buter sur Joyce, il est passé de Gide à Joyce sans être vraiment compétent sur Joyce, mais c'était trop tard. Derrida à un moment donné a voulu refaire le parcours, il s'est intéressé à Genet, à Ponge, etc., mais c'était déjà trop tard. Il faut maintenant des penseurs qui pourraient être des créateurs théoriques, qui soient fascinés par la littérature mais qui n'essaient pas de faire comme elle. Je pense qu'on peut tirer de tous mes anciens livres mais aussi des livres que j'ai publiés depuis quelque chose qui a une très grande portée théorique si on consent à les lire, ce qui n'est pas le cas dans les lieux où se distribuent les prix – les prix au sens de la marchandise ou tout simplement au sens de tableau d'honneur universitaire.

Karlheinz Stierle

Né en 1936, professeur de littérature romane et générale à l'Université de Bochum (1969-1988) puis de Constance, membre du cercle d'études *Poetik und Hermeneutik* animé par Hans-Robert Jauss, directeur de la revue *Poetica* de 1987 à 2000 ; il est notamment l'auteur de *Text als Handlung. Perspektiven einer systematischen Literaturwissenschaft*, Munich, 1975 ; *Der Mythos von Paris. Zeichen und Bewusstsein der Stadt*, Munich, 1993 (trad. française : *La Capitale des signes. Paris et son discours*, Éditions de la Maison des sciences de l'homme, 2001) ; *Ästhetische Rationalität. Kunstwerk und Kunstbegriff*, Munich, 1997 ; *Zeit und Werk. Prousts* À la Recherche du temps perdu *und Dantes* Commedia, Munich, 1998.

Qu'est-ce qui conduit un universitaire allemand qui vient de l'École de Constance à s'intéresser dans les années 1960 ou 1970 au structuralisme, au Nouveau Roman, à Claude Simon, à Tel Quel ? Définiriez-vous votre intérêt comme simplement aca-

démique, intellectuel, ou cet intérêt avait-il aussi, comme pour beaucoup de chercheurs en France, une portée politique ?

Mon point de départ, c'était le groupe Poetik und Hermeneutik que dirigeait et inspirait mon maître Hans-Robert Jauss. L'herméneutique était déjà très importante pour moi au moment de mes études à Heidelberg où j'ai suivi les cours de Hans-Georg Gadamer. Mais j'avais aussi l'impression que l'herméneutique qui se pratiquait dans le cadre de ce groupe était trop peu maniable, trop peu précise. Et à ce moment-là, j'ai découvert qu'en France il se faisait des choses très intéressantes à partir de la linguistique structurale. J'ai lu Claude Lévi-Strauss, qui m'a fasciné, et il m'a semblé que pour élargir la dimension herméneutique de l'approche allemande, il fallait absolument se tourner vers la France. Je lisais avec beaucoup d'intérêt les nouveaux romanciers et je suivais tout ce qui se publiait à Paris en théorie de la narration, Greimas, Genette, c'était à chaque instant une révélation. J'essayais de ne pas glisser entièrement vers le structuralisme, mais de jeter un pont, de reprendre ces idées pour élaborer une sorte d'herméneutique élargie qui intègre aussi la méthode. Le livre le plus connu de Gadamer est intitulé *Vérité et Méthode* (*Wahrheit und Methode*), mais j'avais l'impression que pour lui l'alternative était : vérité ou méthode. Moi, je voulais les deux et la méthode m'était offerte par les structuralistes français. C'est également la raison pour laquelle j'ai beaucoup aimé les premiers travaux de Ricardou, à cause de leur clarté et de leur sobriété. L'herméneutique développée dans le cadre du romantisme allemand par Schlegel insistait beaucoup sur le concept de construction qui a été entièrement effacé plus tard par Gadamer. Je crois qu'entre l'idée romantique de construction et l'idée de structure, il y avait un lien à faire.

Votre intérêt pour la mouvance structuraliste française est donc plutôt méthodologique, ou intellectuel. Avez-vous été sensible aux débats politiques et idéologiques dans lesquels cette mouvance a été prise en France, à son positionnement anti-sartrien par exemple, ou plus généralement à ses rapports conflictuels avec le marxisme ?

Là je peux répondre clairement : non. J'étais très sceptique en ce qui concerne le marxisme et je n'aimais pas du tout la sociologie de la littérature. Cependant, avec Sartre, c'est un peu différent parce qu'il m'avait séduit quand j'étais très jeune, avec l'existentialisme plutôt que par son engagement communiste. Et je dois dire qu'aujourd'hui encore un livre comme *Qu'est-ce que la littérature ?* compte beaucoup pour moi. Par contre, j'avais des difficultés à suivre le dernier Sartre. Mais, d'un autre côté, je trouvais que le groupe Tel Quel avait vraiment été injuste envers le Sartre théoricien, le Sartre philosophe qui est encore aujourd'hui, me semble-t-il, un auteur de premier plan.

De manière générale le structuralisme et plus tard ce qu'on a appelé le poststructuralisme ont-ils eu, selon vous, des effets culturels et politiques réels en Allemagne ou est-ce resté une affaire universitaire ?

C'était surtout une affaire académique. Il faut ajouter qu'il y avait en Allemagne une sorte de scepticisme envers la théorie littéraire française qu'on a eu tendance à remplacer par des courants critiques venus des États-Unis : d'abord la déconstruction qui venait de Paul de Man, et puis bien sûr les *Cultural studies*. C'est devenu un courant académique qui a pour ainsi dire remplacé l'ancienne sociologie littéraire, alors que la déconstruction, qui a fait des ravages dans les études allemandes, est maintenant en recul. Cependant, il y a toujours une présence assez forte de Foucault qui m'étonne, mais je crois que tout cela n'a pas eu une très grande importance en dehors de la critique littéraire universitaire. Dans les journaux, on fait de la bonne critique dans la tradition de Lessing. C'est le cas notamment de Reich-Ranicki, qui a des critères qui nous viennent du classicisme. C'est très conformiste et parfaitement adapté à un public qui s'intéresse beaucoup moins à la littérature qu'aux événements littéraires.

Comment expliquez-vous le fait que la déconstruction arrive en Allemagne avec un détour par les États-Unis (par Yale et Paul de Man) plutôt que par Derrida ?

C'est d'abord parce que les Allemands ne lisent plus le français. Ensuite parce que tout ce qui nous vient de Stanford, Harvard ou Yale est presque sacré, bénéficie d'un prestige énorme, fait autorité. Il y avait des relations entre Berlin et Yale qui ont joué un rôle très important dans cette transmission. Paul de Man a le mérite d'avoir réduit Derrida à un concept maniable de déconstruction, réduit à l'ironie, aux jeux de mots, aux ambiguïtés, etc. Tandis que Derrida lui-même est infiniment plus riche, mais plus riche pour quelqu'un qui sait lire le français ou qui peut faire quelque chose de ses traductions en allemand, parfois presque incompréhensibles.

Le structuralisme et le poststructuralisme ont-ils également été considérés en Allemagne comme des courants de pensée permettant de s'opposer au marxisme ?

Souvent, les structuralistes et les marxistes n'étaient pas vraiment opposés. Le structuralisme n'était certainement pas un paradigme mis en avant contre certaines tendances marxisantes qui aujourd'hui n'existent pratiquement plus. Surtout en RDA, on faisait également beaucoup d'efforts pour parvenir à des synthèses entre structuralisme et marxisme et pour donner ainsi au marxisme un nouvel élan.

Le rapport entre littérature d'avant-garde et théorie littéraire est très fort,`très évident en France. S'est-il passé quelque chose de semblable en Allemagne ?

Je dirais que non. Ce sont deux mondes différents, le monde académique de la théorie littéraire et le monde de l'écriture sont beaucoup plus séparés en Allemagne qu'en France. Ceux qui essaient vraiment de conjuguer réflexion théorique et travail d'écriture sont très rares. On les trouverait encore plus facilement en Autriche. Un Peter Handke et tant d'autres en Autriche aiment l'expérimentation en écriture, tandis qu'en Allemagne on a plutôt

une littérature assez classique, tournée vers son expérience historique : le nazisme, l'après-guerre, la séparation entre les deux
Allemagnes. Ces sujets sont traités avec un savoir-faire traditionn-
nel, sans prise de risque théorique, sans goût pour l'expérimentation.

*Trouve-t-on en Allemagne au cours de ces décennies la même
fascination qu'en France pour l'autonomie de la littérature ou
pour une littérature autoréflexive ?*
Nous avons une longue tradition de littérature réflexive, mais elle
est réflexive sans être vraiment théorique ou autoréférentielle.
Nous avons Musil, nous avons la tradition d'un roman qui
penche vers l'essai, cela oui, mais en Allemagne le travail théorique et le travail littéraire sont deux domaines en général différents. Il faut cependant ajouter que dans les années 1960 ou 70,
il y avait en Allemagne, comme en France, beaucoup d'intérêt
pour toutes sortes de théories, anthropologiques, psychologiques
ou politiques. Cette production théorique était publiée essentiellement par les éditions Suhrkamp, où on trouvait par conséquent
aussi les jeunes écrivains qui risquaient quelque chose, qui voulaient faire quelque chose de neuf et d'expérimental. Peter Weiss,
par exemple, était très connu à l'époque, il publiait chez Suhrkamp des récits expérimentaux très intéressants, comme *Abs-
chied von den Eltern*, *Das Gespräch der drei Gehenden*, etc.
Mais c'étaient plutôt des exceptions et en ce qui concerne l'autonomie de la littérature, seule une minorité en Allemagne s'y est
intéressée. Le ton était donné par la Gruppe 47, un groupe marxi-
sant qui s'intéressait aux problèmes de la société, réaliste, pas
dans le sens du réalisme socialiste, mais quand même, avec des
écrivains comme Heinrich Böll ou Günther Grass, et puis des critiques littéraires comme Reich-Ranicki qui formaient un groupe
politiquement bien-pensant peu intéressé par la littérature elle-
même.

*Donc il y a une rupture, il y a un abandon de la tradition
réflexive en Allemagne ?*

Tout à fait. La tradition de Stefan George se termine dans un certain sens avec le IIIe Reich, elle débouche sur une poésie presque opportuniste, une sorte d'intériorité sans saveur. On avait donc l'impression que cette tradition de l'art pour l'art, de la littérature pour la littérature, c'était fini avec tout ce qui s'était passé pendant le IIIe Reich. Après on a essayé de faire le bilan. Il a fallu recommencer, c'était l'année zéro, mais une année zéro où les choses pressantes, c'était notre vie politique, notre responsabilité politique, etc., ce qui laissait peu d'espace à une littérature non engagée.

Quel bilan tirez-vous de la théorie littéraire, autant du côté de la France que de l'Allemagne ?
Je crois que la théorie – non seulement littéraire mais aussi philosophique, anthropologique – a été une grande aventure européenne et surtout française. Cette explosion de talents et de génies en France peut seulement être comparée aux grands moments du siècle classique. C'est tout à fait autre chose, mais l'intensité et l'intelligence, la qualité de cette littérature, je n'hésiterai pas un moment à la qualifier d'extraordinaire. C'est aussi un héritage précieux qu'il ne faut pas négliger et je crois qu'on peut être vraiment fier d'avoir participé à cette aventure extraordinaire.

Pensez-vous que la théorie a encore sa place aujourd'hui, qu'elle a un avenir ?
La théorie doit avoir une place, aujourd'hui comme demain. Sans théorie, nous n'avons pas les instruments nécessaires à une compréhension véritable de la littérature et surtout aussi de la littérature du passé. Mais il faut une théorie littéraire qui ne soit pas seulement une théorie, qui se laisse transposer en instruments. Il faut avoir des outils, il faut les travailler et je ne vois pas comment on pourrait par exemple écrire une histoire littéraire sérieuse sans une base théorique.

Tzvetan Todorov

Né en 1939, fondateur en 1970 (avec Gérard Genette) de la revue *Poétique* et de la collection du même nom. Auteur notamment de *Théorie de la littérature, textes des formalistes russes*, Paris, Seuil, 1965 ; *Littérature et Signification*, Larousse 1967 ; *Introduction à la littérature fantastique*, Paris, Seuil, 1970 ; *Poétique de la prose*, Paris, Seuil, 1971 ; *Qu'est-ce que le structuralisme ? Poétique*, Paris, Seuil, 1973 ; *Théories du symbole*, Paris, Seuil, 1977 ; *Symbolisme et Interprétation*, Paris, Seuil, 1978 ; *Les Genres du discours*, Paris, Seuil, 1978 ; *Dictionnaire encyclopédique des sciences du langage*, en collaboration avec Oswald Ducrot, Paris, Seuil, 1979 ; *Mikhaïl Bakhtine, le principe dialogique*, Paris, Seuil, 1981 ; *Critique de la critique*, Paris, Seuil, 1984 ; *La Littérature en péril*, Paris, Flammarion, 2007.

Ma première question concerne La Littérature en péril *où vous avez des propos très durs sur la théorie littéraire. Cette critique concerne-t-elle l'ensemble de la théorie littéraire ou surtout son enseignement dans les lycées ? C'est un problème que vous évoquez comme un point de départ, mais on a quand même l'impression d'une espèce de généralisation.*

La critique que j'adresse à la théorie littéraire concerne l'usage qui en est fait, mais pas seulement au lycée. C'est de l'usage, en effet, qu'il s'agit et non pas des travaux eux-mêmes, parce que je trouve que ces derniers restent éclairants pour la compréhension des textes littéraires ; or on peut poser que l'horizon ultime de tout travail sur la littérature est de faire mieux comprendre les textes. Par exemple, les travaux de mon cher ami et collaborateur Gérard Genette portant sur la nature des textes, littéraires ou non, étaient précis, constructifs et éclairants. À partir de là, tout dépend de l'usage qu'on en fait. L'essentiel, pour moi, c'est de faire en sorte que l'analyse théorique ou formelle soit un moyen et non pas un but. La théorie littéraire ne doit pas devenir un but en soi ; si elle le devient, elle tourne sur elle-même, les théoriciens commentent les travaux d'autres théoriciens sans jamais se demander si ces contributions théoriques peuvent améliorer l'analyse textuelle. La version caricaturale de ce point de vue se développe à l'école, c'est-à-dire, en France, au collège et au lycée où, à la place des textes, on étudie les figures de rhétorique ou les procédés narratifs. Les élèves savent distinguer la métalepse et la paralipse, mais n'ont jamais lu *Les Fleurs du mal* ni *Madame Bovary* et ne sont pas capables d'en parler, de comprendre pourquoi ces auteurs continuent d'être lus aujourd'hui, quel sens véhiculent leurs œuvres et quelle est leur place dans l'histoire de la culture française. Je trouve ce résultat catastrophique.

Cet usage de la théorie que vous critiquez est-il la seule raison qui fait que la littérature serait en péril ou peut-on imaginer d'autres pistes pour expliquer l'éventuel déclin de la littérature ? N'est-il pas trop univoque d'imputer la disparition d'une culture littéraire à une certaine application de la théorie dans l'éducation ?

Bien sûr, ce n'est pas la seule raison. Mais mon livre partait d'une évocation de la pratique scolaire, et comme cette pratique scolaire me semble vraiment contestable, j'ai cherché à comprendre ses justifications, donc la théorie elle-même. À savoir, l'idée que la littérature existe dans un monde qui n'a rien de commun avec le reste de la réalité sociale. C'est une position théorique qui condamne la littérature à être une sorte d'exercice pour les « happy few » et qui fait comme si l'enseignement de la littérature au lycée ne pouvait intéresser que les futurs spécialistes de la littérature, alors que – d'après moi – il devrait intéresser tous ceux qui s'intéressent à la condition humaine ! La littérature, c'est la première et la meilleure science humaine. Et c'est pourquoi je lui assigne un rôle de premier plan, décisif pour l'éducation.

Pour revenir à votre question : bien sûr qu'il y a d'autres raisons et ces raisons s'appellent commercialisation, concurrence des autres médias, massification des loisirs qui ne laissent pas de place pour ces plaisirs à effet retardé que sont les plaisirs littéraires. Je ne joue pas les Cassandre qui disent : tout est fini, il n'y a plus de culture, il n'y a plus de littérature ; mais il me semble qu'il y a effectivement un certain vacillement contemporain. Cependant, ces forces de la société sont beaucoup plus difficiles à contrôler et maîtriser, parce qu'elles ne comportent pas des agents individuels, des sujets bien identifiables. En revanche, dans un pays centralisé comme la France, il est tout à fait concevable qu'on modifie l'enseignement scolaire et qu'une autre image de la littérature, une autre définition, lui serve de point de départ. Ce qu'on peut reprocher à l'école, c'est donc de ne pas jouer le rôle de rempart, en résistant à ces pressions venues du reste de la société.

Dans La Littérature en péril *toujours, vous critiquez l'anti-référentialisme de la théorie, le fait qu'elle pose la littérature comme quelque chose qui serait séparé du monde Qu'en est-il alors de la littérature qui relève explicitement de ce parti pris (je pense à Mallarmé, à Raymond Roussel, au Nouveau Roman) : tombe-t-elle sous le coup de la même critique ?*
Pour moi, il n'est pas légitime de critiquer les écrivains parce qu'ils écrivent d'une manière plutôt que d'une autre. Cela impliquerait que si on leur donne de bons conseils, ils vont produire une meilleure littérature. Or, si les écrivains suivent les conseils des théoriciens ou des auteurs comme moi, ils risquent de ne pas être de bons écrivains ! Ils doivent suivre avant tout une sorte de voix intérieure, et il faut que la manière dont ils écrivent soit vécue par eux comme une absolue nécessité, non comme un conseil donné par un professeur dont on respecte le nom. Pour cette raison, ma critique ne s'adresse pas à la lignée formaliste et refermée sur elle-même de la littérature, la lignée qui va de Mallarmé à Robbe-Grillet, si on peut se permettre un raccourci de ce genre (mais on ne devrait pas !), mais plutôt à la critique qui la glorifie. Il est vrai que, personnellement, je suis moins attiré par ce type de littérature. Dans les années 1960, j'étais, comme beaucoup de mes collègues, fasciné par les inventions formelles des auteurs, mais je ne cessais pas pour autant de m'intéresser au sujet de

leurs livres, au sens que l'on pouvait y trouver, aux valeurs et aux idées. Dans mon premier livre qui a connu un certain retentissement, *Introduction à la littérature fantastique* (1970), j'étudiais aussi bien les propriétés formelles de ce genre que les thèmes du fantastique, leurs rapports avec l'histoire sociale ou avec le psychisme humain. Il m'apparaît de plus en plus clairement qu'on ne peut couper la littérature de l'histoire de la sensibilité, des mentalités, des idées. De façon non pas directe et didactique bien sûr, mais néanmoins inévitable, la littérature transmet un ensemble de prises de position sur le monde. Sans cela personne n'y prêterait longuement attention.

Vous dites que vous avez été comme d'autres fasciné par la littérature réflexive, par Mallarmé, par d'autres dans les années 1960. Est-ce que pour vous cette fascination et plus généralement votre implication dans la théorie au cours de ces années-là avaient un sens politique ou idéologique ?
Sur le moment, pas du tout. Plus tard, en examinant du dehors notre travail, je me suis aperçu qu'il avait aussi une détermination idéologique. À mon arrivée en France, au tout début des années 1960, je ne maîtrisais pas tous les éléments de la situation, bien sûr, j'étais un novice un peu désorienté. Mais il y avait là une sorte de lutte d'influence entre le marxisme, qui avait dominé la pensée universitaire dans notre domaine pendant une bonne quinzaine d'années, et le structuralisme. Claude Lévi-Strauss avait introduit le structuralisme dans les sciences humaines, et il avait mis fin à l'hégémonie marxiste. Une de ces batailles s'est jouée en 1962, si mes souvenirs sont bons, quand Lévi-Strauss, dans le dernier chapitre de *La Pensée sauvage*, quittait le thème de son livre pour se confronter à Sartre et à la *Critique de la raison dialectique*. Dans les cercles où je me mouvais, on avait l'impression que Lévi-Strauss sortait vainqueur de cette confrontation. Derrière les débats sur les méthodes et sur les « – ismes » se profilait un cadre politique bien précis.
Comme je l'ai écrit dans *La Littérature en péril*, la détermination politique remonte pour moi plus haut, à l'époque où je n'habitais

pas en France. Quand je considère mes années d'études et celles qui ont suivi immédiatement, il me semble évident que je me suis beaucoup intéressé aux formalistes russes, à la linguistique structurale, à Hjelmslev et à Jakobson par réaction au discours ambiant dominant, celui d'une vulgate marxiste-léniniste-staliniste. Je me souviens de la première visite de Jakobson à Sofia, dans un auditorium surpeuplé où il avait fait une de ses analyses grammaticales, qui maintenant m'apparaissent un peu courtes sur plusieurs points, mais qui à l'époque nous avaient fait l'effet d'une bombe. Parce que Jakobson semblait déduire le sens et la beauté d'une œuvre, en l'occurrence d'un poème bulgare connu par cœur de tous les enfants du pays, par la seule analyse grammaticale et lexicale. Il s'était servi des seuls instruments du linguiste, sans un mot sur l'idéologie héroïque ou patriotique, sans énoncer des idées vagues ; il avait mis en avant l'opposition des pronoms personnels, des aspects perfectifs et imperfectifs des verbes ! C'était comme ouvrir une sorte de boîte de Pandore : révéler la structure interne du texte qu'on prenait jusque-là comme un bloc. Or ce choix méthodologique prenait une signification politique : il permettait d'échapper à l'encadrement marxiste-léniniste.

C'était donc un choix « réactif » par rapport à la vulgate marxiste tant bulgare que française. Mais est-ce que votre engagement dans le structuralisme avait des raisons ou des justifications politiques propres, indépendamment de ce avec quoi il vous permettait d'en finir ?
Je pense que là, cela doit dépendre des individus et je ne peux parler que de moi et peut-être de G. Genette parce que nous étions très proches au cours de cette période. Je dirais donc non, il n'y avait pas d'autre visée politique de quelque nature que ce soit pour nous. Mais je me souviens que pour d'autres, peut-être pour J. Kristeva ou Ph. Sollers, il en allait autrement. Ph. Sollers ne faisait pas de la critique littéraire mais il avait accueilli avec enthousiasme les formalistes russes dans la collection « Tel Quel » qu'il dirigeait. Pour lui, probablement, il y avait dans ce

312

choix plus que la simple perspective de mieux étudier les textes littéraires. Mais pour G. Genette et moi, ainsi que pour les quelques autres individus qui gravitaient autour de nous, il n'y avait là aucun agenda politique.

Est-ce une des raisons pour lesquelles vous prenez finalement assez vite vos distances avec la théorie littéraire et que vous les prenez précisément au moment où celle-ci entre dans une seconde phase où la politique est beaucoup plus à l'ordre du jour, du côté Tel Quel mais aussi avec les grandes machines dites poststructuralistes ?

Je dois vous avouer que j'ai un peu de mal à commenter cette évolution, dans la mesure où je me suis vite désintéressé de cette lignée. En ce qui me concerne personnellement, cette évolution était liée à mon intégration en France et, plus généralement, dans la vie. Je dis toujours qu'il y avait deux événements marquants pour moi à cette époque : j'ai été naturalisé Français en 1973 et je suis devenu père en 1974. Ces événements m'ont en quelque sorte mis les pieds sur terre et m'ont amené à chercher une continuité entre mon existence et mon travail. Ce qui, petit à petit, m'a conduit vers une prise de position beaucoup plus politique. Donc maintenant je suis capable d'écrire des livres sur le totalitarisme, la guerre en Irak, les attitudes envers les immigrés en France, etc. : autant de questions de politique brûlantes, qui étaient à mille lieues de mon esprit en 1965.

Qu'est-ce que vous aimez encore dans la théorie littéraire ?

J'aime sa rigueur et donc tout ce qu'elle peut me donner pour me permettre de mieux lire les textes. De ce point de vue, je ne regrette pas du tout d'avoir passé une douzaine d'années à m'engager à fond dans une mise en place des instruments d'analyse de textes. Je me sers toujours de ces instruments pour comprendre mieux les résonances d'une image ou les effets d'une structure narrative.

La théorie littéraire existe-t-elle encore aujourd'hui, a-t-elle un avenir, a-t-on encore besoin du théorique ou en aura-t-on de nouveau besoin un jour ?

C'est une question à laquelle je ne peux pas vraiment répondre parce que je ne connais plus ce qui se fait en théorie littéraire, donc je ne sais pas – la réponse est un peu courte. Mais est-ce qu'il y a une place pour la théorie littéraire ? De toutes les façons, il y a une place pour la réflexion sur les arts, et donc aussi sur la littérature. Je ne sais pas si elle prendra la forme assez jargonnante d'un discours spécialisé qui s'adresse aux seuls spécialistes, mais, de toutes les façons, il faut continuer à réfléchir sur l'art. Le tout dernier travail que j'ai fait cet été – je vous en parle parce que c'est en rapport avec votre question – portait sur une théoricienne et philosophe anglaise, Iris Murdoch : j'ai trouvé que sa réflexion sur la littérature était féconde, j'ai donc voulu mieux la comprendre et la situer dans l'histoire de la pensée littéraire.

Index des noms

ADORNO, Theodor W. : 229, 249
AGACINSKI, Sylviane : 174
ALLEG, Henri : 165
ALLEMANN, Urs : 252
ALTHUSSER, Louis : 28, 46, 49-50, 226, 267, 277, 292
AMIEL, Henri Frédéric : 218
ARAGON, Louis : 36, 50, 84, 170, 211, 263, 292, 298
ARISTOTE : 104, 240, 275
ARMELINO, Michel : 46
ARTAUD, Antonin : 9, 20, 45, 71, 92-93, 148, 150, 176, 186, 215, 218, 257, 263, 266, 290, 296
AUGUSTIN : 258
AULAGNIER-SPAIRANI, Piera : 179
AUSTIN, John Langshaw : 18-19, 59-60, 90
AVILA, Thérèse d' : 260

BACON, Francis : 106
BAKHTINE, Mikael : 78-79, 90, 126, 157-158, 171, 184, 232, 257, 308
BALZAC, Honoré de : 20, 58, 131, 154, 245
BARRÈS, Maurice : 295

BARTHES, Roland : 12, 16-18, 20-21, 27, 37-39, 44-45, 47, 51, 56, 58, 63, 65-68, 71, 75-78, 80, 87, 89, 102, 129-133, 136, 139, 153-154, 158-161, 166, 173, 176, 178-182, 194, 204, 216, 226-227, 229-233, 237-238, 243, 253, 256, 260, 263-264, 277, 293, 297, 300
BATAILLE, Georges : 45, 53, 67, 92, 114, 148, 150, 180, 186, 191, 257, 266, 296
BAUDELAIRE, Charles : 8, 32, 35, 39, 74, 94, 149, 198, 209, 237, 240, 262
BAUDRILLARD, Jean : 38, 190, 211, 263, 266
BAUDRY, Jean-Louis : 41, 51, 128
BAUMGARTEN, Alexander : 32
BEAUFRET, Jean : 80, 295
BEAUVOIR, Simone de : 234
BECK, Julian : 40, 134
BEIGBEDER, Frédéric : 8
BENJAMIN, Walter : 229, 249, 270, 287
BENVENISTE, Émile : 17
BERSANI, Leo : 149, 172
BLANCHOT, Maurice : 9, 21, 29-30, 33, 40, 49, 53, 55-57, 64,

Table

Le Seuil s'engage
pour la protection de l'environnement

Ce livre a été imprimé chez un imprimeur labellisé Imprim'Vert, marque créée en partenariat avec l'Agence de l'Eau, l'ADEME (Agence de l'Environnement et de la Maîtrise de l'Énergie) et l'UNIC (Union Nationale de l'Imprimerie et de la Communication).
La marque Imprim'Vert apporte trois garanties essentielles :
• la suppression totale de l'utilisation de produits toxiques ;
• la sécurisation des stockages de produits et de déchets dangereux ;
• la collecte et le traitement des produits dangereux.

RÉALISATION : NORD COMPO À VILLENEUVE-D'ASCQ
IMPRESSION : NORMANDIE ROTO IMPRESSION S.A.S. À LONRAI
DÉPÔT LÉGAL : MARS 2011. N° 103567 (110738)
IMPRIMÉ EN FRANCE

Dans la même collection

(derniers titres parus)

Günther Anders
Hiroshima est partout

Jackie Assayag
La Mondialisation vue d'ailleurs
L'Inde désorientée

Jean Baubérot
Laïcité (1905-2005)
Entre passion et raison

Jean Baubérot et Micheline Milot
Laïcités sans frontières

Françoise Benhamou
Les Dérèglements de l'exception culturelle
Plaidoyer pour une perspective européenne

Abdennour Bidar
Un islam pour notre temps

Norberto Bobbio
Le Futur de la démocratie

Antonio A. Casilli
Les Liaisons numériques
Vers une nouvelle sociabilité ?

Robert Castel
La Montée des incertitudes
Travail, protections, statut de l'individu

Cornelius Castoriadis
Fenêtre sur le chaos

Eric Geoffroy
L'Islam sera spirituel ou ne sera plus

Kenneth J. Gergen
Construire la réalité

Pierre Gibert
L'Inconnue du commencement

Jacques T. Godbout
Ce qui circule entre nous
Donner, recevoir, rendre

Abdellah Hammoudi
Une saison à La Mecque
Récit de pèlerinage

Philippe d'Iribarne
L'Étrangeté française

Penser la diversité du monde

L'Épreuve des différences
L'expérience d'une entreprise mondiale

Les Immigrés de la République
Impasses du multiculturalisme

Guillaume le Blanc
Dedans, dehors
La condition d'étranger

Bernard Lempert
Le Tueur sur un canapé jaune

Dominique Lestel
L'Animal singulier

Mark Lilla
Le Dieu mort-né
La religion, la politique et l'Occident moderne

Gilles Lipovetsky et Jean Serroy
L'Écran global

Abdelwahab Meddeb
Contre-prêches

Sortir de la malédiction
L'islam entre civilisation et barbarie

Pari de civilisation

Fabrice Midal
Quel bouddhisme pour l'Occident ?

Olivier Mongin
La Condition urbaine
La ville à l'heure de la mondialisation

Laurent Olivier
Le Sombre Abîme du temps
Mémoire et archéologie

Mark Osiel
Juger les crimes de masse

Hamadi Redissi
Le Pacte de Nadjd
Comment l'islam sectaire est devenu l'islam

Alain Renaut
Égalité et discriminations
Un essai de philosophie politique appliquée

Myriam Revault d'Allonnes
Le Pouvoir des commencements
Essai sur l'autorité

Paul Ricœur
Vivant jusqu'à la mort
Suivi de *Fragments*

Écrits et Conférences I
Autour de la psychanalyse

Écrits et Conférences II
Herméneutique

Être, Essence et Substance chez Platon et Aristote
Cours professé à l'université de Strasbourg en 1953-1954

Olivier Roy
La Sainte Ignorance
Le temps de la religion sans culture

Oliver Sacks
Musicophilia
La musique, le cerveau et nous

Edward W. Said
L'Orientalisme
L'Orient créé par l'Occident
(nouvelle édition)

Jacques Sémelin
Purifier et détruire
Usages politiques des massacres et génocides

Daniel Sibony
Création
Essai sur l'art contemporain

L'Enjeu d'exister
Analyse des thérapies

Alain Supiot
Homo juridicus
Essai sur la fonction anthropologique du Droit

Alain Touraine
Après la crise

Paul Valadier
Détresse du politique, force du religieux

Patrick Vauday
La Décolonisation du tableau
Art et politique au XIXe siècle. Delacroix, Gauguin, Monet

Marina Yaguello
Les Langues imaginaires
Mythes, utopies, fantasmes, chimères et fictions linguistiques

Slavoj Žižek
La Marionnette et le Nain
Le christianisme entre perversion et subversion